JOHN
GRISHAM

ДЖОН
ГРИШЭМ

ПАРТНЕР

ИЗДАТЕЛЬСТВО
МОСКВА

УДК 821.111(73)
ББК 84 (7Сое)
Г85

Серия «The International Bestseller» основана в 2005 году

John Grisham
THE PARTNER

Перевод с английского Ю. Кирьяка

Серийное оформление А. Кудрявцева

Компьютерный дизайн В. Петрова

Печатается с разрешения автора и литературных агентств
Rights Unlimited, Inc. и Permissions & Rights Ltd.

Подписано в печать 28.08.07. Формат 60x90^1/$_{16}$.
Усл. печ. л. 21,84. Тираж 4 000 экз. Заказ №**7753**

Гришэм, Д.
Г85   Партнер : [роман] / Джон Гришэм; пер. с англ. Ю.Г. Кирьяка. — М.: АСТ:
АСТ МОСКВА: ХРАНИТЕЛЬ, 2007. — 413, [3] с. — (The International
Bestseller).

ISBN 978-5-17-043642-2 (ООО «Издательство АСТ»)
ISBN 978-5-9713-6379-8 (ООО Издательство «АСТ МОСКВА»)
ISBN 978-5-9762-4787-1 (ООО «ХРАНИТЕЛЬ»)

«Идеальный преступник может получиться только из адвоката» — так говорят в
Америке. И ведь верно — кто лучше адвоката знаком со всеми возможными и
невозможными способами увернуться от карающей длани Закона?..

Идеальным преступником мечтал стать многоопытный юрист, лихо обокравший
своих партнеров по фирме, но даже не представлявший, какими неприятностями
грозит ему эта кража.

Теперь ему придется бежать не от Закона — но под крыло Закона. Потому что
только Закон может спасти его от гибели...

УДК 821.111(73)
ББК 84 (7Сое)

Как обычно, при написании и этой книги я полагался на эрудицию и знания моих друзей, за что хочу поблагодарить их всех: Стива Холлэнда, Жене Макдэйда, Марка Ли, Бастера Хэйла и Р. Уоррена Моука, поделившихся со мной своим опытом и оказавших неоценимую помощь при подборе фактического материала. Уиллу Дентону вновь пришлось вычитывать рукопись и приводить ее в надлежащий вид.

В Бразилии я получил надежную поддержку со стороны Паоло Рокко, моего издателя и друга. Это он вместе со своей очаровательной женой Анджелой научил меня любить Рио — лучший из всех городов мира.

На вопросы друзья отвечали с присущей им искренностью. Допущенные в книге ошибки — исключительно моя заслуга.

ГЛАВА 1

ни нашли его в Понта-Пору, небольшом и уютном бразильском городке, расположенном у самой границы с Парагваем. Местные жители называли это место просто Границей.

Они нашли его в домике из темного кирпича на улице Тирадентис — широкой улице, поделенной вдоль полосой раскидистых деревьев. По раскаленному тротуару босоногие мальчишки гоняли футбольный мяч.

Они нашли его в одиночестве. Правда, на протяжении восьми дней, в течение которых велось скрытое наблюдение, время от времени в домик наведывалась служанка.

Он жил вполне комфортабельно, но, безусловно, был далек от роскоши. Скромный домик мог бы принадлежать любому местному торговцу. Машина — красный, начищенный до блеска «фольксваген-жук» 1983 года выпуска — была сделана в Сан-Паулу вместе с десятками тысяч точно таких же. На первом сделанном ими снимке владелец, выведя автомобиль за ворота, наводил на него лоск.

Он успел похудеть и теперь весил значительно меньше своих девяноста трех килограммов. Волосы и кожа потемнели, подбородок стал квадратным, нос чуть заострился. Они были готовы к этим изменениям, поскольку заплатили хирургу из Рио, поработавшему два с половиной года назад над его лицом, хорошие деньги за эту информацию.

После четырех лет изнурительных поисков они все-таки нашли его. За это время они не раз выходили из тупика, ошибались, теряли и вновь находили след. Они потратили бешеные деньги, часто сомневались в успехе, думая, что им не удастся найти его.

И наконец оказались у цели.

Оставалось только ждать. Поначалу их мучило желание наброситься на него, накачать наркотиками, перевезти тайком через парагвайскую границу и спрятать в надежном месте. Они сгорали от нетерпения схватить его, прежде чем он успеет их увидеть или у соседей возникнут какие-то подозрения. Охватившее их возбуждение требовало выхода, однако через два дня они успокоились — надо было выбрать подходящий момент для нападения. В неброской одежде они слонялись по улице, прячась от солнца, пили чай за столиками под сенью деревьев, охлаждали себя мороженым, болтали с мальчишками, но при этом не сводили внимательных глаз с его дома. Они следовали за ним, стоило ему отправиться по магазинам, и сделали прекрасный снимок, когда он выходил из аптеки. Чуть ли не вплотную к нему они стояли на рынке и слушали его разговор с торговцем: отличный португальский с едва заметным акцентом американца или немца, потратившего немало сил на овладение языком. Покупки не отняли у него много времени, однако, когда он вернулся домой и запер ворота, в их распоряжении было уже не менее десятка отличных снимков.

Раньше ради поддержания формы он занимался бегом, но за несколько месяцев до того, как он исчез, дистанция стала укорачиваться, а стрелка весов угрожающе поползла вправо. Сейчас же, увидев его похудевшим, они нисколько не удивились — он явно вновь начал заниматься собой.

Он вышел из дома, закрыл ворота и неторопливой трусцой устремился по тротуару в сторону окраины. На первый километр ушло семь минут. Когда жилые дома остались позади, асфальт сменился гравием; на середине второго километра Денило прибавил скорости, и кожа его покрылась бисеринками пота. Стоял октябрьский полдень, почти двадцать шесть по Цельсию. В ровном темпе — шесть минут на километр — он миновал небольшое здание клиники, во дворе которой болтали молодые матери, и построенную баптистами церковь. Уходившая в сторону пригорода грунтовая дорога была очень пыльной.

Бег — дело серьезное, и наблюдатели радовались, что их подопечный так любил его. Денило в буквальном смысле сам прибежит к ним.

На следующий день бразилец Осмар снял на самой окраине Понта-Пору крошечный грязноватый домик, куда быстро перебралась вся группа, состоявшая из американцев и бразильцев. Американцами командовал Гай, Осмар же, свободно владевший обоими языками, был не только руководителем бразильцев, но и переводчиком.

Числившийся когда-то государственным служащим Гай прибыл из Вашингтона. Наняли его специально для того, чтобы он отыскал Денни-боя, как сразу же окрестили беглеца. Гай считался гением в одних сферах деятельности и был талантлив в других, но его прошлое представляло собой черную дыру. Подписанный им годичный контракт на розыски Денни оказался пятым по счету. За поимку ценной дичи Гая ждал хороший гонорар. И тем досаднее были преследовавшие его неудачи. Они давили на психику, хотя Гай старался скрыть это.

Четыре года и три с половиной миллиона долларов, а в результате — пустота, ноль.

И вот наконец они нашли его.

Осмар и другие бразильцы не имели ни малейшего представления о том, чем и кому так здорово насолил Денни-бой, но без всяких объяснений и дураку было ясно: парень скрылся, прихватив нечто очень ценное, может, даже машину, груженную пачками банкнот. Несмотря на снедавшее его любопытство, Осмар быстро понял, что лишних вопросов лучше не задавать: сказать по данному вопросу Гаю и его приятелям было нечего.

Развешанные по стенам кухоньки увеличенные фотографии Денни тщательнейшим образом изучались курившими одну сигарету за другой сурового вида мужчинами. Покачивая головой, они шепотом обсуждали различия между новыми снимками и теми, где Денни был запечатлен несколько лет назад. Человек, за которым они охотились, стал как бы меньше, у него был другой подбородок и слегка крючковатый нос. Да тот ли это, кто им нужен?

Такое уже случалось: девятнадцатью месяцами раньше на юго-восточном побережье, в Ресифи, они так же сидели на кухне снятой на время квартиры и рассматривали фотографии, а потом было принято решение захватить изображенного на них американца, чтобы получить его отпечатки пальцев. Отпечатки не совпали с теми, что у них были. Пришлось вкатить несчастному лошадиную дозу наркотика и оставить в придорожной канаве.

Забираться слишком глубоко в нынешнюю жизнь Денило Силвы они опасались. Если он и в самом деле тот человек, которого они ищут, то денег у него полно, а при общении с местными властями звонкая монета творит чудеса. Нацисты, укрывавшиеся в Бразилии со времени окончания войны и добравшиеся до Понта-Пору, на протяжении десятилетий легко покупали себе покровительство и защиту городской администрации.

Осмару очень хотелось захватить Денни-боя тотчас же, однако Гай сказал, что необходимо выждать. И вдруг на четвертый день Денило исчез, и обитатели грязного коттеджа тридцать шесть часов пребывали в состоянии, близком к панике.

Они видели, как Силва отъехал в своем красном «жуке» от дома и на хорошей скорости пересек город, направляясь в сторону аэропорта. Там он бросил «фольксваген» на единственной стоянке и в самый последний момент поднялся на борт небольшого самолета, совершавшего рейс до Сан-Паулу с четырьмя промежуточными посадками. За машиной тут же установили наблюдение.

Мгновенно родился план пробраться в пустой дом Денило, чтобы изучить все бумаги и поднять в поисках тайников каждую доску. Где-то же должны храниться какие-либо записи, документы. Гай мечтал откопать пачку банковских отчетов о движении крупных денежных средств, корешки телеграфных переводов, итоговые цифры по счетам — словом, портфель с полным набором информации, которая привела бы их к деньгам.

Однако он отдавал себе отчет в несбыточности подобных надежд. Если Денни почувствовал неладное и сбежал, то никаких сколь-нибудь ценных бумаг он, конечно, не оставил. Кроме того, если это и в самом деле их «подопечный», его дом наверняка оборудован системой сигнализации. Денни, где бы в данный момент он ни находился, вероятно, сразу узнал бы о проникновении постороннего в его убежище, стоило только попытаться открыть дверь или окно.

Поэтому им оставалось лишь ждать. Ждать, проклиная все на свете, споря друг с другом и изнывая от напряжения. Гай связался по телефону с Вашингтоном — эту неприятную обязанность нужно было, к сожалению, выполнять ежедневно. С красного «жука» не сводили глаз. По прибытии очередного рейса из сумок мгновенно извлекались бинокли и сотовые телефоны. Шесть самолетов в первый день, пять во второй. Остававшихся в маленьком домике членов группы мучила тягучая духота, и они вынуждены были выбраться на воздух: американцы дремали в ненадежной тени худосочного деревца на заднем дворе, а бразильцы лениво играли в карты, устроившись у ограды перед входной дверью.

Гай вместе с Осмаром, чтобы хоть как-то отвлечься, разъезжали по городку на машине и мысленно клялись захватить Денни сразу же, как только тот вернется — если вообще вернется. Осмар в его возвращении был уверен. Скорее всего Силва выехал по делам — черт его знает, по каким. Ничего, пусть только появится, они схватят его тут же. Схватят и снимут отпечатки пальцев. Если они вновь ошиблись, в ход пойдут наркотики, а потом его сбросят в канаву. Опыт в этом у них уже был.

Денни-бой прилетел на пятый день. Его довели до дома на улице Тирадентис и с облегчением перевели дух.

На восьмой день маленький домик опустел. Вся группа выдвинулась на заранее определенные позиции.

Дистанцию в шесть километров Денни пробегал ежедневно, в одно и то же время, одетый в оранжевые шорты, без майки, на ногах — разношенные кроссовки «Найк» и белые носки.

Наиболее подходящее для засады место находилось в двух с половиной километрах от его дома, на вершине невысокого холма, неподалеку от точки, где Силва поворачивал и устремлялся в обратную сторону.

Денни поднялся по склону через шестнадцать минут после того, как выбежал из ворот дома, секунд на двадцать раньше, чем предполагалось. По неизвестной причине — может, из-за низко висевших туч — темп чуть возрос.

На вершине холма поперек дороги стоял небольшой автомобиль с раскрытым багажником. Задний бампер его опирался на домкрат — можно было подумать, что спустила шина. Рядом суетился водитель, курчавый парень, на лице которого при виде тощего и потного бегуна отразилось явное удивление. На мгновение Денило замедлил бег, видно, размышляя, с какой стороны обежать неожиданное препятствие. Справа, пожалуй, будет удобнее.

— Добрый день, — произнес молодой человек, сделав шаг навстречу.

— Добрый день, — ответил Денило, приближаясь к машине.

И тут стремительным движением парень выхватил из багажника огромный, сверкающий никелем пистолет и направил его в лицо Денило. Силва застыл на месте, не в силах отвести взгляда от черного отверстия в стволе; грудь его по-прежнему тяжело вздымалась, из раскрытого рта рвалось шумное дыхание.

Руки у водителя были длинными и очень крепкими. Левой он схватил Денило за шею и, грубо подтолкнув к автомобилю, заставил склониться над задним бампером. Затем курчавый сунул пистолет в карман и уже обеими руками буквально сложил Денило пополам и запихнули в багажник. Денни попытался было сопротивляться, но противник не оставил ему ни малейших шансов на успех.

Парень захлопнул крышку багажника, выбил ногой из-под бампера домкрат, отшвырнул его в сторону и, сев за руль, тронул машину с места. Отъехав километра полтора, он свернул на узкую тропу, где его с нетерпением ожидали остальные.

Тонким нейлоновым шнуром Денило стянули руки, повязали на глаза непроницаемо-черную повязку и втолкнули в мини-фургон. Справа от него устроился Осмар, слева — один из его подчиненных. Из висевшей на поясе Денни сумочки кто-то достал связку ключей. За все это время мокрый от пота Силва не издал ни звука. Дыхание его сделалось еще более затрудненным.

Первые слова он смог выдавить, только когда фургончик остановился на пыльной дороге, позади возделанного участка земли.

— Что вам нужно? — спросил он по-португальски.

— Не разговаривать, — лаконично ответил Осмар на английском.

Сидевший слева от Денило бразилец достал из небольшой металлической коробочки шприц и невозмутимо наполнил его какой-то жидкостью из ампулы. Осмар выпрямил связанные руки Денни — игла вошла в правое предплечье. Силва на мгновение напрягся, однако тут же понял, что сопротивление бессмысленно. Мышцы его расслабились, и остаток жидкости беспрепятственно поступил из шприца в кровь. Дыхание стало более спокойным, голова начала покачиваться из стороны в сторону. Когда подбородок Денни опустился на грудь, Осмар осторожно приподнял шорты на правой ноге своего пленника и увидел то, что и предполагал увидеть, — бледную кожу.

Бег не только поддерживал Денни-боя в форме, бег открывал доступ ультрафиолету.

Похищения людей были на Границе обычным делом. Американцы представляли собой доступную и легкую добычу. «Но почему меня?» — думал Денни, проваливаясь в звездную бесконечность, стремительно пролетая мимо Луны и улыбаясь мчащимся навстречу галактикам.

Они спрятали его под картонными коробками с дынями и фруктами. Расположившиеся у шлагбаума в шезлонгах пограничники, не удосужившись подняться, благосклонным кивком разрешили фургончику проехать, и в следующее мгновение Денни оказался в Парагвае, хотя в тот момент ему не было до этого абсолютно никакого дела. Неудобств не причиняли даже усилившаяся из-за отвратительной дороги тряска и натужный вой двигателя, преодолевавшего довольно крутой подъем. Жадно куря сигарету за сигаретой, Осмар время от времени указывал водителю нужный поворот. Примерно через час после того, как они захватили Денни, в узкой щели меж двумя холмами появилась едва заметная с дороги хижина. Машина остановилась. Подобно мешку с отрубями, Силву внесли в крошечную кладовку и положили на стол, возле которого сидели Гай и специалист по снятию отпечатков.

Пока дактилоскопист прилежно работал над всеми десятью пальцами, Денни оглушительно храпел. Обступившие стол члены группы с напряженным любопытством наблюдали за требовавшим аккуратности процессом. В ящике у двери дожидалась своего часа бутылка виски, припасенная на тот случай, если пленник не обманет их надежд и окажется тем самым человеком, за кем велась эта долгая охота.

Закончив с подушечками пальцев, специалист по отпечаткам выпрямился, быстро прошел в соседнюю комнату, запер за собой дверь, разложил на столе десять листков с черными пятнами посредине и включил мощную лампу. Затем он достал из портфеля контрольные отпечатки, которые Денни-бой много лет назад, еще будучи Патриком, совершенно добровольно позволил снять, перед тем как подал заявление о вступлении в ассоциацию адвокатов штата Луизиана. Странное дело — кому пришло в голову брать отпечатки пальцев у юристов?

Оба комплекта были предельно четкими, их идентичность не вызывала никаких сомнений. Тем не менее дактилоскопист педантично сверил каждый завиток. Торопиться незачем: те, в соседней комнате, могут и подождать. Грех не насладиться мгновениями триумфа.

Распахнув наконец дверь, он обратил свое сосредоточенное, серьезное лицо к возбужденно ожидавшим вердикта мужчинам, и его губы внезапно растянулись в широкой улыбке.

— Это он.

В ответ раздались аплодисменты.

Гай был не против отметить успех операции, но потребовал не забывать об умеренности: работы еще предстояло достаточно. Так и не пришедшему в себя Денни-бою сделали дополнительную инъекцию и перенесли его в маленькую спальню — без окон, зато с тяжелой, запиравшейся снаружи прочной дверью. Именно здесь будет вестись допрос, а при необходимости и пытка.

* * *

Босоногие мальчишки были слишком увлечены мячом и не обращали ни малейшего внимания ни на что другое. На кольце из поясного кошелька Денни висело всего четыре ключа, поэтому с небольшой входной калиткой не возникло никаких задержек. На всякий случай ее оставили открытой. Метрах в пятидесяти, под раскидистым деревом, во взятой напрокат машине дожидался один из бразильцев. Другой на противоположном конце улицы с усердием регулировал тормоза мотоцикла.

Если при открытии входной двери завоет сирена, то партнер спасется бегством, и никто не успеет его заметить. Если же шума не будет, он проникнет в дом и осмотрит все, что их может заинтересовать.

Дверь открылась, но сигнализация так и не включилась — видно, охранная система оказалась отключена. Мужчина с облегчением вздохнул и, выждав примерно минуту, медленно двинулся в кабинет, где со знанием дела вынул из компьютера Денни-боя жесткий диск и собрал все дискеты. Затем он просмотрел лежавшие на столе папки, но не обнаружил в них ничего достойного внимания — обычные счета, одни оплачены, другие — нет. Дешевый факс не работал. Оставалось только сделать снимки: одежда, еда в холодильнике, мебель, стеллажи с книгами, полка для журналов.

Через пять минут после того, как входную дверь дома открыли, неприметное устройство на чердаке послало сигнал на телефонный аппарат, установленный в частной охранной фирме, располагавшейся в одиннадцати кварталах от жилища Силвы, в деловой части города. Но трубку никто не снял, так как дежурный мирно покачивался на улице в гамаке. Записанное на пленку сообщение должно было известить «бдительную» охрану о проникновении в дом постороннего. Прошло не менее пятнадцати минут, пока дежурный уловил доносившуюся из офиса трель звонка. К тому

моменту когда охранник прибыл к дому Денило Силвы, неизвестный злоумышленник уже исчез. Хозяина на месте тоже
не оказалось. В доме царил полный порядок, никто не по-
сягнул и на стоявший под навесом во дворе «фольксваген».
Дверь дома, ворота и калитка были заперты.

Оставленные клиентом инструкции на случай, если кто-
то посягнет на его жилище, носили довольно специфичес-
кий характер: полицию не вызывать, а в первую очередь попытаться установить местонахождение мистера Силвы. Если
последнее сделать сразу окажется невозможным, необходимо позвонить в Рио-де-Жанейро и попросить к телефону
Еву Миранду.

Едва сдерживая возбуждение, Гай связался с Вашингтоном и, прикрыв от удовольствия глаза, прошептал в трубку:

— Это он.

После продолжительной паузы из невообразимой дали
донеслось:

— Вы уверены?

— Да. Отпечатки совпали полностью.

На то, чтобы собраться с мыслями, у Стефано обычно
уходили доли секунды. Но на этот раз его молчание длилось
довольно долго.

— А что известно о деньгах? — наконец задал он следующий вопрос.

— Мы пока не приступали. Клиент находится под действием наркотика.

— Так когда же ждать новостей?

— Вечером.

— Я буду у телефона.

Несмотря на то что Стефано очень хотелось узнать подробности завершения охоты, он заставил себя положить
трубку.

Гай сидел позади хижины, на невысоком пне, наслаждаясь природой: кругом буйство зелени, а воздух чистый и про-

хладный. До него долетали спокойные, умиротворенные голоса партнеров. Сложнейшее задание было выполнено. Самая важная его часть по крайней мере.

Отлично. Минуту назад Гай заработал пятьдесят тысяч долларов. А информация о том, где деньги, гарантирует новое вознаграждение.

Гай был уверен, что получит его.

ГЛАВА 2

Рио. Деловая часть города.

Сидевшая в небольшом уютном офисе на десятом этаже небоскреба Ева Миранда обеими руками стиснула телефонную трубку и медленно повторила только что услышанное сообщение. По сигналу тревоги в дом мистера Силвы прибыл охранник. Хозяин отсутствовал, однако его машина стояла на месте, а входная дверь была заперта.

В дом явно кто-то заходил, отчего система и сработала. Посланный ею сигнал не мог быть ложным: датчик оставался включенным и после прибытия охранника.

Денило поблизости не оказалось. Может, он отправился на пробежку, забыв переключить сигнализацию? По словам охранника, телефонный звонок в его конторе раздался чуть больше часа назад. Но ведь Денило пробегал свою дистанцию меньше чем за час: семь или даже восемь минут, умноженные на шесть километров, никак не могут стать часом. Несомненно, Силва должен был вернуться раньше. Куда-то поехать он не мог. Иначе бы Ева об этом знала.

Она позвонила в дом на улице Тирадентис, но трубку никто не снял. Тогда Ева набрала номер сотового телефона, который Денило иногда брал с собой, но никто не отозвался.

Три месяца назад уже был случай, когда Денило неосторожно включил сигнализацию, в результате и он, и она до смерти испугались. Однако ее телефонный звонок быстро разрешил недоразумение. Обычно же Силва очень серьезно относился к вопросам безопасности, он не мог допустить ошибку вновь. Слишком многое было поставлено на карту.

Ева снова попробовала оба номера. Никакого ответа. Но ведь существует же какое-то объяснение этому, твердила она себе.

Она позвонила на квартиру в Куритибе — столице штата Парана, городе с полуторамиллионным населением. Об этой квартире знали только они с Денило. Снятая под чужим именем, она использовалась в качестве камеры хранения, и лишь изредка, от случая к случаю они приезжали туда, чтобы провести вместе уик-энд.

Ева не рассчитывала получить ответ на свой звонок, так и вышло — трубку никто не снял. Денило никогда не отправился бы туда, не сообщив об этом Еве заранее.

Звонить куда-либо еще не имело смысла.

Она заперла дверь кабинета и прислонилась к ней, прикрыв глаза. Из коридора доносились мужские и женские голоса — в их фирме работали тридцать три юриста, почти у каждого имелась секретарша. Фирма была второй по величине в Рио и располагала отделениями в Сан-Паулу и Нью-Йорке. Телефонные звонки, шуршание выползающей из факсов бумаги и негромкий гул работающего ксерокса сливались в привычный уху нестройный хор.

В тридцать один год Ева была опытным сотрудником фирмы с пятилетним стажем. Она привыкла к изнурительной многочасовой работе и приходам в офис по субботам. Фирмой руководили четырнадцать партнеров, среди которых только два были женщинами. Ева давно исполнилась решимости изменить это соотношение. Среди юристов насчитывалось уже десять представительниц прекрасного пола — свидетельство того, что в Бразилии, как и в Штатах, женщины быстро завоевывали позиции в этой когда-то почти исключительно мужской профессии. Юриспруденцию Ева изучала в Католическом университете Рио-де-Жанейро, лучшем, по ее мнению, в стране. Отец Евы все еще преподавал там философию.

Это по его настоянию дочь по окончании университета отправилась в Джорджтаун, чтобы заняться углубленным изучением юридических наук. Отец считал Джорджтаун своей альма-матер. Его авторитет вкупе с солидным резюме Евы, ее ошеломляющей красотой и превосходным английским сделал для нее продвижение по служебной лестнице в престижной фирме простым и коротким.

Приказав себе расслабиться, она подошла к окну. Нельзя было терять ни минуты, а то, что предстояло сделать, требовало максимального внимания. А затем ей нужно будет исчезнуть. Через полчаса должна состояться встреча с важным клиентом, но теперь ее придется отменить.

Папка лежала в небольшом несгораемом ящике. Ева еще раз прочла разработанные вместе с Денило инструкции.

Он знал, что рано или поздно его найдут. Она же предпочитала не думать о такой возможности. Мысли Евы вернулись к Денило: что с ним? Где он сейчас?

Внезапно раздавшийся телефонный звонок заставил Еву вздрогнуть. Но это был не Силва — секретарша сообщила о приходе клиента. Что-то он рановато.

— Извините перед ним, — сказала Ева секретарше, — и перенесите встречу на другой день. И больше меня не беспокойте.

Деньги находились в двух местах: часть суммы в одном из панамских банков, другая — в оффшорной акционерной компании на Бермудах. Первый документ, вложенный в факс и адресованный банку в Панаме, был распоряжением немедленно перевести всю сумму на счет, открытый в банке в Антигуа. Согласно второму факсу, отправленному уже в Антигуа, сумму надо было разбить на три части, которые следовало поместить в три различных банка на острове Большой Кайман. Деньги, хранившиеся на Бермудах, в соответствии с третьим факсом компания должна была в срочном порядке перевести на Багамы.

Почти два часа дня. Но это здесь, в Рио. Европейские же банки пока закрыты. Значит, в течение нескольких часов, до того как Европа проснется, ей придется перебрасывать деньги из одного карибского банка в другой.

Инструкции были четкими, но носили лишь общий характер. Детали Денило оставил на ее личное усмотрение. Пути перемещения денег Ева определяла сама, и она же решала, в какой именно банк и какую сумму направить. Она составила список названий вымышленных компаний, от имени которых действовала. Списка этого Денило никогда не видел. Ева делила, дробила суммы на части, посылала их в одну точку, чтобы тут же переслать в другую. Эту операцию они с Денило обсуждали множество раз.

Силва не мог знать, куда в конце концов уйдут деньги. Об этом будет известно только ей, Еве. В сложившихся исключительных обстоятельствах она с непоколебимой уверенностью делала то, что считала единственно правильным. Ева специализировалась по торговому законодательству: большинство ее клиентов были бразильскими бизнесменами, стремившимися расширить экспорт продукции в США и Канаду. Она прекрасно разбиралась в особенностях международного рынка, валютах и банковском деле. А специфике игры с деньгами, которую приходилось вести в данный момент, ее обучил Денило.

Ева бросила взгляд на циферблат — после звонка из Понта-Пору прошло более часа.

Запустив в факс очередной лист, она услышала звонок. Ну конечно же, это Денило! Сейчас он расскажет ей какую-нибудь дикую историю, и она успокоится. Вполне возможно, он просто решил устроить генеральную репетицию, захотел посмотреть, как она будет действовать в критической ситуации. Что ж, пусть убедится: она отлично справляется.

Но в трубке Ева услышала голос партнера фирмы, обеспокоенного ее отсутствием на совещании. Она вежливо извинилась и вновь повернулась к факсу.

Несмотря на профессиональное самообладание, Ева начинала испытывать всевозраставшее напряжение. Вестей от Денило так и не было, на ее звонки никто не отвечал. Если до него и в самом деле добрались, то эти люди не станут медлить и колебаться в выборе средств, чтобы заставить его говорить. Именно этого Силва опасался более всего. И именно поэтому ей предстояло бежать.

Полтора часа. Ева ощутила, как на плечи неимоверной тяжестью навалилась реальность. Денило исчез, а ведь он никогда не покидал дом, не предупредив ее. Его действия и поступки отличались редкой продуманностью, он постоянно чувствовал нависшую над ним угрозу. Увы, худшие их предчувствия, похоже, оправдались, причем поразительно быстро.

Из установленного в вестибюле телефона-автомата Ева сделала два звонка. Первый — управляющему домом, в котором она жила в Леблоне, южном районе Рио, там селились наиболее состоятельные горожане. Не заходил ли к ней кто-нибудь? Не спрашивал ли ее? Нет.

Затем она набрала номер отделения ФБР в Билокси, штат Миссисипи. Пытаясь говорить как можно спокойнее, без акцента, она объяснила дежурному, что ее дело не терпит отлагательств.

Путь назад был отрезан.

Денило нашли. Прошлое все же настигло его.

— Алло, — раздался в трубке голос настолько четкий, будто собеседник находился в соседнем доме.

— Агент ФБР Джошуа Каттер?

— Да.

Последовала краткая пауза.

— Это вы занимаетесь расследованием дела Патрика Лэнигана? — Ева отлично знала, что это именно так.

Теперь заминка на противоположном конце провода.

— Да. С кем я говорю?

Они смогут проследить звонок до Рио, на это уйдет примерно три минуты. Но потом им придется иметь дело с городом, где проживают десять миллионов человек. И все же Ева нервно оглянулась по сторонам.

— Я звоню из Бразилии, — сказала она в соответствии с инструкцией. — Патрика схватили.

— Кто? — спросил Каттер.

— Я назову вам одно имя.

— Слушаю. — В его голосе зазвенело напряжение.

— Джек Стефано. Знаете такого?

Новая пауза.

— Нет. Кто это?

— Частный детектив из Вашингтона. Он занимался поиском Патрика последние четыре года.

— Значит, если я правильно вас понял, он нашел его?

— Да. Точнее, его люди.

— Где?

— Здесь, в Бразилии.

— Когда?

— Сегодня. Думаю, Патрика могут убить.

Минутное молчание в трубке.

— Что еще вы можете мне сообщить? — спросил Каттер.

Ева продиктовала номер вашингтонского телефона Стефано, повесила трубку и вышла на улицу.

Гай внимательно просмотрел прихваченные в доме Денни бумаги, отметив, что их пленник был чрезвычайно аккуратен и не оставил никаких следов. В ежемесячной выписке со счета в местном банке фигурировала сумма в три тысячи долларов. Это были совсем не те деньги, которые их интересовали. На срочном вкладе лежало и того меньше — тысяча восемьсот. Расходы за месяц составили почти тысячу долларов. Денни вел весьма скромный образ жизни. Счета за телефон и электричество были еще не оплачены, другие, помельче, он успел погасить.

Один из парней Гая проверил все телефонные номера из записной книжки Силвы, но не нашел ничего интересного. Другой изучил жесткий диск компьютера и убедился, что Денни никак нельзя было назвать хакером — записанная информация в основном представляла собой подобие дневниковых записей о приключениях Силвы в малоисследованных районах Бразилии. Последний раз данные вносились чуть ли не год назад.

Мизерное количество бумаг само по себе вызывало подозрения. Выписка со счета? Но какому идиоту потребуется хранить в доме только одну выписку за один-единственный месяц? А как насчет предыдущего? Значит, у Денни был тайник вне дома. Что ж, это вполне соответствует образу жизни человека, пребывающего в бегах.

С наступлением сумерек Денни, так и не пришедшего в себя, раздели почти догола, оставив на теле только трусы. Освобожденные от грязных кроссовок и носков ступни светились в темноте первозданной белизной. Затем его приподняли и положили на кровать, на лист фанеры толщиной около двух сантиметров. В листе были проделаны отверстия для веревок. Нейлоновый шнур надежно зафиксировал щиколотки, колени, торс и руки. Лоб перехватила черная полоса клейкой ленты. Прямо над лицом со штатива свешивалась капельница, откуда к левому запястью протянулась прозрачная трубка.

Новый укол должен был нейтрализовать наркотик. Натужное дыхание Денни стало ровнее. Наконец его покрасневшие глаза раскрылись. Ему потребовалось некоторое время, чтобы понять: болтающийся над головой пластиковый мешок — это не что иное, как медицинская капельница. Затем в круг зрения попал бразилец, который молча воткнул в левую руку Денни иглу шприца, наполненного какой-то жидкостью. Это был тиопентал натрия — довольно жесткое средство, используемое иногда, чтобы развязать человеку язык. Наилучший эффект препарат оказывал на тех, кому подсознательно хотелось признаться хоть в чем-нибудь. Формула идеальной вакцины правды пока еще не открыта химиками.

Прошло десять минут. Денни безуспешно попытался повернуть голову. Он видел очень мало. В комнате царил полумрак, только где-то в углу горел слабый свет.

Распахнулась и закрылась дверь. Шаги.

Гай вошел один. Подойдя к Денни, он протянул руку и коснулся листа фанеры.

— Привет, Патрик.

Лэниган закрыл глаза. Денило Силва ушел в прошлое, исчез навсегда. Ощущение было такое, будто его покинул старый и надежный друг. Далеко позади осталась простая, спокойная жизнь на улице Тирадентис. Только что прозвучавшее приветствие, доброжелательное и приятное, сорвало ставший привычным и столь ценимый покров анонимности. «Привет, Патрик».

За минувшие четыре года он не раз пытался представить, как это все произойдет, когда они найдут его. Будет ли это чувство облегчения? Или ощущение справедливого возмездия? Взволнует ли его перспектива вернуться домой, чтобы сыграть последнюю сцену?

Все это оказалось чушью. В данный момент Патрик не испытывал ничего, кроме животного страха. Голый, привязанный к листу фанеры, подобно пойманному зверю, он сознавал, что ему предстоит перенести жесточайшие муки.

— Ты слышишь меня, Патрик? — Гай склонился к кровати.

В ответ Патрик улыбнулся, но не потому, что ему хотелось этого, — подсознание, не считаясь со здравым смыслом, находило ситуацию в чем-то забавной.

«Препарат начинает действовать», — мысленно отметил Гай. Тиопентал натрия относится к разряду барбитуратов, которые оказывают довольно кратковременный эффект и должны применяться с особой осторожностью. Весьма трудно нащупать тот уровень сознания, при котором человек окажется в состоянии отвечать на вопросы. Недостаточная доза не сможет сломить внутреннее сопротивление допрашиваемого, избыточная — повергнет в кому.

Вновь открылась и закрылась дверь. Появился еще один американец, однако Патрик его не видел.

— Ты проспал три дня, Патрик, — сказал Гай. На самом деле около пяти часов, но откуда Патрику знать об этом? — Может, ты хочешь есть или пить?

— Пить.

Открыв пластиковую бутылку, Гай осторожно, тонкой струйкой стал лить минеральную воду в рот пленнику.

— Спасибо. — Губы Патрика вновь растянулись в улыбке.

— Ты голоден?

— Нет. Чего вы от меня хотите?

Гай медленно поставил бутылку на стол и склонился к Лэнигану.

— Патрик, давай с самого начала уясним следующее. Пока ты спал, мы сняли отпечатки твоих пальцев. Нам совершенно ясно, кто ты. Может, обойдемся без ненужных формальностей?

— Кто же я?

— Патрик Лэниган.

— Откуда?

— Билокси, штат Миссисипи. Родился в Новом Орлеане. Окончил юридический колледж. Женат, у тебя есть шестилетняя дочь. И ты четыре года числишься в розыске.

— В точку. Да, это я.

— Скажи, Патрик, ты и в самом деле присутствовал на собственных похоронах?

— Это — преступление?

— Нет. Всего лишь слух.

— В таком случае — да. Я наблюдал со стороны. Трогательное было зрелище. Я и не знал, что у меня столько друзей.

— Замечательно. А где ты прятался после своих похорон?

— То здесь, то там.

Слева сзади на лицо Патрика упала тень, и чья-то рука повернула кран капельницы.

— Что в ней? — поинтересовался он.

— Коктейль, — ответил Гай, кивнув другому мужчине, отошедшему в угол. — Где деньги, Патрик? — спросил он с улыбкой.

— Какие деньги?

— Те самые, что ты прихватил с собой.

— Ах это... — Последовал глубокий вдох, затем глаза Патрика закрылись, тело расслабленно обмякло. Через несколько секунд дыхание сделалось медленным и ровным.

— Патрик! — Гай осторожно потряс его руку, но Лэниган уже спал.

Уменьшив дозу, они стали ждать.

Найти фэбээровское досье на Джека Стефано не составило большого труда. Бывший высококлассный детектив чикагской полиции, доктор криминологии, снайпер, отлично управлявшийся с любыми видами огнестрельного оружия, разведчик-самоучка и следопыт, он стал владельцем неприметной вашингтонской фирмы, не стеснявшейся требовать с клиентов астрономические гонорары за розыск интересующего их человека или проведение постоянного и плотного наблюдения за ним.

Папки с материалами на Патрика Лэнигана занимали восемь ящиков. Людей, которым хотелось установить, где он, и вернуть домой, было немало. Именно с этой целью они и наняли Джека Стефано.

Его фирма «Эдмунд ассошиэйтс» размещалась на верхнем этаже безликого здания на Кей-стрит, в шести кварталах от Белого дома. Двое агентов ФБР остались ждать в вестибюле, у лифта, двое других поднялись в офис Стефано, где суровая секретарша попыталась убедить их, что ее босс сейчас слишком занят.

Они обнаружили Стефано в полном одиночестве — он весело болтал по телефону. Увидев значки агентов ФБР, хозяин кабинета мгновенно перестал счастливо улыбаться.

— Какого черта! — возмутился он.

На стене, позади стола Стефано, висела большая карта мира с крошечными мигающими красными лампочками на зеленых континентах. Под какой из них, интересно, скрывался Патрик?

— Кто нанял вас для розыска Патрика Лэнигана? — спросил один из агентов.

— Подобная информация конфиденциальна, — снисходительно бросил в ответ Стефано. Бывшего полицейского трудно было запугать.

— Мы получили сегодня сообщение из Бразилии, — сказал второй агент.

«Как и я», — подумал Стефано, изумленный услышанным. Он старательно пытался скрыть удивление. Удавалось это с трудом: его нижняя челюсть чуть отвисла, плечи опустились, мозг лихорадочно искал ответ на вопрос: «Что привело сюда этих типов?» Ведь он разговаривал лишь с Гаем, а на него можно положиться. Гай ни с кем не будет это обсуждать, тем более с парнями из ФБР. Нет, кто угодно, только не Гай.

Он связался с вашингтонской конторой откуда-то из гористой местности на юге Парагвая по сотовому телефону. Перехватить или подслушать их разговор было невозможно.

— Вы нас слышите? — издевательски спросил второй агент.

— Да. — Это было правдой лишь отчасти.

— Где Патрик? — задал вопрос первый фэбээровец.

— В Бразилии, вероятно.

— Где именно в Бразилии?

Стефано вяло пожал плечами:

— Не знаю. Бразилия — большая страна.

— У нас давно выписан ордер на его арест. Лэниган — наш человек.

Стефано снова пожал плечами, уже более небрежно, как бы говоря: «Ну и что?»

— Он нам нужен. И побыстрее.

— Ничем не могу помочь.

— Ложь! — рявкнул первый агент.

Фэбээровцы придвинулись к столу вплотную. Инициативу взял на себя второй:

— Наши люди находятся в вестибюле, на улице вокруг здания и рядом с вашим домом в Фоллз-Черч. Мы будем следить за каждым вашим шагом с этой минуты и до того момента, пока Лэниган не окажется у нас.

— Вот и прекрасно. А теперь можете идти.

— Не вздумайте причинить ему хоть какой-нибудь вред, ясно? Если с парнем что-то случится, ваша задница окажется на очень горячей сковороде.

После того как они вышли, Стефано запер дверь на ключ. Окон в кабинете не было. Он подошел к карте. На просторах Бразилии горели три красные точки. В полном недоумении Стефано покачал головой.

Сколько денег и времени потрачено на то, чтобы замести следы!

В определенных кругах фирма Стефано пользовалась репутацией весьма ловкой конторы, где берут деньги и с легкостью уходят с ними от клиента в тень, точнее говоря, в туман. Никогда прежде такого прокола у Джека не было.

Никто и представления не имел о том, за кем Стефано охотился.

ГЛАВА 3

Еще одна инъекция, чтобы привести Патрика в себя. Тут же другая, обостряющая чувствительность нервных окончаний.

С громким звуком распахнулась дверь, и комнату залил яркий свет. Послышались голоса мужчин, сотрясавших, как казалось Патрику, своей тяжелой поступью пол. Гай отдавал приказы, кто-то повторял их по-португальски.

Лэниган открыл и тут же закрыл глаза. Затем под действием впрыснутого возбуждающего препарата веки его вновь поднялись. Над ним склонялись какие-то люди, по телу шарили чьи-то руки. Прикрывавший его последний клочок ткани был без излишних церемоний сорван. Став абсолютно голым, Патрик остро ощутил свою беззащитность. Зажужжала электробритва, удаляя волосы с груди, паха, бедер и икр. Его лицо с прикушенными губами исказила гримаса, хотя боль еще не пришла.

Приблизился Гай. Руки он держал за спиной, его внимательные глаза замечали каждую мелочь.

Патрик даже не сделал попытки издать хоть звук, но для пущей уверенности протянувшаяся откуда-то сбоку рука залепила его рот куском широкой серебристой изоляционной ленты. Острыми холодными зубцами в кожу на выбритых участках впились электроды, и до слуха донеслось произнесенное кем-то слово «ток». Той же серебристой лентой прикрепили и электроды. По подсчетам Патрика, не менее восьми. Может, девять. Нервы его были на пределе. Провалившись на мгновение в темноту, он продолжал ощущать прикосновения чужих пальцев. Липкая лента неприятно стягивала кожу.

Двое или трое человек возились в углу с каким-то невидимым Патрику аппаратом. Тянувшиеся от него разноцветные провода опутали его тело, как электрическая гирлянда новогоднюю елку.

«Но ведь они не собираются убивать меня», — твердил себе Патрик, хотя знал, что очень скоро смерть покажется ему бесконечно желанной. За последние четыре года он представлял себе эту неправдоподобно чудовищную картину тысячи раз. Он молил Господа, чтобы стремительно надвигавшаяся расплата миновала его, зная, что рано или поздно его найдут. Он постоянно чувствовал незримое присутствие чьих-то теней, людей, следящих за ним, покупавших у продажных чиновников информацию о нем, не оставлявших неперевернутым ни один камень.

Он всегда знал, что его ждет. Ева была слишком наивной.

Патрик прикрыл глаза, стараясь дышать как можно ровнее, пытаясь контролировать внезапно нахлынувшие мысли, готовя себя к тому, что предстояло вынести. От последнего укола бешено подскочил пульс, кожа зудела.

«Я не знаю, где деньги. Мне ничего не известно о том, где они могут быть!» Еще немного — и он начнет декламировать эти фразы, запоет их. Слава Создателю, что рот залеплен отвратительной изоляцией. «Я не знаю, где находятся деньги».

Он звонил Еве каждый день, между четырьмя и шестью вечера. Каждый день. Семь раз в неделю. Никаких исключений, кроме тех, что были оговорены заранее. В глубине души Патрик, несмотря на смятение, понимал: Ева уже переместила деньги, теперь они надежно спрятаны, разбросаны по всему миру. Он и в самом деле не знал, где именно.

Но захотят ли они поверить ему?

Вновь хлопнула дверь, из комнаты вышли двое. Суета вокруг его фанерного ложа понемногу стихла. В полной тишине Патрик раскрыл глаза. Висевшая над головой капельница исчезла. Вместо нее он увидел лицо склонившегося к кровати Гая. Мягким движением тот освободил левый угол рта Патрика от ленты, чтобы дать своей жертве возможность говорить, если у пленника вдруг возникнет такое желание.

— Спасибо, — поблагодарил Лэниган.

Зашедший с левой стороны бразилец в белом халате — врач? — вонзил в руку Патрика иглу шприца, длинный цилиндрик которого наполняла на этот раз всего лишь подкрашенная вода, — но откуда об этом знать их пациенту?

— Где деньги, Патрик? — задал первый вопрос Гай.

— У меня нет никаких денег.

От жесткой фанеры противно ныл затылок. Черный скотч на лбу жег кожу. В полной неподвижности Лэниган провел уже несколько часов.

— И все-таки ты скажешь, Патрик, обещаю тебе. Можешь сделать это сейчас либо часов через десять, когда превратишься в полутруп. Выбирай, что тебя больше устроит.

— Я вовсе не горю желанием отправиться на тот свет, о'кей?

В глазах его плясал страх.

«Но ведь они не убьют меня, нет!»

Откуда-то сбоку Гай достал и поднес к лицу Патрика небольшую омерзительную в своей простоте вещицу. Она оказалась не чем иным, как миниатюрным, поблескивавшим хромом рубильником с покрытой черной резиной рукоятью. Рубильник крепился на аккуратной квадратной коробочке, от которой отходили два тонких проводка.

— Взгляни-ка, — предложил Гай таким тоном, будто у Патрика был выбор. — Когда я поднимаю рукоятку, цепь размыкается. — Гай осторожно сжал резиновый наконечник большим и указательным пальцами и плавно повел вниз. — Но когда она опускается и касается крошечных контактов в коробочке, по проводам начинает бежать ток, который очень быстро достигнет электродов на твоей коже.

Рукоятка остановилась. Вдохнув, Патрик забыл сделать выдох. В комнате воцарилась полная тишина.

— Хочешь увидеть, что произойдет, когда ток добежит до электродов?

— Нет.

— В таком случае — где деньги?

— Я не знаю. Клянусь.

Гай решительно до упора опустил вниз находившуюся в двадцати сантиметрах от лица Патрика рукоятку. Удар тока был мгновенным и ужасающим по своей силе — в тело будто впились тысячи раскаленных гвоздей. От электрического разряда пленник дернулся так, что нейлоновые веревки едва выдержали. Патрик закрыл глаза и из последних сил стиснул зубы, пытаясь сдержать рвущийся из нутра вопль, однако через долю секунды боль перешла все мыслимые пределы, и раздавшийся в комнате нечеловеческий крик выплеснулся за стены хижины.

Гай поднял рукоятку рубильника, подождал несколько секунд, пока к Патрику вернется дыхание и он сможет открыть глаза.

— Это была позиция номер один, с самой низкой величиной тока. Всего таких позиций пять. При необходимости мы последовательно пройдем их все. Восемь секунд на последней убьют тебя, Патрик. Ты слышишь меня?

Плоть горела, мускулы, от груди до самых щиколоток, казалось, дымились. Сердце прыгало, из легких с яростным хрипом рвался воздух.

— Ты слышишь, Патрик? — повторил Гай.

— Да.

— Ситуация, по сути, весьма простая. Скажи, где деньги, и ты покинешь эту комнату живым. Мы даже вернем тебя в Понта-Пору, где ты сможешь вести прежнюю жизнь. Сообщать о тебе ФБР в наши планы не входит. — Поигрывая хромированной рукояткой, Гай выдержал театральную паузу. — В противном же случае, если откажешься сообщить мне, где спрятаны деньги, тебе придется остаться здесь навсегда. Понимаешь, Патрик?

— Да.

— Отлично. Где деньги?

— Клянусь, мне это неизвестно. Если бы я знал, то сказал бы.

Рубильник опустился, погрузив тело в кипящую кислоту.

— Я не знаю! — прокричал Патрик. — Клянусь!

Гай поднял рукоятку и вновь дал Лэнигану время прийти в себя.

— Где деньги? — спокойно повторил он вопрос.

— Клянусь, не знаю.

Новый леденящий душу вопль заполнил хижину и, вырвавшись через открытое окно, эхом отразился от склонов холмов, чтобы через минуту затеряться в густых джунглях.

От района Куритибы, где они снимали квартиру, было совсем недалеко до аэропорта. Ева попросила таксиста подождать ее у дома. Дорожную сумку она оставила в багажнике и прихватила с собой лишь объемистый портфель.

Поднявшись на девятый этаж, она вышла из лифта в тихий неосвещенный холл. Было почти одиннадцать вечера. Двигалась Ева медленно, внимательно оглядываясь по сторонам. Открыв дверь, тут же отключила сигнализацию.

Денило в квартире не оказалось, и, несмотря на то что это не стало для Евы неожиданностью, она ощутила разочарование. Не было ни одного сообщения и на автоответчике. Беспокойство ее достигло предела.

Долго оставаться в квартире Ева не имела права, так как захватившие Денило люди могли нагрянуть сюда в любой момент. Хотя она превосходно знала, что́ необходимо делать, все движения были замедленными, словно вынужденными, но и при этом осмотр всех трех комнат не занял много времени.

Нужные бумаги хранились в запертом стеллаже в кладовой. Ева выдвинула три тяжелых металлических ящика и переложила все, что там лежало, в небольшой элегантный, прекрасной кожи, чемодан, предусмотрительно оставленный Денило рядом. Кипа папок с различными финансовыми документами, которых было в общем-то немного для такой сумасшедшей суммы денег. Силва старался оставлять как можно меньше следов. Раз в месяц он приезжал сюда, чтобы пополнить папки новой документацией и уничтожить старую.

Ева включила панель сигнализации и торопливо вышла из квартиры, так и не встретив ни одного соседа. В деловой части города, поблизости от Музея современных искусств, она нашла маленькую гостиницу и сняла номер. Азиатские банки открыты, а в Цюрихе уже почти четыре часа дня. Ева достала из портфеля компактный факс и подключила его к телефонному гнезду. Через несколько минут постель в номере засыпали инструкции и распоряжения банкам.

Наваливалась усталость, но о сне не могло быть и речи. Силва предупреждал, что эти люди наверняка начнут разыскивать и ее. Путь домой отрезан. Механически вставляя в факс очередной лист, Ева думала не о деньгах, а о Денило. Жив ли он? Если да, то какие мучения сейчас испытывает? Как много его заставили рассказать и какой ценой?

Она вытерла струившиеся по щекам слезы и принялась собирать бумаги. Времени плакать не было.

Лучшие результаты пытка приносит на третий день. В конце концов не выдерживают и ломаются даже самые стойкие натуры. Боль проходит; жертва с ужасом начинает ждать нового сеанса. Три дня — и большинство упрямцев забывают о гордости, превращаясь в жалкое подобие людей.

Но трех дней в распоряжении Гая не было. Его добыча не захваченный на поле боя пленный — Гаю приходилось иметь дело с гражданином Соединенных Штатов, объявленным ФБР в международный розыск.

Около полуночи Патрика оставили на несколько минут в одиночестве — пусть отойдет немного от боли и подумает об очередном раунде. Тело его было мокрым от пота, ставшая ярко-красной кожа нестерпимо горела. Из-под куска серебристой ленты на груди сочилась кровь: прижатый слишком сильно электрод прожег кожу до мышц. Рот судорожно хватал воздух, попытка провести пересохшим языком по запекшимся губам не принесла никакого облегчения. Нейлоновые веревки до крови стерли запястья и лодыжки.

Вернувшись в комнату, Гай поставил рядом с листом фанеры стул и уселся. Какое-то время тишину в комнате нару-

2*

шало лишь хриплое дыхание крепко смежившего веки Патрика.

— А ты на редкость упрямый, — наконец бросил Гай.

Молчание.

Первые два часа пытки не принесли ровным счетом ничего. Все вопросы касались только денег. Он не знает, где они находятся, раз за разом звучал один и тот же ответ. Но деньги эти существуют? Нет, выкрикивал он. Что с ними случилось? Он не знает.

Опыт Гая в проведении пыток был весьма ограниченным. Он консультировался у эксперта — настоящего извращенца со сдвинутой психикой, наслаждавшегося причиняемой им болью. Гай читал специальное руководство, однако времени для практических занятий у него не было.

Сейчас, когда Патрик понял, как далеко они могут зайти, было очень важно попробовать разговорить его.

— Где ты находился во время похорон? — поинтересовался Гай.

Мышцы Патрика едва заметно расслабились. В конце концов, речь ведь идет не о деньгах. Несколько секунд он колебался. Какой, собственно говоря, может быть вред от ответа? Все равно он у них в руках, и часы его, похоже, сочтены. Но если не раздражать мучителей понапрасну, не отключат ли они ток?

— В Билокси.

— Прятался?

— Естественно.

— Наблюдая за тем, как твой гроб опускают в могилу?

— Да.

— Откуда?

— Я забрался с биноклем на дерево. — Глаза Патрика были по-прежнему закрыты, кулаки судорожно сжаты.

— Куда ты направился после похорон?

— В Мобил*.

---

* Город на юго-западе штата Алабама. — *Здесь и далее примеч. пер.*

— Там находилось твое убежище?

— Да, одно из них.

— И долго ты там пробыл?

— Пару месяцев.

— Немало. Где именно в Мобиле ты жил?

— В дешевых мотелях. Приходилось много ездить. Исколесил все побережье залива: Дестин, пляжи, затем назад в Мобил.

— Ты изменил внешность.

— Да. Сбрил усы, перекрасил волосы, сбросил двадцать килограммов.

— И выучил иностранный язык?

— Португальский.

— Значит, ты уже тогда знал, что направишься сюда?

— Куда «сюда»?

— Ну, скажем, в Бразилию.

— Да, мне казалось, это неплохое место.

— Куда ты выехал из Мобила?

— В Торонто.

— Почему Торонто?

— Но ведь куда-то мне же нужно было ехать. Канада — прекрасная страна.

— И в Торонто ты выправил себе новые документы?

— Да.

— Став Денило Силвой?

— Да.

— И ты продолжил там изучать язык?

— Да.

— И еще немного похудел?

— На двенадцать килограммов. — Не открывая глаз, Патрик пытался не думать о боли, не обращать на нее внимания. Наибольшие мучения доставлял ему электрод на груди.

— Сколько времени ты пробыл в Торонто?

— Три месяца.

— Выходит, до июля девяносто второго?

— Что-то вроде того.

— А потом?

— Португалия.

— Почему Португалия?

— А почему бы и нет? Там красиво, к тому же я ни разу там не был.

— Долго ты жил в Португалии?

— Около двух месяцев.

— Что было потом?

— Сан-Паулу.

— Почему?

— В нем двадцать миллионов жителей. Лучшего места, чтобы спрятаться, и не придумаешь.

— И ты пробыл там...

— Год.

— Расскажи, чем ты все это время занимался.

Патрик сделал глубокий вдох и попытался шевельнуть лодыжками, отчего лицо его исказила гримаса. Он мысленно приказал мышцам расслабиться.

— Я затерялся в огромном городе. Нашел преподавателя и довольно скоро в совершенстве овладел языком. Сбросил еще несколько килограммов. Постоянно менял адреса.

— А что ты делал с деньгами?

Пауза. Мышцы вновь напряглись. Где этот дьявольский хромированный рубильник? Ну почему бы им не продолжить болтовню о бегах и погонях, не затрагивая темы денег?

— С какими деньгами? — Патрик постарался вложить в этот вопрос все свое отчаяние.

— Брось, Лэниган! С девятью десятками миллионов, что ты украл у своей фирмы и ее клиента.

— Я уже говорил, вы ошиблись. Я не тот, кто вам нужен.

Резко повернувшись к двери, Гай что-то крикнул, и в комнату тут же вошли его подручные. Врач-бразилец вогнал в вену Патрика два кубика жидкости и вышел. Американцы принялись возиться вокруг аппарата в углу. Кто-то включил магнитофон. Держа в руке коробочку с вертикально поднятым рубильником, Гай со злобной усмешкой склонился над Патриком. Он был исполнен решимости покончить с пленником, если тот не заговорит.

— Деньги были переведены на оффшорный счет твоей фирмы в банке Нассо в десять пятнадцать по Гринвичу двадцать шестого марта тысяча девятьсот девяносто второго года, через сорок пять дней после твоей смерти. В это время ты был там, Патрик. Загорелый мужчина в расцвете лет — у нас есть твои снимки, сделанные установленной в банке камерой. В твоем распоряжении имелись великолепно сработанные бумаги, и очень скоро после того, как деньги прибыли в банк, они исчезли. Кто-то перевел их на Мальту. Это ведь был ты, Патрик. Ты украл их. Так где же они сейчас? Скажи мне, и ты останешься жить.

Патрик бросил последний взгляд на Гая, затем на смертоносный рубильник, вновь закрыл глаза и из последних сил прошептал:

— Я клянусь, что не знаю, о чем вы говорите.
— Патрик, Патрик...
— Не делайте этого! Прошу вас!
— Это только третья позиция, Патрик. Ты прошагал лишь половину пути.

Гай опустил рукоятку, наблюдая за тем, как дрогнуло и забилось в конвульсиях обнаженное тело.

Легкие Патрика исторгли леденящий душу вопль, от которого у расположившихся на крыльце вместе с Осмаром бразильцев волосы встали дыбом. Разговор оборвался. Кое-кто беззвучно повторял слова молитвы.

У пыльной дороги, в сотне метров от хижины, с карабином в руке сидел на посту еще один бразилец. Движения по дороге не было никакого: ближайший населенный пункт находился в нескольких километрах. Услышав жуткий вопль, краткую молитву прочитал и он.

ГЛАВА 4

После четвертого или пятого звонка, сделанных от соседей, миссис Стефано все же подошла к ограде. Джеку пришлось сказать ей правду: трое одетых в темные костюмы мужчин, прохаживавшихся рядом со стоящей напротив их дома машиной, — сотрудники ФБР. Джек объяснил жене причину их появления. Он открыл ей почти все, что касалось Патрика Лэнигана, тем самым серьезно нарушив профессиональную этику. Миссис Стефано не задала ему ни одного вопроса.

Ей не было никакого дела до того, чем муж занимается в офисе. Однако мнение соседей было для миссис Стефано далеко не безразлично. В конце концов, они живут в Фоллз-Черч, а люди здесь всегда найдут повод посудачить.

В полночь миссис Стефано отправилась в спальню. Джек дремал на диване в гостиной, каждые полчаса поднимаясь, чтобы в щелку между шторами посмотреть, что происходит на улице. Но к трем часам ночи, когда в дверь позвонили, его все-таки сморил сон.

Одернув фланелевую пижаму, Джек направился к двери. На пороге стояли четверо мужчин, в одном из которых он с первого взгляда узнал Гамильтона Джейнса, заместителя директора ФБР, второго человека в Бюро, жившего всего в трех кварталах от дома Стефано. Джейнс был членом того же гольф-клуба, что и Стефано, но познакомиться им не пришлось.

Джек предложил пришедшим расположиться в просторной гостиной. После официальных приветствий все уселись. Спустившаяся в махровом халате взглянуть на поздних гостей миссис Стефано, заметив, как строго одеты мужчины, торопливо ретировалась.

Разговор начал Джейнс:

— Мы продолжаем поиски Патрика Лэнигана. Нам известно, что в данное время он находится в руках ваших людей. Вы можете подтвердить или опровергнуть эту информацию?

— Нет. — Стефано был холоден, как лед.

— У меня в кармане лежит ордер на ваш арест.

Лед начал таять. Джек обвел взглядом суровые лица агентов.

— В чем меня обвиняют?

— В укрытии человека, находящегося в розыске. В противодействии сотрудникам ФБР. Повод найти нетрудно, какая вам разница? Но мне вовсе не требуется, чтобы на вас повесили ярлык преступника. Мне достаточно лишь отправить вас за решетку и добраться до вашей конторы, а через нее — до каждого из ваших клиентов. На это уйдет около двадцати четырех часов. А обвинительные заключения можно будет составить позже в зависимости от того, получим мы Лэнигана или нет. Картина достаточно ясна?

— Да, вполне.

— Так где Лэниган?

— В Бразилии.

— Он нужен мне здесь. Немедленно.

Стефано не потребовалось много времени, чтобы расставить все по своим местам. В сложившихся обстоятельствах сдача Лэнигана будет шагом разумным и грамотным. Феды* найдут способ развязать ему язык. Давить на него примутся со всех сторон. Лэниган расскажет все.

Ну а потом Стефано предстоит ответить на щекотливый вопрос: каким образом кому-то удалось пронюхать, что он нашел этого типа?

— Ладно, согласен. Дайте мне сорок восемь часов, и я представлю вам Лэнигана при условии, что вы уничтожите этот дурацкий ордер и не будете предъявлять никаких обвинений.

— Договорились.

---

* Так называют сотрудников ФБР.

Воцарилось многозначительное молчание — обе стороны праздновали победу.

— Мне необходимо знать, где состоится передача, — наконец сказал Джейнс.

— Высылайте самолет в Асунсьон.

— В Парагвай? Почему не в Бразилию?

— Там у него есть друзья.

— Пусть будет так. — Джейнс прошептал что-то на ухо своему соседу, тот сразу направился к выходу. — Он еще не превратился в развалину? — прозвучал новый вопрос.

— Нет.

— Тем лучше. Если я увижу на нем хотя бы царапину, вам придется несладко.

— Мне необходимо позвонить.

Джейнс усмехнулся и обвел взглядом стены гостиной.

— Вы у себя дома.

— Телефон прослушивается?

— Нет.

— Можете поклясться в этом?

— Вы слышали мой ответ.

— Прошу извинить меня.

Пройдя через кухню, Стефано нашел в небольшой кладовке сотовый телефон и вышел с ним на задний двор, где в свете газового фонаря влажно поблескивала мокрая от росы трава. Через минуту он будет говорить с Гаем.

Крик оборвался в тот момент, когда охранявший фургончик бразилец услышал негромкую трель телефонного звонка. Трубка лежала в кабине водителя, откуда сквозь крышу уходила вверх пятиметровая антенна. Услышав английскую речь, бразилец направился в хижину.

Гай стремительно бросился к фургончику.

— Он говорит? — послышался в трубке голос Стефано.

— Кое-что. Начал раскалываться около часа назад.

— Что вы узнали?

— Деньги пока в банке, но ему неизвестно, в каком именно. Ими занимается женщина из Рио, юрист.

— Он назвал ее имя?

— Да. Сейчас мы наводим справки. В Рио у Осмара есть свои люди.

— Чего-нибудь еще от него можно добиться?

— Не думаю. Он уже почти труп, Джек.

— Немедленно прекратите все. Врач с вами?

— Само собой.

— Пусть он займется им. Доставьте Лэнигана в Асунсьон, и как можно быстрее.

— Но почему...

— Никаких вопросов. Не теряйте времени. На нас спустили целую свору федов. Делай, что я приказал, и проследи, чтобы он был в полном порядке.

— В полном порядке? Да последние пять часов я чего только не делал, почти убил его.

— Ты сделаешь так, как я сказал, Гай. Собери его хоть по кусочкам. Накачай наркотиками. И двигайся в сторону Асунсьона. Звони мне в начале каждого часа, ясно?

— Предельно.

— И разыщите женщину!

Голову Патрика осторожно приподняли, на губы его упала струйка холодной воды. После того как были перерезаны нейлоновые веревки, с измученной кожи очень медленно сняли серебристую ленту и электроды, тело освободили от проводов. Во время этой процедуры Патрик корчился от невыносимой боли и со стоном что-то бормотал — смысл бессвязных слов разобрать было невозможно. В локтевой сгиб в очередной раз вошла игла, только теперь с морфием, затем другая — с легким успокаивающим. Сознание Патрика затуманилось.

На рассвете Осмар был в Понта-Пору: он дожидался в аэропорту самолета, который к концу дня должен совершить посадку в Рио. Со своими людьми там он уже связался, пообещал за услугу хорошие деньги. Все они получили приказ немедленно выйти на улицы.

Прежде всего Ева позвонила отцу — сразу же после восхода солнца. Это время он обычно проводил на лоджии, читая газету и наслаждаясь чашечкой кофе. Отец жил в небольшой квартирке в Ипанеме, в трех кварталах от океанского берега. Построенный более тридцати лет назад дом считался одним из старейших в этом самом фешенебельном районе Рио. Жил отец один.

По голосу Евы он понял: возникли проблемы. Она уверяла, что все у нее в порядке, ей ничто не угрожает, но просто одному клиенту из Европы срочно потребовалась ее помощь, и в течение ближайших двух недель отцу она сможет только звонить. Конечно, она постарается делать это ежедневно. Кроме того, как объяснила Ева, клиент этот — человек весьма скрытный и недоверчивый, поэтому не стоит удивляться, если кто-то из посторонних попытается разузнать что-нибудь о ней и ее работе. Опасений для тревоги нет никаких: в международном бизнесе подобная практика — дело обычное.

У него возникло несколько вопросов, но он знал, что ответов на них все равно не получит.

Звонок партнеру, боссу Евы, дался с бо́льшим трудом. Она с актерским мастерством изложила заранее заготовленную историю, в которой, однако, были серьезные пробелы. Ева сказала, что вчера поздно вечером с ней связался новый клиент. Ее рекомендовал ему один американский юрист, с которым она вместе училась. Клиент предложил срочно вылететь в Гамбург, куда она и отправляется первым утренним рейсом. Сфера деятельности этого клиента — телекоммуникации и средства связи, он вынашивает планы расширения своего дела в Бразилии.

Поднятый звонком с постели, партнер сонным голосом попросил Еву перезвонить ему позже и более подробно изложить детали поездки.

Затем она набрала номер своей секретарши и, повторив тот же рассказ, велела отменить все встречи до ее возвращения.

Из Куритибы Ева вылетела в Сан-Паулу, где поднялась на борт аргентинского лайнера, следовавшего прямым рейсом до Буэнос-Айреса. Она первый раз воспользовалась новым паспортом, тем самым, что годом раньше помог сделать Денило. Паспорт хранился в их квартире вместе с такими же новенькими кредитными карточками и восемью тысячами американских долларов.

Теперь ее звали Лиа Перес; год рождения остался прежним, сменились только день и месяц. Эти детали были неизвестны Денило.

Немного успокоившись, Ева продолжала размышлять о том, что же все-таки случилось с Силвой. Во время пробежки его могли подстрелить бандиты, постоянно орудовавшие на дорогах, — подобное на Границе бывало часто. Его могли настичь тени прошлого: те, кто знал о деньгах, способны были захватить его, пытать, убить и закопать в непроходимых джунглях. Под пытками он, вполне возможно, заговорил. Значит, существует вероятность, что было упомянуто ее имя. Если в действительности так и произошло, то всю оставшуюся жизнь ей придется провести в бегах. О подобном повороте событий Денило предупредил ее в самом начале. Но ведь он мог и промолчать, и тогда ей нечего опасаться.

Существует шанс, что Силва до сих пор жив. Он ведь неоднократно уверял: убивать его нет смысла. Его могут заставить молить о смерти, но цена убийства будет слишком высокой. Если первыми его найдут представители американских властей, встанет вопрос об экстрадиции. Едва ли его решат положительно: Латинскую Америку Денило выбрал именно потому, что там на государственном уровне сложилась традиция не выдавать беглецов стране, подданными которой они являлись.

Если же первыми окажутся другие, то его будут пытать до тех пор, пока он не скажет, где деньги. Больше всего Денило боялся физического насилия.

В аэропорту Буэнос-Айреса Лиа попыталась задремать, но сон не шел. Тогда она вновь позвонила ему — сначала домой, в Понта-Пору, затем по номеру сотового телефона в Куритибе.

Приземлившись в Нью-Йорке, она три часа прождала посадки на самолет компании «Суисс эйр», летевший до Цюриха.

Его уложили на заднем сиденье фургончика «фольксваген», пристегнув ремнем безопасности, чтобы он не свалился во время езды по отвратительным горным дорогам. Из одежды на нем были только шорты. Врач в последний раз осмотрел плотные повязки — их было восемь. Ожоги покрыли толстым слоем мази, а перед самым отъездом Патрику ввели изрядную дозу сильного антибиотика. Сняв халат, врач уселся впереди пациента и поставил между ногами небольшой черный саквояж. Парень, конечно, настрадался достаточно, но он поможет ему.

День-другой отдыха плюс инъекции болеутоляющего — и несчастный пойдет на поправку. От ожогов останутся лишь небольшие шрамы, да и они со временем скорее всего исчезнут.

Врач повернулся и потрепал Патрика по плечу. Он испытывал искреннюю радость от того, что этот совершенно незнакомый ему мужчина остался жив.

— Мы готовы, — бросил он сидевшему на переднем сиденье Гаю.

Бразилец за рулем выжал сцепление, фургончик развернулся и отъехал от хижины.

Каждый час они останавливались, чтобы установить на крыше антенну, без которой связь в горных условиях была невозможна. Гай говорил со Стефано, находившимся в своем рабочем кабинете вместе с Гамильтоном Джейнсом и высокопоставленным чиновником из госдепартамента. Велись консультации и с Пентагоном.

«Что, черт побери, происходит? — хотелось спросить Гаю. — Откуда взялись феды?»

За первые шесть часов они преодолели чуть больше ста километров. Дорога временами просто отсутствовала. Немало хлопот доставляли и постоянные звонки в Вашингтон. К двум пополудни, когда горы наконец выпустили их из своих цепких отрогов, «фольксваген» выехал на относительно ровное шоссе.

Процедура экстрадиции была связана с множеством сложностей, и Гамильтон Джейнс категорически возражал против нее. Пришлось искать обходные пути.

Директор ФБР провел телефонный разговор с руководителем администрации президента, в результате чего к операции подключили американского посла в Парагвае.

Если находящийся в этой стране подозреваемый — человек решительный и располагает внушительной суммой денег, то какие бы обвинения ни выдвигались против него на родине, процесс экстрадиции может растянуться на долгие годы и окончиться безрезультатно. Но в данном случае подозреваемый не имел при себе ни цента и даже не знал, где именно он находится.

С крайней неохотой парагвайцы согласились закрыть глаза на готовящуюся акцию.

В четыре часа дня Стефано передал Гаю инструкцию: найти аэропорт в окрестностях Консепсьона, небольшого городка, расположенного в трех часах езды от Асунсьона. Водитель-бразилец, получив приказ развернуться и гнать фургон на север, беззвучно выругался.

* * *

В Консепсьон они прибыли, когда на улицах городка сгущались сумерки. Аэропорт, оказавшийся подобием кирпичного сарая рядом с узкой асфальтовой взлетно-посадочной полосой, пришлось отыскивать в почти полной темноте. Гай вновь связался со Стефано; тот приказал, не вынимая ключи из замка зажигания, оставить фургон с Лэниганом у полосы. Возглавляемая Гаем группа, состоявшая из врача, водителя и еще одного американца, медленно, не сводя с «фольксвагена» глаз, отступила по густой траве от кирпичного домика. Метрах в ста от него росло большое раскидистое дерево — отличный наблюдательный пункт. Там они провели час в ожидании.

Наконец в воздухе загудели моторы и совершивший посадку «Владыка небес», крошечный самолетик с американскими опознавательными знаками на борту, совершил посадку у кирпичного домика. Спустившись по трапу, в домик прошли оба пилота. Через несколько мгновений они уже направлялись к «фольксвагену». Один из них забрался внутрь, другой сел за руль и подогнал фургон к самолету.

Патрика Лэнигана с величайшей осторожностью перенесли на борт самолета, где его ожидал врач военно-воздушных сил США. Пилоты отогнали фургон на прежнее место. Не прошло и пяти минут, как самолет вновь взмыл в темное небо.

В Асунсьоне, при дозаправке, Патрик пришел в себя и попробовал пошевелиться. Но он был еще слишком слаб, чтобы сидеть, — ломота в мышцах так и не отпустила. Врач предложил ему холодной воды и крекеров.

Еще две посадки они совершили в Ла-Пасе и Лиме. В Боготе Патрику помогли перебраться на борт небольшого реактивного «лира», скорость которого была вдвое выше, чем у турбовинтового «Владыки небес». От Арубы, острова у побережья Венесуэлы, где «лиру» тоже потребовалась дополнительная порция керосина, они без посадок долетели до американской военно-морской базы в Пуэрто-Рико. Машина «скорой» немедленно доставила Лэнигана в госпиталь.

После четырех с половиной лет жизни в Бразилии Патрик вновь ступил на территорию Соединенных Штатов.

ГЛАВА 5

Юридическая фирма, в которой когда-то работал Патрик, через год после его «похорон» обратилась в суд, оспаривая объявление ее банкротом. Его имя довольно долго значилось на официальном бланке фирмы: «Патрик С. Лэниган, 1954—1992» — в правом верхнем углу, над фамилиями ассистентов. А потом поползли тревожные слухи. Очень скоро в умах людей утвердилась мысль, что Патрик присвоил астрономическую сумму и скрылся. По прошествии трех месяцев на всем побережье Мексиканского залива невозможно было найти человека, который бы верил в его смерть. Долги фирмы росли, и имя Патрика с официальных бланков исчезло.

Но оставались еще четыре партнера, связанные круговой порукой. Их подписи стояли рядом на закладных и банковских обязательствах, выданных еще в те времена, когда дела фирмы шли в гору, а партнеры готовились стать по-настоящему богатыми людьми. Они выступали в качестве совместного ответчика в нескольких заведомо проигрышных исках, что, собственно, и послужило причиной банкротства. После того как исчез Патрик, каждый из участников квартета неоднократно пытался начать исполнять свою партию независимо от других, но это не принесло никакого улучшения. Двое были законченными алкоголиками, напивавшимися, заперев дверь на ключ, прямо в офисе, в тиши кабинетов. Еще двое, пройдя курс лечения, балансировали на грани. Правда, собутыльниками они никогда не были.

Лэниган взял их деньги. Их миллионы. Те самые, которые четверка умудрилась потратить задолго до того, как они поступили в банк, — такое под силу только настоящим юристам. Деньги, предназначавшиеся для оплаты роскошно отделанного здания фирмы в центре Билокси, деньги на покупку домов, яхт, вилл на Карибах. Они были уже в пути, эти деньги, документы подписаны, извещения о переводе получены, в воздухе витал запах богатства, еще немного — и приятную тяжесть пачек банкнот можно было бы ощутить на ладони, но в последнюю секунду протянувший с того света руку партнер унес их. Все!

Погребение Лэнигана состоялось одиннадцатого февраля девяносто второго года. Чтобы утешить скорбящую вдову, его подлое имя поместили на представительском бланке фирмы, после чего не прошло и шести недель, как он непостижимым, дьявольским образом похитил их деньги.

В жуткой грызне решался вопрос: кто виноват? Чарлз Боген, старший партнер, железной рукой управлявший фирмой, уверял, что деньги изначально были направлены на некий оффшорный счет — не лишенная логики догадка, с которой, по размышлении, пришлось согласиться и другим. Речь шла о сумме в девяносто миллионов долларов, причем треть ее должна была остаться у партнеров. Спрятать такие огромные деньги в Билокси, где жили всего пятьдесят тысяч человек, не представлялось никакой возможности. В местном банке кто-нибудь наверняка проговорился бы, и новость мгновенно стала бы достоянием всего города. В глубине души каждый из четверки задыхался от зависти к мертвецу, несмотря на то что фирма строила планы в ближайшее время блеснуть своим богатством — поговаривали даже о покупке шестиместного самолета.

Словом, Боген принял часть вины на себя. В свои сорок девять лет он был старшим из четверых и по крайней мере в настоящее время довольно прочно стоял на ногах. Кроме того, девять лет назад Боген лично принял на работу Патрика, в чем теперь горько раскаивался.

Дуглас Витрано, или, как его чаще называли, Дуг, специалист по судебным процессам, внес на рассмотрение исполнительного комитета оказавшееся роковым предложение о переводе Лэнигана из сотрудников фирмы в число ее партнеров. Трое оставшихся коллег поддержали его, и, став пятым среди равных, Патрик получил неограниченный доступ ко всем, в том числе и самым конфиденциальным, делам. «Боген, Рэпли, Витрано, Хаварек и Лэниган — адвокаты и советники юстиции, — сообщала реклама в справочнике «Желтые страницы». — Специалисты по оффшорному бизнесу». Профиль, собственно говоря, был не так уж важен. Подобно большинству юридических фирм, они брались за любое дело, если их устраивали гонорары. На партнеров работали десятки секретарш и ассистентов. Значительные накладные расходы приносили хорошие дивиденды в виде крепких связей с наиболее влиятельными на побережье политиками.

Всем им было по сорок с небольшим. Воспитанный отцом на рыбачьей лодке, Хаварек до сих пор гордился своими грубыми могучими руками и мечтал в один прекрасный день сомкнуть их на горле Лэнигана. Рэпли впал в глубокую депрессию и почти не выходил из дома, общаясь с коллегами посредством записок, которые сочинял, сидя в крошечном кабинетике под самой крышей.

В начале десятого утра, когда Боген и Витрано едва успели усесться за рабочие столы, в здание фирмы на Вью-Марше в старой части города вошел специальный агент ФБР Каттер. Улыбнувшись секретарше, он осведомился, может ли встретиться с кем-нибудь из руководства. Вопрос не был праздным: оба босса слыли ярыми приверженцами спиртного и нечасто появлялись в офисе.

Проведя гостя в комнату для переговоров, секретарша поставила перед ним чашку кофе. Первым явился Витрано, в накрахмаленной рубашке и с на редкость ясными, абсолютно трезвыми глазами. Следом за ним буквально через несколько секунд в зал вошел Боген.

Под тихое позвякивание ложечек, размешивающих сахар, начался неизбежный разговор о погоде.

На протяжении месяцев, последовавших за исчезновением Лэнигана и денег, Каттер периодически наведывался в офис, чтобы поделиться новостями о ходе розысков. Казалось даже, что стороны начали испытывать удовольствие от такого общения, хотя приносимые Каттером известия скорее разочаровывали, чем внушали хоть какую-то надежду. Месяцы плавно перетекли в годы, и постепенно встречи стали эпизодическими. Каттер всегда говорил: «Следов Лэнигана обнаружить пока не удалось». Последний раз эти слова прозвучали почти год назад.

Вот и сейчас агент ФБР, по-видимому, случайно проходил мимо и решил запросто, по-приятельски заглянуть на чашечку кофе. Ненадолго.

— Патрик у нас, — лаконично сообщил он.

Прикрыв глаза, Чарли Боген оскалил все тридцать два превосходных зуба.

— Боже! — воскликнул он и закрыл лицо ладонями. — Боже мой!

У дернувшего головой Витрано отвисла челюсть. С величайшим недоверием он уставился в потолок и через силу спросил:

— Где именно?

— На военной базе в Пуэрто-Рико. Его привезли из Бразилии.

Боген поднялся и прошел в угол, к книжным шкафам. Отворачиваясь от света, он пытался скрыть подступившие к глазам слезы.

— О Господи!

— Вы уверены, что это он? — Витрано все еще не верил своим ушам.

— Полностью.

— Расскажите детали.

— Что вас интересует?

— Как вы нашли его? Где? Чем он там занимался? Как выглядит?

— Нашли его не мы. Его нам отдали.

Прижав к носу платок, к столу вернулся Боген.

— Прошу извинить меня, — неловко сказал он.

— Вы знаете человека по имени Джек Стефано? — спросил Каттер.

Оба неохотно кивнули.

— И вы тоже входите в его небольшой консорциум? — задал новый вопрос агент.

Отрицательное покачивание головами.

— Вам повезло. Стефано отыскал его, пытал, а потом едва живым отдал нам.

— Пытки всегда дают нужный результат, — заметил Витрано. — Расскажите об этом подробнее.

— Обойдетесь. Наш самолет подобрал его вчера ночью в Парагвае и доставил в Пуэрто-Рико. Сейчас Лэниган находится там же, в военном госпитале. Через несколько дней, после того как разрешат врачи, он будет здесь.

— А что насчет денег? — через силу выдавил Боген сухим, ломающимся голосом.

— Ни намека. Пока нам не известно то, что, может быть, узнал Стефано.

Витрано беспокойно уставился на столешницу. Четыре с лишним года назад Патрик скрылся с девяноста миллионами долларов. Потратить всю сумму он был не в состоянии. Зато мог накупить особняков, вертолетов, иметь множество женщин, и при этом у него остались бы еще десятки миллионов. Безусловно, они найдут их. Гонорар фирмы составляет одну треть.

Не безусловно, а возможно. Всего лишь возможно.

Боген тер влажные глаза и вспоминал бывшую супругу — весьма близкую ему по духу женщину, превратившуюся, когда положение фирмы пошатнулось, в настоящую мегеру. Посчитав себя обесчещенной объявленным банкротством, она забрала младшего ребенка и перебралась в Пенсаколу, где при оформлении развода выдвинула против мужа совершенно недостойные обвинения. Боген пил и баловался кокаином. Поэтому супруге не составило труда добиться от него всего, что ей требовалось. Никакого серьезного сопротивления Боген оказать не мог. Доброе имя со временем удалось, правда, восстановить, однако в праве видеться с ребенком ему было отказано.

Поразительно, но он все еще любил эту странную женщину и надеялся вернуть ее. Может, в этом ему помогут деньги? Может, еще не все потеряно? Ведь они наверняка найдут свои миллионы.

Затянувшееся молчание нарушил Каттер:

— Стефано сам напросился на серьезные неприятности. В результате пыток у Лэнигана все тело в ожогах.

— Отлично, — улыбнулся Витрано.

— Вы рассчитываете вызвать у нас сочувствие? — спросил Боген.

— Нисколько. Я хотел сказать, что Стефано представляет собой интерес лишь постольку, поскольку может привести нас к деньгам. За ним установлено наблюдение.

— Найти деньги будет нетрудно, — пожал плечами Витрано. — Ведь какого-то мертвеца мы похоронили. Наш приятель Патрик совершил убийство, за что полагается электрический стул — просто и достаточно быстро. Убийство из корыстных побуждений. Так что если на него надавить, он запоет.

— Но будет еще лучше, если Лэнигана отдадут нам. — Боген не собирался шутить. — Десять минут — и мы узнаем все.

Каттер посмотрел на часы:

— Мне пора. Предстоит еще съездить в Пойнт-Клир и сообщить новость Труди.

Боген и Витрано одновременно фыркнули и засмеялись.

— Вот как? Она еще ничего не знает? — спросил Чарлз.

— Пока нет.

— Хорошо бы записать эту сцену на видео, — сказал Витрано, продолжая трястись от беззвучного смеха. — Хотел бы я увидеть ее лицо.

— Мне и самому не терпится, — ответил Каттер.

— Сучка, — поморщился Боген.

— Поставьте в известность своих партнеров. — Каттер поднялся. — Но до полудня ничего особенного не предпринимайте. Мы собираемся устроить пресс-конференцию, я еще свяжусь с вами.

После ухода агента они довольно долго просидели в полном молчании: слишком много вставало вопросов, слишком многое предстояло обсудить. Какие перспективы открывались, какие возможности!

Патрика Лэнигана, жертву автокатастрофы, произошедшей в отсутствие свидетелей на какой-то проселочной дороге, проводила в последний путь одиннадцатого февраля девяносто второго года его очаровательная жена Труди. Одетая в строгий черный костюм от Армани, вдова выглядела потрясающе. Бросая горсть земли на гроб, мысленно она уже вовсю тратила деньги.

По своему завещанию Патрик оставил ей все. За несколько часов до того, как отправиться на заупокойную службу, вместе с Дугом Витрано Труди открыла запертый ящик стола в кабинете мужа и внимательно изучила находившиеся там бумаги: завещание, документы на две машины, закладную на дом, страховой полис на полмиллиона долларов, о котором Труди было известно, и другой — на два миллиона, — оказавшийся для нее полной неожиданностью.

Витрано опытным взглядом просмотрел драгоценный документ. Полис Патрик приобрел восемью месяцами раньше. Единственным получателем страховой суммы в нем значилась Труди. Оформлены обе страховки были в одной и той же солидной компании.

Труди клялась, что о втором полисе и не подозревала. Улыбка на ее лице убедила Дуга в том, что она говорит правду. Свалившееся перед самыми похоронами на голову вдовы состояние совершенно выбило ее из колеи, но, несмотря на охвативший ее восторг, она нашла силы и терпение изобразить приличествующую моменту печаль и отстоять всю службу, а затем дойти за гробом до самой могилы.

С выплатой денег компания, как обычно бывает, не спешила, однако угроза Дуга обратиться в суд привела к тому, что через четыре недели после похорон мужа Труди стала обладательницей двух с половиной миллионов долларов.

Прошло еще шесть дней, и она уже разъезжала по Билокси в красном «роллс-ройсе», вызывая ненависть сограждан. А потом исчезли девяносто миллионов, и по городку поползли тревожные слухи.

Может, она и не вдова?

Патрик был первым из подозреваемых, а вскоре остался единственным. Слухи становились все злонамереннее; не желая быть их объектом, Труди усадила в «роллс-ройс» маленькую дочку и своего приятеля Лэнса, с которым сошлась когда-то в школе, и укатила в Мобил, расположенный в часе езды к востоку от Билокси. Там она нашла пронырливого адвоката, надававшего ей советов, как уберечь полученные от страховой компании деньги. В Пойнт-Клире Труди купила прекрасный старый особняк с видом на залив и записала его на имя Лэнса.

Лэнс представлял собой типичного красивого и сильного неудачника. Именно с ним Труди в четырнадцать лет стала женщиной. Когда Лэнсу исполнилось девятнадцать, он был обвинен в контрабанде марихуаны и его на три года упрятали за решетку. Труди же в это время наслаждалась привольной студенческой жизнью в колледже, который, несмотря на крайнее легкомыслие, умудрилась окончить с отличием. Выйдя замуж за сына весьма состоятельных людей, она через два года развелась с ним и стала наслаждаться прелестями жизни свободной одинокой женщины. Через несколько лет Труди встретила Патрика — молодого и многообещающего юриста, человека в городе нового. Они стали мужем и женой.

Пока училась в колледже и позже, став замужней женщиной, в первом и втором браке меняя места работы, Труди всегда держала Лэнса поблизости. Он был для нее чем-то вроде наркотика, его кошачьей похоти ей вечно не хватало. Уже в четырнадцать лет Труди поняла, что расстаться с Лэнсом не сможет никогда.

По пояс голый, со стянутыми на затылке в пучок блестящими черными волосами, со сверкающим в мочке левого уха крупным бриллиантом, Лэнс стоял у раскрытой калитки, глядя на Каттера сверху вниз — так он смотрел на весь мир, — и молчал.

— Труди здесь? — спросил Каттер.

— Возможно.

Увидев значок специального агента, Лэнс на мгновение растерялся.

— Каттер, сотрудник ФБР. Мне уже приходилось с ней беседовать.

Марихуану Лэнс привозил из Мексики на отличном быстроходном катере, купленном на деньги Труди. Товар он сбывал дельцам в Мобиле. Бизнес шел вяло: мешала береговая охрана.

— Она в спортивном зале, — сообщил Лэнс. — А что вам от нее нужно?

Не обратив внимания на этот вопрос, Каттер пересек подъездную дорожку и направился в сторону модернизированного и оборудованного тренажерами гаража, откуда доносилась громкая музыка. Лэнс побрел следом.

Труди была полностью поглощена аэробикой, безукоризненно точно копируя сложнейшие движения какой-то супермодели, лихо отплясывавшей на огромном экране телевизора у задней стены помещения. Она подпрыгивала, делала повороты, подпевая лившейся из динамиков музыке, и выглядела чертовски соблазнительно: ярко-желтое обтягивающее трико, собранные в длинный конский хвост белокурые волосы, ни грамма жира. Каттер не отводил глаз. Даже пот не портил ее.

На аэробику Труди тратила по два часа ежедневно, и в тридцать пять лет по-прежнему походила на студентку-второкурсницу.

Лэнс нажал кнопку панели управления, и экран телевизора погас. Труди обернулась, увидела Каттера и наградила его взглядом, от которого могло бы расплавиться масло.

— В чем дело? — возмущенно бросила она Лэнсу.

— Каттер, специальный агент ФБР. — Снова вытащив из кармана значок, Джошуа направился к Труди. — Несколько лет назад мы с вами встречались.

Желтым, в тон трико, полотенцем Труди вытерла лицо. Грудь ее высоко вздымалась.

— Чем могу вам помочь? — ослепительно улыбнулась она.

— Я принес вам замечательную новость. — Каттер широко улыбнулся в ответ.

— Какую же?

— Мы нашли вашего мужа, миссис Лэниган, он жив.

До Труди не сразу дошел смысл услышанного.

— Патрик?

— Именно так.

— Вы лжете, — подал голос Лэнс.

— Вынужден вас разочаровать, но это правда, — на мгновение повернулся к Лэнсу Каттер. — Сейчас он на нашей военной базе в Пуэрто-Рико, а здесь будет примерно через неделю. Я подумал, что эту добрую весть вы имеете право узнать раньше газетчиков.

Пораженная, Труди опустилась на гимнастическое бревно. Ее бронзовая от загара кожа стала серой. Плечи безвольно поникли. Лэнс бросился к ней.

— О Господи, — едва слышно выдохнула Труди.

Каттер положил на край бревна визитную карточку.

— Дайте знать, если решите, что я смогу чем-нибудь помочь вам. — Он направился к выходу.

Было совершенно ясно, что Труди не испытывала никакой ненависти к человеку, смерть которого оказалась всего лишь обманом. И радости известие о том, что он жив, ей тоже не принесло.

Появился только страх, отупляющий чувства ужас: страховая компания, безусловно, подаст в суд, и с деньгами придется расстаться.

В то время пока Каттер находился в Мобиле, его коллега отправился к жившей в Новом Орлеане матери Патрика. Миссис Лэниган, услышав новость, от волнения едва не лишилась чувств и стала умолять агента рассказать обо всем как можно подробнее. Он провел в ее доме около часа, но не сказал почти ни слова правды. Пожилая женщина была вне себя от радости и после ухода гостя остаток дня провела у телефона, делясь с подругами своей радостью.

Ее единственный и ненаглядный ребенок жив!

ГЛАВА 6

Джека Стефано арестовали в его вашингтонском офисе. Он провел тридцать минут в камере, откуда был доставлен в здание федерального суда. Высокопоставленный чиновник сообщил Стефано, что он будет освобожден сразу же после того, как даст письменное обязательство не покидать пределы города, и что с этого момента он находится под круглосуточным наблюдением ФБР. Группа агентов, оставшихся в его офисе, отправила сотрудников по домам и собрала всю документацию.

После беседы с судьей Стефано доставили на Пенсильвания-авеню, в Гувер-билдинг*, где его ждал Гамильтон Джейнс. Оставшись со своим гостем наедине, заместитель директора ФБР принес ему самые искренние извинения за арест, пояснив, что не имел выбора. Ведь никто не может рассчитывать остаться безнаказанным после того, как отдаст приказ схватить находящегося в розыске гражданина США, накачать его наркотиками и чуть ли не до смерти пытать.

Но истинная причина ареста, конечно, заключалась в деньгах. Предполагалось, что, побывав в ФБР, Стефано станет более разговорчивым, однако тот клялся, будто Патрик не сказал им ни слова.

Пока они беседовали, двери и окна офиса Стефано были опечатаны, а телефоны в его доме напичканы «жучками». Миссис Стефано отсутствовала: она играла у подруги в бридж.

После краткого и совершенно бесплодного разговора с Джейнсом Джека посадили в машину и, приказав держаться подальше от собственного офиса, выпустили неподалеку от здания Верховного суда. Стефано тут же остановил такси, назвал водителю адрес отеля «Хэй Эдамс» на перекрестке Эйч-стрит с Шестнадцатой улицей и с невозмутимым видом развернул газету, время от времени ощупывая пальцами небольшую бляшку, вшитую федами в полу его пиджака. Бляшка представляла собой миниатюрный, но весьма мощный источник радиосигналов, он позволял следить за перемещениями людей, грузов и даже автомобилей. Обнаружил его Стефано еще в кабинете Джейнса, перед выходом из кото-

---

* Эдгар Гувер с 1924 по 1972 год был директором ФБР, превратившегося под его руководством в одну из наиболее влиятельных государственных структур США.

рого испытал сильнейшее искушение разодрать подкладку и швырнуть крошечный передатчик тому в лицо.

Методы ведения слежки были Стефано известны не хуже, чем им. Запихав пиджак под сиденье, он расплатился с таксистом и быстрым шагом вошел в вестибюль отеля, фасад которого смотрел на Лафайетт-парк. Дежурный администратор сообщил, что свободных номеров у них нет, тогда Стефано попросил вызвать управляющего (недавно Джек оказал ему важную услугу). Через несколько минут его торжественно проводили в «люкс» на четвертом этаже. Из окон номера открывался замечательный вид на Белый дом. Раздевшись до трусов, Стефано разложил на постели всю одежду и очень тщательно исследовал каждый шов. Когда с этим было покончено, он, позвонив по телефону, попросил принести ему перекусить. Попытка связаться с женой результата не дала.

Стефано набрал номер Бенни Арициа, своего клиента, человека, чьи девяносто миллионов долларов растаяли в воздухе через пять минут после того, как были получены банком в Нассо. Шестьдесят принадлежали ему лично, он собирался выгодно вложить их в дело; тридцать оставшихся составляли грабительский гонорар Богена, Витрано и других алчных крючкотворов из Билокси. Но деньги, как уже было сказано, исчезли без следа.

В ожидании новостей от Стефано Бенни жил в отеле «Уиллард», также находившемся неподалеку от Белого дома.

Они встретились через час на нейтральной территории отеля «Времена года», где Арициа на всякий случай снял номер на неделю.

Бенни было почти шестьдесят, однако выглядел он лет на десять моложе: сухопарый, с тренированными мускулами, обтянутыми покрытой бронзовым загаром кожей, состоятельный житель южной Флориды, отошедший от дел. Он поддерживал отличную форму, каждый день играя в гольф.

Жил Арициа в особняке на берегу канала вместе с молодой шведкой, годившейся ему в дочери.

Фирма располагала страховым полисом, покрывавшим потери от возможного мошенничества или кражи, совершенной собственными сотрудниками. Среди корпоративных юристов случается и такое. Полис, проданный страховой компанией «Монарх-Сьерра», гарантировал максимальную компенсацию в четыре миллиона. Подав судебный иск, Арициа бульдожьей хваткой вцепился в фирму. Его адвокаты требовали возмещения всех причитавшихся их клиенту шестидесяти миллионов.

Принимая во внимание то, что фирма оказалась на грани банкротства и взять с нее фактически было нечего, Бенни удовлетворился выплаченными «Монарх-Сьеррой» четырьмя миллионами. Половина суммы ушла на розыски Патрика. Особняк потребовал еще пятьсот тысяч. Поскольку жил Бенни на широкую ногу, на сегодняшний день у него оставался только миллион.

Стоя у окна, он отхлебывал из чашечки кофе без кофеина.

— Меня арестуют?

— Скорее всего нет. Но я бы на твоем месте все же не высовывался.

Бенни подошел к столу, поставил чашку и уселся напротив Стефано.

— А со страховыми компаниями ты еще не говорил? — спросил тот.

— Пока нет. Свяжусь с ними позже. Ты и твои люди в полной безопасности.

Страховая компания «Нозерн кейс мьючуэл», сделавшая Труди богатой, втайне от всех выделила на розыски Патрика полмиллиона долларов. Вместе с миллионом, полученным в «Монарх-Сьерре», общая сумма, потраченная маленьким консорциумом Стефано на охоту за Лэниганом, составила более трех миллионов долларов.

— О девчонке что-нибудь выяснили? — спросил Арициа.

— А ты нетерпелив. Наши люди в Рио работают. Они нашли ее отца, но сказать старику было нечего. То же самое нас ждало в юридической фирме, где девчонка работает. Нам сообщили только, что она уехала по делам.

Сложив руки на груди, Бенни спокойно сказал:

— А теперь в точности повтори мне его слова.

— Я еще не слышал запись. Пленку должны были доставить в офис сегодня после обеда, но феды спутали все карты. К тому же не забывай, что ее требовалось как-то переправить сюда из парагвайских джунглей.

— Мне это известно.

— По словам Гая, Лэниган сломался на пятом часу допроса. Он признал, что деньги в полной сохранности и спрятаны на счетах различных банков, названия которых выяснить пока не удалось. Гай чуть не убил Лэнигана, когда тот то ли не смог, то ли не захотел сказать ни слова об этих банках. Гай пришел к выводу: деньгами занимается кто-то другой. Применив кое-какие методы, он заставил парня выдать имя женщины, которое тут же сообщили в Рио. Оттуда пришло подтверждение, что такая дама действительно существует. Но было уже поздно — она успела скрыться.

— Я хочу прослушать запись.

— Там одни животные крики, Бенни. Человека медленно поджаривают, а он молит о пощаде.

Арициа не смог сдержать улыбки:

— Знаю. Именно это я и хочу услышать.

Патрика поместили в отдельной палате удаленного крыла госпиталя. Ее двери можно было запереть снаружи, а окна не открывались. Опущенные жалюзи создавали постоянный полумрак. В коридоре у палаты на всякий случай поставили двух охранников.

О том, чтобы Патрика перевезти куда-то, не могло пока идти и речи. Электроды оставили глубокие раны на его груди и ногах. Боль еще давала о себе знать, особенно в костях и суставах. В трех местах: на груди, бедре и на икроножной мышце — раны были особенно глубокими; четыре других врачи квалифицировали как ожоги второй степени.

Лэниган так страдал, что консилиум принял решение держать его на седативах. Причин торопиться с его переправкой не было: пока ведомства договорятся, кто займется им в первую очередь, пройдет несколько дней.

В полутемной палате негромко звучала спокойная музыка. Лежавший под капельницей, полной дарящего забвение легкого наркотика, Патрик размеренно посапывал в лишенном сновидений сне и не подозревал о назревающей дома буре.

В августе девяносто второго года, через пять месяцев после исчезновения миллионов, жюри присяжных города Билокси признало Патрика Лэнигана виновным в краже денег. Все собранные улики с очевидностью указывали именно на него, и оснований подозревать кого-либо другого у суда не имелось. Поскольку противозаконная акция была совершена на территории другого государства, следствие по делу находилось в юрисдикции ФБР.

Шериф округа Гаррисон вместе с окружным прокурором начали совместное расследование убийства мужчины, похороненного под именем Лэнигана, но вскоре вынуждены были переключиться на другие, более срочные и важные, проблемы.

Теперь же все возвращалось на круги своя.

Назначенную на вторую половину дня пресс-конференцию отложили, и представители нескольких государственных ведомств собрались в кабинете Каттера, чтобы попытаться проанализировать складывавшуюся ситуацию. Совещание проходило в довольно накаленной обстановке. С одной стороны стола сидел Каттер и его коллеги из ФБР, подчинявшиеся приказам Мориса Маста — государственного прокурора, осуществлявшего общий надзор за соблюдением законности в штатах, расположенных к западу от Миссисипи. Напротив них разместились Рэймонд Суини, шериф округа Гаррисон, его правая рука Гримшоу — оба терпеть не могли ФБР — и излагавший их позицию Т.Л. Пэрриш, прокурор Гаррисона и прилегающих к нему районов.

Государство против штата, гигантский бюджет против каких-то крох. Борьба самолюбий. Каждой из сторон хотелось заполучить Патрика Лэнигана в свое исключительное и безраздельное владение.

— Он подпадает под действие нашего закона о смертной казни, — сообщил Т.Л. Пэрриш.

— Мы можем подойти к вопросу с точки зрения федерального закона, — едва ли не робко заметил Маст.

Пэрриш с улыбкой опустил взгляд на столешницу. Конгресс только что утвердил федеральный закон о преступлениях, за которые могла быть назначена смертная казнь, однако в тексте почти ничего не говорилось о механизме действия этого закона. Принесенный на подпись президенту закон смотрелся очень внушительно, но недоработок в нем было хоть отбавляй.

Штат же имел давний и многократно оправдавший себя опыт осуществления вынесенных по приговору суда наказаний.

— Наш будет получше, — сказал Пэрриш. — Все его знают, всё в нем изложено просто и ясно.

На своем веку он отправил на электрический стул восьмерых. Масту же только предстояло первый раз в жизни призвать суд приговорить к смертной казни человека за совершенное им умышленное убийство.

— Существует еще и проблема тюрьмы, — продолжал Пэрриш. — Мы бы направили Лэнигана в Парчмэн, где скверно кормят дважды в день и пару раз в неделю дают помыться в душе. Он двадцать три часа в сутки проводил бы в душной камере вместе с тараканами и насильниками. Вы же привезете его в некое подобие загородного клуба, членом которого он останется до конца своих дней, поскольку ваши судьи найдут тысячу отговорок для того, чтобы заменить смертную казнь чем-нибудь погуманнее.

— Как на пикнике Лэниган чувствовать себя не будет, — не очень уверенно возразил Маст.

— Значит, как на пляже. Брось, Морис. Нам необходим рычаг. До того как любитель путешествовать Лэниган отправится в последний вояж, мы должны ответить на два вопроса. Первый и самый главный — это деньги. Где они? Что он с ними сделал? Можно ли их разыскать и вернуть законным владельцам? Второй касается пресловутых похорон. Кто лежит в могиле? Ответ в состоянии дать только Лэниган, да и то лишь после того, как его заставят сделать это. Нужно, чтобы у него душа ушла в пятки, Морис. Тюрьма напугает кого угодно. Готов поклясться, Лэниган Бога будет молить, чтобы его дело рассматривал федеральный суд.

Признавая правоту оппонента, Маст не мог позволить себе публично согласиться с ним. Для местных властей дело Лэнигана слишком сложное. К тому же сюда уже начала прибывать пресса.

— Есть еще и другие моменты, — напомнил он Пэрришу. — Кража совершена далеко за пределами страны.

— Да, но на момент совершения преступления его жертва являлась субъектом юрисдикции данного округа.

— Все это далеко не так просто.

— Что ты предлагаешь?

— Может, нам стоит объединить усилия?

После этого вопроса Маста атмосфера несколько разрядилась.

Фэбээровцы в любое время могли оказаться первыми, и то, что государственный прокурор предлагал Пэрришу содействие, было для него совсем не плохо.

Все дело заключалось в Парчмэне, это понимал каждый присутствовавший. Будучи юристом, Лэниган должен был представлять, что ждет его в Парчмэне, и перспектива провести десять лет в преддверии ада могла развязать ему язык.

В соответствии с предложенным планом Пэрриш и Маст делили пирог меж собой. ФБР продолжит поиски денег. Представители местных властей сконцентрируют усилия на разгадке убийства. Пэрриш соберет большое жюри присяжных. Перед публикой выступит объединенный фронт. Такие щекотливые вопросы, как суд и апелляции, были отложены сторонами до лучших времен. На первое место выдвинулась необходимость заключить перемирие, чтобы каждая из сторон могла действовать без оглядки на другую.

Поскольку в здании ФБР проходило совещание, прессе предложили подождать его окончания на противоположной стороне улицы, в городском суде Билокси. В зале на втором этаже собрались десятки репортеров, в основном местные, хотя были и их коллеги из Джексона, Нового Орлеана и Мобила. Всем им непременно хотелось занять места в первом ряду, куда они рвались, как дети на школьном утреннике.

Маст и Пэрриш вышли к трибуне, уставленной множеством микрофонов. Каттер вместе с полицейскими окружили этих двоих плотной стеной. В зале вспыхнул свет, засверкали фотовспышки, зажужжали видеокамеры.

Откашлявшись, Маст сделал шаг вперед:

— Нам выпала честь сообщить, господа, об аресте мистера Патрика С. Лэнигана, бывшего жителя вашего города. Он и в самом деле не умер и находится сейчас в распоряжении федеральных властей.

Выдержав драматическую паузу, Маст насладился волнением, охватившим журналистов, а затем осторожно поделился некоторыми подробностями: рассказал о событиях, происшедших пару дней назад в Бразилии, сообщил, каким образом установили личность арестованного, но ни словом не обмолвился о том, что ни сам он, ни ФБР не имели никакого отношения к определению местонахождения Патрика

3*

Лэнигана. Он добавил пару общих фраз о доставке арестованного, выдвигаемых против него обвинениях и неотвратимости правосудия.

Речь Пэрриша оказалась более сдержанной. Он обещал скорейшее рассмотрение дела об убийстве, равно как и всех остальных пунктов обвинения, предъявляемого арестованному.

На трибуну обрушился град вопросов. В течение примерно полутора часов Маст вместе с Пэрришем противостояли попыткам журналистов узнать что-нибудь еще.

Труди решительно настояла на том, чтобы при встрече Лэнс находился рядом. В обтягивающих мускулистые бедра шортах из джинсовой ткани он был неотразим. Видевший и не такое, адвокат едва заметно презрительно улыбнулся.

Труди была одета, как всегда, со вкусом: короткая юбка в обтяжку, красная блузка, немного косметики и минимум украшений. В попытке привлечь внимание адвоката она скрестила свои великолепные длинные ноги и погладила руку Лэнса, лежавшую у нее на колене.

Адвокат словно не заметил ее манипуляций.

Труди пришла, чтобы начать оформление развода, сообщила она, несмотря на то что по телефону уже поставила адвоката в известность о своих намерениях. Она была вне себя от горя. Почему он так поступил с ней? И с Эшли Николь, их маленькой дочерью? Ведь они любили друг друга, им так хорошо жилось вместе. А теперь это...

— Развод не составит особой проблемы, — вновь повторил Дж. Мюррей Ридлтон, опытный адвокат, имевший немало клиентов. — Мы имеем типичный случай, когда один супруг оставил другого. В соответствии с законами Алабамы вы получите развод и все его имущество.

— Мне хочется закончить эту процедуру как можно быстрее, — сказала Труди, глядя на стену, где висели дипломы и лицензии Ридлтона.

— Я займусь вашим делом прямо с завтрашнего утра.

— Сколько оно потребует времени?

— Три месяца. Меньше не бывает.

Подобный ответ ничуть не успокоил ее.

— Не понимаю, как мужчина может подобным образом поступить по отношению к той, которую он любит. Я чувствую себя ужасно глупо.

Рука Лэнса медленно поползла вверх.

Развод нисколько не беспокоил Труди, и адвокат прекрасно понимал это. Она попыталась было изобразить, что у нее разбито сердце, но вышло это до смешного плохо.

— Сколько вы получили от страховой компании? — спросил он, перекладывая бумаги на столе.

Вопрос поразил Труди.

— А почему это вас заинтересовало?

— Потому что компания подаст на вас в суд, чтобы вернуть свои деньги. Ведь ваш муж жив, Труди. Нет смерти — значит, нет и денег.

— Вы шутите!

— Отнюдь.

— Они не смогут так поступить со мной, конечно, не смогут.

— Еще как смогут. И долго ждать не придется.

Убрав руку, Лэнс выпрямился на стуле. Рот Труди приоткрылся, глаза стали мокрыми от слез.

— Они не смогут.

Ридлтон придвинул к себе блокнот и взял ручку.

— Давайте-ка прикинем.

Заплатив сто тридцать тысяч долларов за «роллс-ройс», Труди по-прежнему считалась его владелицей. Лэнс ездил на купленном ею за восемьдесят пять тысяч «порше». Дом был приобретен за девятьсот тысяч наличными без всяких закладных на имя Лэнса. В шестьдесят тысяч обошелся его катер, еще сотня ушла на ее драгоценности. Цифры складывались в столбик, и когда черту подвели, под ней оказалось около полутора миллионов. У адвоката язык не поворачивался сказать, что эти роскошные приобретения уйдут первыми.

Подобно дантисту, выдергивающему зуб без новокаина, Ридлтон заставил Труди подсчитать ее ежемесячные расходы. Поколебавшись, она назвала сумму в десять тысяч долларов на протяжении последних четырех лет. Парочка успела совершить несколько сказочных путешествий, и деньги утекали с такой скоростью, что никакой страховой компании не под силу было заткнуть эту дыру.

Труди считалась безработной, или вышедшей на пенсию, как она предпочитала говорить. Свои доходы от перевозки наркотиков Лэнс, естественно, скрывал. Даже их собственный адвокат ничего не знал о трехстах тысячах долларов, которые они спрятали на счете банка во Флориде.

— И когда, по-вашему, компания предъявит иск? — спросила Труди.

— До конца недели, — ответил Ридлтон.

Но это произошло гораздо раньше.

В разгар пресс-конференции, как только было сделано заявление о воскрешении Патрика Лэнигана из мертвых, в зал вошли представители страховой компании «Нозерн кейс мьючуэл» с тем, чтобы потребовать от Труди Лэниган полного возврата двух с половиной миллионов долларов с банковскими процентами и гонорарами для адвокатов. Судебный иск включал в себя также петицию с требованием временно ограничить ее права на владение ценностями — как лица, не соответствующего статусу вдовы.

Петицию передали судье — тому самому, с которым несколькими часами ранее в ходе срочного закрытого слушания была достигнута договоренность о постановлении, ограничивающем права Труди. Будучи полноправным членом юридической ассоциации, судья превосходно знал все подробности саги Патрика Лэнигана. Труди смертельно обидела его супругу своим заносчивым поведением вскоре после покупки красного «роллс-ройса».

В то время когда Труди и Лэнс, лаская друг друга, совещались с адвокатом, копия решения суда об ограничении ее имущественных прав была направлена в Мобил и зарегистрирована местным клерком. Двумя часами позже, когда парочка устроилась на заднем дворе своего дома, чтобы пропустить по стаканчику и полюбоваться видом на залив, явившийся из городского суда курьер вручил ей копию иска, поданного «Нозерн кейс мьючуэл», вызов в суд и заверенную копию постановления об ограничении имущественных прав.

Среди перечислявшихся в нем запретов был и такой: не выписывать без разрешения судьи никаких чеков.

ГЛАВА 7

Адвокат Итэн Рэпли спустился из неосвещенной мансарды, принял душ, побрился, пустил в покрасневшие глаза капли, отыскал не совсем чистый синий блейзер, в котором еще можно было отправиться в город, и уселся пить крепкий кофе. В офисе он отсутствовал уже шестнадцатый день. Нельзя сказать, что его там сильно не хватало, да и сам он вовсе не соскучился по сослуживцам. При необходимости они слали ему факсы, а он отвечал. Он писал служебные записки и предложения, необходимые фирме для того, чтобы выжить, и занимался исследовательской работой для тех, кого абсолютно не уважал. Время от времени ему приходилось надевать галстук и отправляться на встречу с клиентом либо на рутинное совещание с партнерами. Работать в офисе Итэн терпеть не мог, к тому же он ненавидел людей, даже тех, кого едва знал. Он ненавидел каждую стоявшую на стеллажах книгу и каждую папку на своем столе. Его приводили в бешенство фотографии на стенах и запахи остывшего кофе в коридоре, порошка рядом с ксероксом, духов секретарш. Любые запахи офиса.

И тем не менее, проезжая после обеда по шоссе, бежавшему вдоль побережья, он поймал себя на том, что почти улыбается. Торопливо продвигаясь по Вью-Марше, Итэн кивнул на ходу старому знакомому. Войдя в офис, бросил несколько слов секретарше, имени которой никак не мог вспомнить.

В конференц-зале толпились люди, по большей части юристы из соседних офисов, пара судей и несколько типов, по виду — судейских чиновников. Шел шестой час вечера, настроение у всех было чуть ли не праздничное. В воздухе плавал дым сигар.

Увидев на столе бутылки со спиртным, Рэпли с довольным видом налил себе виски и вступил в разговор с Витрано. К стоявшим на противоположной стороне сокам и воде никто не притрагивался.

— Так продолжается с полудня, — заметил Витрано, обводя взглядом собравшихся и прислушиваясь к их непринужденной болтовне. — Как только услышали новость, начали подходить.

Весть о Патрике облетела юридические конторы побережья за несколько минут. Профессионалы отдают должное слухам, украшают их несуществующими подробностями и с поразительной скоростью передают дальше. Сплетня выслушивается, классифицируется и обрастает деталями. Патрик, оказывается, весил уже пятьдесят два килограмма и говорил на пяти иностранных языках. Деньги нашли. Деньги пропали навечно. Жил он почти в нищете. Или в собственном особняке. Жил один. У него появились новая жена и трое детей. Вот они-то и знают, где деньги. Нет, они и не представляли, насколько богаты.

Так или иначе все слухи крутились вокруг денег. Собравшиеся в конференц-зале друзья и просто любопытные обсуждали варианты развития событий, неизбежно возвращаясь к главному — деньгам. Каждый тут знал, что фирма лишилась трети из девяноста миллионов. И даже самая немыслимая возможность получить эти деньги назад привела сюда целые толпы — выпить, посудачить о том о сем и произнести неизбежную фразу: «Черт побери, я очень надеюсь, что их в конце концов все же найдут».

Плеснув в бокал еще виски, Рэпли исчез в толпе. Отхлебывая из стакана минеральную воду, Боген беседовал с судьей. Витрано крутился среди гостей, с важным видом подтверждая или категорически отрицая услышанное. Хаварек стоял в углу со стареющим репортером судебной хроники — тот неожиданно обнаружил в своем собеседнике исключительно остроумного человека.

С приближением вечера количество выпитого спиртного возрастало. Сплетни сменяли одна другую, надежды росли.

Патрик стал «новостью номер один» на местной телестанции, не сообщавшей почти ничего другого. Маст и Пэрриш с обреченным видом смотрели на десяток микрофонов так, будто иного выбора у них не было. На входной двери юридической фирмы болталась табличка «Закрыто», и добиться каких-либо комментариев не представлялось возможным. Затем последовал весьма краткий репортаж с кладбища, дополненный риторическим вопросом: «Чья бедная душа нашла успокоение в могиле?» На экране мелькнули кадры произошедшей несколько лет назад ужасной автокатастрофы — искореженный и обуглившийся кузов принадлежавшего Патрику Лэнигану «шевви-блейзера». Супруга погибшего, ФБР и шериф хранили молчание. Никто тогда не произнес ни слова, зато репортеры позволили себе высказывать самые невероятные догадки.

Новость произвела впечатление разорвавшейся бомбы в Новом Орлеане, Мобиле, Джексоне и даже Мемфисе. Подхватив ее вечером, Си-эн-эн в течение часа знакомила с ней страну, прежде чем передать за рубеж. Захватывающий сюжет!

В Швейцарии было семь утра, когда программу новостей увидела в своем гостиничном номере Ева. Заснула она после полуночи, оставив телевизор включенным, и то и дело просыпалась в ожидании вестей о Патрике. Чувствовала она себя уставшей и запуганной. Ей ужасно хотелось вернуться домой, но, как она понимала, это было невозможно.

Патрик жив. Он тысячу раз повторял ей, что его не решатся убить, если все-таки найдут. Впервые она поняла, что все это время действительно верила ему.

Что он был вынужден рассказать им? Это беспокоило Еву больше всего.

Серьезно ли он пострадал?

Прошептав краткую молитву, Ева возблагодарила Бога за то, что Патрик уцелел.

Затем она начала составлять опись.

Под равнодушным взглядом двух охранников с помощью Луиса, своего фельдшера-пуэрториканца, Патрик в одних белых армейских трусах проковылял по коридору. Его ранам, которые не покрывала больше ни одежда, ни повязки, требовался свежий воздух. Мазь и кислород. Икры и бедра все еще были весьма чувствительны, в коленях и щиколотках каждый шаг отдавался легкой дрожью.

Черт возьми, когда же просветлеет голова? Боль немного проясняла мысли. Одному Господу известно, что за дрянь ему впрыскивали три последних дня.

Он почти не помнил, как его поймали, — перед глазами стоял чудовищно густой туман, однако сейчас он начал подниматься. Кровь выносила из организма растворившиеся химические соединения, и Патрик стал вспоминать свои нечеловеческие вопли. Много ли он успел прокричать о деньгах?

Облокотившись на подоконник в пустой столовой, он дождался, пока Луис наполнит стакан соком. Примерно в километре от здания шумел океан. Рядом — бараки. Похоже, он на какой-то военной базе.

Да, Патрик был вынужден сказать им, что деньги существуют. Он помнил, как после признания мучения на мгновение прекратились. Потом, кажется, он потерял сознание — в чувство его привели брызги холодной воды. Он помнил, какой приятной была вода, однако сделать хотя бы глоток ему не дали, вновь начав колоть иглой.

Банки. Он чуть было не распрощался с жизнью, скрывая их названия. В то время как по телу бежал не знавший пощады ток, он вспоминал, как все это провернул — с момента похищения денег в Объединенном банке Уэльса на Багамах, через банк на Мальте и до Панамы, где уже никто не в силах был отыскать их.

Когда его схватили, он не знал, в каком именно месте находятся деньги. Они все еще существовали, со всеми процентами, как он наверняка сказал своим мучителям. Это помнилось — еще бы, ведь он твердо отдавал себе отчет: они знали о краже, знали, что деньги оказались в его распоряжении и что было невозможно потратить за четыре года девяносто миллионов долларов. Но теперь Патрик и в самом деле не представлял себе, где они.

Фельдшер протянул Патрику стакан содовой, и он поблагодарил:

— Обригадо.

«Спасибо» по-португальски. Почему он вдруг заговорил на этом языке?

Затем был провал в памяти. «Стоп!» — проорал кто-то невидимый из угла комнаты. Похоже, они решили, что ток убил его.

Трудно было представить, сколько времени он провел без сознания. В какое-то мгновение Патрик проснулся в абсолютной темноте: капли пота, наркотик и безостановочный крик ослепили его. Или на глазах была повязка? Он вспомнил, как подумал, что ему завязали глаза, решив, по-видимому, применить что-нибудь новенькое, более действенное. Ампутацию, к примеру. Ведь он лежал там абсолютно обнаженный.

Еще один укол в руку, и сердце ускорило свой ритм, он вздрогнул. Вновь рядом Патрик увидел врача с его игрушечным шприцем. Значит, он опять обрел зрение. «Так у кого же сейчас деньги?» — спросил человек в белом халате.

Он сделал глоток содовой. Фельдшер возился чуть в стороне, улыбаясь. То, что происходило с Патриком, его совершенно не волновало. Внезапно Патрик ощутил, как подступила тошнота, а ведь он почти ничего не ел. Голова немного кружилась, однако он не хотел садиться, чтобы не застаивалась кровь — возможно, это поможет соображать. Взгляд его устремился к горизонту, туда, где едва виднелась рыбацкая лодка.

Требуя назвать банки, ему сделали еще несколько уколов. Патрик с отчаянием прокричал, что ему ничего не известно. Тогда к мошонке прицепили электроды, и ощущение боли поднялось на новый уровень. Затем опять провал в памяти.

Вспомнить последнюю стадию пытки никак не удавалось. Тело горело огнем. Сама смерть стояла где-то совсем рядом. Он звал Еву по имени, но вслух ли? Где она сейчас?

Выпустив из руки стакан с содовой, он протянул руку фельдшеру.

Дождавшись часа ночи, Стефано вышел из дома и, сев в машину жены, поехал по темной городской улице. Миновав на перекрестке фургон с двумя агентами ФБР, махнул им рукой и сбросил скорость, чтобы те смогли развернуться и последовать за ним. Когда он пересек Арлингтонский мост, за ним двигались уже две машины.

Почетный эскорт скользил по пустым вашингтонским улицам до самого Джорджтауна. Зная, куда едет, Стефано чувствовал себя увереннее. Он резко свернул с Кей-стрит направо, на Висконсин-авеню, и тут же повторил маневр, уйдя на Эм-стрит. В нарушение всех правил припарковав машину, полквартала прошагал до отеля «Холидэй инн».

Пройдя вестибюль, Стефано поднялся в лифте на третий этаж, где в номере-люкс его дожидался Гай. На протяжении нескольких месяцев Гай впервые вернулся в Штаты и последние три дня почти не спал. Однако Стефано это совершенно не интересовало.

На небольшом столике рядом с портативным магнитофоном лежала стопка — шесть кассет, каждая с наклейкой.

— Соседние комнаты пусты, — развел руки Гай. — Можешь слушать хоть на полную громкость.

— Они омерзительны. Уж лучше я заберу их с собой.

— Гаже не бывает. Не думаю, что еще раз решусь на такое.

— Можешь считать себя свободным.

— Тем лучше. Буду нужен — найдешь меня в коридоре.

Гай вышел из номера. Стефано снял трубку телефона, перебрал пальцами кнопки, и буквально через минуту в дверь постучал Бенни Арициа. Мужчины заказали черный кофе и оставшуюся часть ночи провели слушая крики, которыми оглашал парагвайские джунгли Патрик Лэниган.

Бенни улыбался от удовольствия.

ГЛАВА 8

Сказать, что наступивший день был для газетчиков днем Патрика, значило не сказать почти ничего. Утренняя «Кост» на первых страницах не давала никаких иных сообщений.

«ВОЗВРАЩЕНИЕ ЛЭНИГАНА С ТОГО СВЕТА!» — кричал крупный заголовок, под которым шли по меньшей мере шесть фотоснимков и четыре материала. История Патрика занимала основное место и в новостях Нового Орлеана, его родного города, газеты Джексона, Мобила, Мемфиса, Бирмингема, Батон-Ружа и Атланты тоже поместили на первых полосах фотографии Лэнигана.

Все утро два фургона телевизионщиков простояли у дома его матери в Гретне, пригороде Нового Орлеана. Пожилая дама мало что могла рассказать, кроме того, она находилась под охраной двух живших по соседству бдительных старушек, расхаживавших перед входной дверью и свирепо посматривавших на слетевшихся, как хищники, журналистов.

Прессу, устроившую засаду неподалеку от дома Труди в Пойнт-Клире, взял на себя Лэнс, усевшийся под тентом с охотничьим ружьем в руках. На нем были обтягивающая черная майка, черные башмаки и брюки, в которых он походил на наемника. В ответ на выкрикиваемые с почтительного расстояния банальные вопросы он только молча усмехался. Труди вместе с шестилетней Эшли Николь, которую не пустили в школу, пряталась в доме.

Репортеры бросились в центр города к юридической фирме, однако двое спешно нанятых плечистых охранников не подпустили их ко входу.

Журналисты кружили возле офиса шерифа, у здания, где находился рабочий кабинет Каттера, повсюду, где можно было рассчитывать пронюхать хоть что-то. Вовремя успев к дому, в котором размещалась администрация судебного округа, писаки успели заметить, как одетый в строгий серый костюм Витрано вручил клерку документ, позже описанный им самим как иск фирмы Патрику С. Лэнигану. Фирма хотела вернуть свои деньги, и Витрано выразил полную готовность обсуждать этот вопрос с журналистами до тех пор, пока это будет их интересовать.

Утро обещало быть весьма напряженным. Адвокат Труди проговорился, что около десяти часов он направится в Мобил для подачи заявления о разводе. Справился с поставленной перед ним задачей он великолепно. Несмотря на то что за свою жизнь ему пришлось оформить более тысячи разводов, сейчас он впервые делал это под объективами телекамер и неохотно дал согласие ответить на кое-какие вопросы репортеров. Требование развода основывалось на простом факте: муж бросил жену с ребенком; в заявлении приводились и другие его грехи. На ступенях здания суда адвокат охотно позировал перед объективами.

Довольно быстро распространился слух и о вчерашнем иске, том самом, в котором «Нозерн кейс мьючуэл» требовала от Труди Лэниган возврата двух с половиной миллионов долларов. Журналисты в поисках каких-либо деталей пролистали судебную папку, не забыв при этом проконсультироваться с ведущими дело адвокатами. Небольшая утечка здесь, лишнее слово там — и очень скоро газетчики узнали о том, что Труди без одобрения судейского чиновника не имела права выписывать чеки.

Страховая компания «Монарх-Сьерра» горела желанием получить свои четыре миллиона, не считая процентов и выплаченных адвокатам гонораров. Ее юристы в Билокси торопливо выдвинули против фирмы Патрика иск за получение не полагавшихся ей денег. Сам же Лэниган обвинялся в беспрецедентном обмане. Как повелось, представители прессы сунули кому нужно в карман, и копии судебного иска оказались у них спустя несколько минут после его регистрации.

Стало известно и о том, что Бенни Арициа тоже хочет получить назад свои девяносто миллионов. Его новый адвокат, задиристый болтун, имел свой подход к газетчикам. В десять утра он созвал пресс-конференцию, пригласив в просторный конференц-зал каждого, кто хотел обсудить детали иска его клиента еще до того, как должным образом зарегистрировал этот иск в суде. А потом он позвал новых друзей-репортеров прогуляться с ним до здания суда. При этом говорил адвокат не переставая.

Поимка Патрика Лэнигана привела к такой вспышке юридической активности на побережье, какой не наблюдалось здесь долгие годы.

В гудящем от возбужденных голосов здании суда округа Гаррисон семнадцать членов большого жюри присяжных поднялись на второй этаж и уединились в тихой комнате за дверью без номера. Все они прибыли сюда по срочному звонку окружного прокурора Т.Л. Пэрриша, поднявшего их среди ночи. Тема предстоящего совещания была известна всем. Разобрав чашечки с кофе, присяжные заняли места вокруг длинного стола. Оказавшись в эпицентре разыгравшейся бури, каждый испытывал волнение, если не возбуждение.

Пэрриш поприветствовал их, извинился за неурочный вызов и предложил выслушать шерифа Суини, следователя Теда Гримшоу и специального агента ФБР Джошуа Каттера.

— Похоже, у нас появилось новое дело об убийстве, — сказал он, держа в руке номер утренней газеты. — Думаю, вы уже видели этот выпуск.

Сидевшие у стола согласно кивнули. Расхаживая вдоль стены с блокнотом в руках, Пэрриш зачитывал записи о прошлом Патрика Лэнигана, а также информацию, предоставленную его фирмой о Бенни Арициа. Он отдельно остановился на сообщении о смерти Лэнигана, оказавшемся досужей выдумкой, и на заметке о его похоронах. Все это было всем известно из лежавшей на столе газеты.

Затем прокурор пустил по кругу снимки сгоревшего автомобиля Патрика, фотографии с места катастрофы, сделанные на следующее утро, когда машину уже убрали: развороченная земля, остатки кустарника, обуглившиеся растения и ствол поваленного дерева. Пэрриш просил собравшихся с особым вниманием отнестись к цветным, двенадцать на четырнадцать, фотоснимкам найденного в машине трупа.

— Безусловно, мы считали, будто это Патрик Лэниган, — улыбнулся он. — Однако теперь знаем, что ошиблись.

Почерневшие останки пострадавшего ничем не напоминали человеческое тело. Хорошо видна была лишь одна крупная кость. Пэрриш мрачно пояснил, что это тазобедренный сустав.

— Тазобедренный сустав мужчины, — добавил он, опасаясь, что члены большого жюри решат, будто Патрик положил в машину сбитого борова или другое домашнее животное.

Присяжные отнеслись к замечанию и снимкам с пониманием — отчасти потому, что смотреть там было почти не на что: ни крови, ни висевших на ветвях лохмотьев плоти. Тошноты не ощущалось. Он, она или кем бы там ни был погибший встретил свою смерть на переднем сиденье, справа от руля. Само сиденье сгорело, как и все остальное, полностью, до основания.

— Естественно, так мог гореть только бензин, — сказал Пэрриш. — Мы знаем, что Патрик по дороге заправился, так что произошел взрыв не менее чем двадцати галлонов горючего. Наш следователь отметил: пламя было необычайно жарким и интенсивным.

— А остатков какой-либо канистры не обнаружили? — уточнил кто-то из присяжных.

— Нет. Возможно, бензин был в пластиковых контейнерах, а они сгорают полностью. С подобными случаями мы сталкиваемся постоянно.

— А тела всегда в столь ужасающем состоянии? — спросил другой присяжный.

— Нет, — мгновенно ответил Пэрриш, — далеко не всегда. Честно говоря, мне еще не приходилось видеть столь сильно обгоревшего трупа. Будет сделана попытка эксгумации, но, как вам должно быть известно, имела место кремация.

— Есть предположения о том, кто это мог быть? — поинтересовался Ронни Беркс, портовый рабочий.

— Мы проверяли одну гипотезу, но выводы пока делать рано.

Прозвучали и другие вопросы, однако ни один не выделялся из общего ряда — примитивные попытки как-то уточнить то, о чем молчали газеты. Жюри единогласно проголосовало за предъявление Патрику Лэнигану обвинения в совершении умышленного убийства, имевшего место уже после другого преступления, то есть кражи. Наказание за это следовало суровое — смертная казнь посредством инъекции яда в Парчмэне.

Меньше двадцати четырех часов потребовалось на то, чтобы обвинить Патрика Лэнигана в умышленном убийстве, отправить ему повестку в суд в связи с разводом, привлечь его к делам о девяноста миллионах Арициа (плюс банковский процент на эту сумму), о тридцати миллионах, потерянных его коллегами по работе, и о четырех миллионах, выплаченных «Монарх-Сьеррой», не считая дополнительно взыскиваемых десяти миллионов.

Благодаря компании Си-эн-эн обо всем этом он узнал очень быстро.

Прокуроры Т.Л. Пэрриш и Морис Маст, стоя с мрачным видом перед объективами телекамер, в один голос заявили: добропорядочные граждане округа Гаррисон в лице избранного из их числа большого жюри присяжных приступили к изложению обвинений, предъявляемых Патрику Лэнигану, убийце и вору. Вопросы журналистов, на которые не существовало ответов, оба прокурора обошли молчанием, ускользнули от тех, на которые вполне могли ответить, и убежденно предрекли появление новых обвинений.

Когда камеры выключили, Пэрриш и Маст в спокойной обстановке встретились с достопочтенным судьей Карлом Хаски, одним из трех, работавших в округе Гаррисон. Хаски когда-то был близким другом Патрика. Дела распределялись между судьями произвольно, однако Хаски, так же как и его коллеги, прекрасно знал, где следует надавить, чтобы получить или не получить то или иное дело. Сейчас он горел желанием взять на себя процесс Патрика Лэнигана.

Поедая сандвич с помидором, Лэнс, сидевший в одиночестве на кухне, заметил на заднем дворе, возле бассейна, какое-то движение. Он подхватил ружье, выскользнул из дома, прокрался за кустами и увидел круглощекого репортера с тремя болтающимися на груди камерами. Босой Лэнс на цыпочках подкрался к журналисту, поднес направленный вверх ствол к его голове и нажал на спусковой крючок.

Фотограф кинулся на землю лицом вниз и испуганно заорал. Лэнс пнул его между ног раз, другой. Тот перевернулся и скользнул взглядом по лицу нападавшего.

Сорвав с шеи репортера камеры, Лэнс с размаху швырнул их в бассейн. Стоявшая во внутреннем дворике Труди обмерла от ужаса.

Лэнс прокричал, чтобы она вызвала полицию.

ГЛАВА 9

— А сейчас я уберу отмершую кожу, — сказал врач, осторожно касаясь ран на груди заостренным хирургическим инструментом. — Может, ввести обезболивающее?

— Нет, благодарю вас, — ответил Патрик, сидевший на кровати.

В комнате находились две сестры милосердия и Луис.

— Вам будет больно, Патрик, — предупредил врач.

— Бывало и хуже. Да и куда вы собираетесь колоть? — Он поднял левую руку, покрытую багровыми кровоподтеками. Все его тело представляло собой сплошной синяк. — Хватит с меня наркотиков.

— Хорошо, как скажете.

Патрик откинул голову назад и вцепился руками в боковые поручни кровати. Обе сестры вместе с Луисом держали его лодыжки, пока врач поддевал скальпелем засохшие струпья и срезал их.

Патрик закусил губы и прикрыл глаза.

— Как насчет укола, а? — спросил врач.

— Нет... — выдавил Патрик.

Осторожная работа скальпелем. Кучка засохших струпьев увеличилась.

— Раны прекрасно заживают, Патрик. Думаю, мы сможем обойтись без пересадки.

— Тем лучше. — Патрик стиснул зубы.

Из девяти ожогов четыре были достаточно серьезными, чтобы считаться ожогами третьей степени: два на груди, один на левом бедре и один на правой икре. Запястья, локти и колени, растертые веревкой в кровь, покрывал слой мази.

Через полчаса врач закончил свои манипуляции и напомнил Патрику, что ему нужен покой, причем лучше всего оставаться без одежды или повязок. Покрыв освобожденные от омертвевшей кожи участки прохладной мазью, он вновь предложил болеутоляющее, но Патрик опять отказался.

Врач и сестры поднялись. Луис проводил их, после чего закрыл дверь, опустил жалюзи на окнах и достал из кармана своего белого халата небольшую фотокамеру «Кодак» со вспышкой.

— Встань там. — Патрик указал на изножье кровати. — Сделай кадр, на котором будет видно все тело, включая лицо.

Луис поднял камеру и попятился к стене. Раздался щелчок, по глазам ударила яркая вспышка.

— Теперь перейди туда, — указал Патрик.

Фельдшер подчинился. Поначалу он выражал категорическое несогласие делать снимки, заявляя, что должен сообщить об этом своему начальству. Живя на границе с Парагваем, Патрик не только значительно усовершенствовал свой португальский, но и приобрел некоторый навык общения на испанском. Теперь уже он понимал почти все, что слышал от Луиса. Язык денег был универсальным, и фельдшер очень быстро осознал, что его услуги как фотографа оцениваются в пять сотен американских долларов. Он согласился купить три простенькие камеры, сделать около сотни снимков, проявить их за ночь и спрятать за пределами госпиталя в ожидании дальнейших указаний.

Пятисот долларов у Патрика с собой не было, однако он смог убедить Луиса, что является человеком честным и вышлет деньги, как только доберется до дома.

Особыми талантами фельдшер не блистал, да и камеры в его распоряжении были далеко не лучшими. Патрику пришлось объяснять, каким должен быть каждый снимок. Крупным планом — ожоги на груди и бедре, крупным планом — ободранные, в синяках суставы. Работа двигалась довольно быстро, поэтому оставался шанс, что их никто не застигнет врасплох. Приближалось время обеда, когда в палату вновь явятся сестры.

Луис покинул госпиталь во время обеденного перерыва и оставил отснятые пленки в магазине — пусть проявят.

Тем временем Рио Осмар убедил секретаршу из фирмы Евы принять тысячу долларов наличными в обмен на последние сплетни. Их оказалось не так много. Сначала партнеры фирмы демонстрировали полнейшее спокойствие. Однако записи телефонных разговоров свидетельствовали о двух звонках из Цюриха. Звонки эти были сделаны из отеля, как определил в Вашингтоне Гай. Другая информация отсутствовала — эти швейцарцы всегда такие скрытные.

Длительное отсутствие Евы начало внушать тревогу ее коллегам и партнерам. Довольно спокойное перемывание косточек сменилось ежедневными разговорами о том, что же они должны теперь делать. Она позвонила один раз в первый день, один раз — во второй, потом полное молчание. Имя таинственного клиента, на встречу с которым отправилась Ева, так и осталось невыясненным, а другие клиенты, ждавшие ее совета или содействия, начали изводить фирму ультимативными требованиями и угрозами. Все сроки, все важные встречи и переговоры летели к черту.

В конце концов было принято решение временно вывести Еву из штата и заняться ею позже, после ее возвращения.

Осмар и его люди до того запугали отца Евы, что тот потерял сон. Они следили за подъездом его дома, ходили за стариком по пятам по запруженным улицам Ипанемы. Родилась идея захватить его и потрясти, чтобы развязать язык, однако он был достаточно осторожен и старался не оставаться в одиночестве.

В третий раз пытаясь проникнуть в спальню Труди, Лэнс обнаружил, что дверь не закрыта на замок. Он спокойно вошел с таблеткой валиума и бутылкой ее любимой ирландской минеральной воды, обошедшейся в четыре доллара, без слов уселся рядом на постели и протянул пилюлю. Труди выпила ее — вторую за этот час — и запила водой из бутылки.

Полицейская машина, увезшая круглощекого фотографа, отъехала от дома около часа назад. Двое полисменов минут двадцать покрутились во дворе, задавая дурацкие вопросы. Они явно не испытывали никакого желания встревать в это дело. Прессе рекомендовали держаться от дома подальше. Полиция даже с некоторым сочувствием отнеслась к Лэнсу. Труди сообщила имя своего адвоката на тот случай, если ее вздумают в чем-нибудь обвинить. Лэнс пообещал разобраться с каждым, кому взбредет в голову вызвать его в суд.

Когда полицейские убрались, Труди как с цепи сорвалась и, дождавшись, пока нянька с ребенком выйдут из дома, швырнула подушки с дивана в камин и стала выкрикивать в адрес Лэнса — ближайшей жертвы — непристойности. Для ее измученных нервов это было уже чересчур: новость о Патрике, иск страховой компании, ущемление в правах, нашествие репортеров и, наконец, инцидент у бассейна.

Но теперь, после таблетки валиума, она была спокойна. Лэнс с облегчением вздохнул. Ему хотелось коснуться Труди, погладить ее по колену, сказать что-нибудь ласковое, но в подобной ситуации это было рискованно. Одно неверное движение — и она опять придет в бешенство. Нет, лучше дать Труди время остыть.

Она бросилась на постель и закрыла глаза. Комната, как и весь дом, была погружена в полумрак: шторы и жалюзи опущены, свет приглушен или выключен. Вокруг дома сновали сотни людей, беспрерывно жужжа камерами, словно они исполнились желания снять фильм о всех немыслимых похождениях Патрика. В полдень местная телекомпания в программе новостей показала их дом, а какая-то вульгарная желтолицая дама с лошадиными зубами распространялась о Патрике и о возбуждении супругой дела о разводе.

Супруга Патрика! При мысли об этом Труди почувствовала онемение. Да она не была его женой уже четыре с половиной года! Она устроила ему достойные похороны, а потом в ожидании денег честно пыталась забыть о нем. К тому моменту когда деньги были получены, Патрик превратился в смутное воспоминание.

Единственный трудный момент наступил тогда, когда она попыталась объяснить двухлетней дочери, что ее отец отправился на небеса, где ему будет, безусловно, намного лучше, чем здесь с ними. На какое-то мгновение девочка казалась озадаченной, но очень быстро стряхнула с себя оцепенение, как это могут только дети. В присутствии ребенка никто больше не имел права произносить имя Патрика — нельзя было травмировать бедняжку, как объяснила Труди. Девочка не помнит своего отца, так что нечего и говорить с ней о нем.

За исключением этого небольшого эпизода, Труди с удивительной выдержкой несла бремя вдовства. Она ездила за покупками в Новый Орлеан, заказывала продукты из Калифорнии, два часа в день исходила потом, занимаясь аэробикой, тратила кучу денег на дорогую косметику. Завела няньку, чтобы иметь возможность путешествовать вместе с Лэнсом. Оба предпочитали Карибы, особенно остров Святого Барта с изумительными пляжами для нудистов, где было так хорошо загорать и болтать с французами.

Рождество они встретили в Нью-Йорке, на Плазе. Январь прошел на горнолыжном курорте в Вейле, где собирались сливки общества. Май обещал Париж и Вену. Вместе с Лэнсом она мечтала о персональном реактивном самолете, как у тех восхитительных людей, с которыми время от времени сводила их жизнь. Небольшой бывший в употреблении «лир» стоил всего миллион, однако теперь об этом не могло быть и речи.

Лэнс уверял, что работает над этой идеей, но Труди всегда тревожилась, как только он начинал проявлять интерес к делам. Ей было известно, что ее приятель промышляет незаконной перевозкой наркотиков, но ведь Мехико совсем рядом, значит, и риск минимальный.

Ненависти к Патрику она не испытывала, во всяком случае, к мертвому. Однако тот факт, что он жив и готов вернуться, чтобы осложнить все, внушал ей сильнейшее отвращение. Впервые они встретились на вечеринке в Новом Орлеане, когда Труди из-за чего-то обиделась на Лэнса и подыскивала себе нового мужа — многообещающего и желательно с деньгами. Ей было тогда двадцать семь. За четыре года до этого она вырвалась из плена жуткого замужества и не жалела сил, чтобы обрести стабильное положение в обществе. Патрику только исполнилось тридцать три, он ни разу не был женат и не имел ничего против. Приличная фирма в Билокси, где Труди в то время и жила, предложила ему место, и он с радостью согласился. Четыре месяца бурной страсти — и на Ямайке был заключен брак. А спустя три недели после медового месяца в квартиру молодоженов прокрался Лэнс. Пока Патрик был в короткой деловой поездке, он провел с Труди ночь.

Сейчас она никак не могла позволить себе лишиться денег, в этом не было и тени сомнения. Ведь должен же ее адвокат что-то придумать, найти какую-нибудь уловку, которая позволит сохранить оставшееся. За это ему и платят. Не сможет же страховая компания отнять у нее дом, мебель, машины и одежду, арестовать банковские счета, забрать катер и прочие роскошные безделушки, на которые ушли почти все деньги. Это было бы просто нечестно. Патрик умер. Она похоронила его. Она уже четыре с лишним года вдова. Это что-то да значит.

Вовсе не по ее вине он оказался жив.

— А знаешь, нам придется убить его, — сказал Лэнс. Когда опустились сумерки, он перебрался в кресло, стоявшее между диваном и окном.

Труди не шелохнулась, но на мгновение задумалась.

— Не валяй дурака. — Прозвучало это не очень убедительно.

— Выбора у нас нет, и ты понимаешь это.

— У нас и так хватает проблем.

Труди перевела дыхание. Она лежала без движения, прикрыв глаза. Как хорошо, что Лэнс сам заговорил об этом. Естественно, Труди уже размышляла об убийстве, в первые минуты после того, как узнала, что Патрика вот-вот доставят домой. В голове ее проносились различные варианты, каждый из которых заканчивался одним: ради того, чтобы сохранить деньги, Патрика необходимо убить. В конце концов, речь шла о страховом полисе на его жизнь.

Сама она не могла убить мужа — это было бы просто смешно. А вот у Лэнса имелось достаточно друзей, способных покончить с Патриком.

— Ты же не захочешь потерять деньги, а? — спросил он.

— Я не могу сейчас думать об этом, Лэнс. Может, чуть позже.

— Долго ждать нам никак нельзя, малышка. Страховая компания, черт возьми, нас уже почти придушила.

— Лэнс, ну пожалуйста!

— Другого пути нет. Если ты хочешь сохранить дом, деньги, все, что у нас есть, то Патрик должен умереть.

Долгое время Труди лежала молча, но душа ее радовалась услышанному. Несмотря на почти полное отсутствие мозгов и множество других недостатков, Лэнс оставался единственным мужчиной, которого она любила. Он сообразит, как избавиться от Патрика. Но вот хватит ли у него ума, чтобы не попасть потом под подозрение?

Агента звали Брент Майерс, он был из отделения ФБР в Билокси. Каттер лично дал ему это задание. Майерс представился и протянул Патрику, державшему в руке пульт управления телевизором, значок специального агента.

— Очень приятно. — Патрик накинул простыню на армейские трусы.

— Я из отделения в Билокси. — Майерс искренне пытался быть вежливым.

— Это где же? — Лицо Патрика походило на маску.

— Думаю, нам стоит узнать друг друга получше. На протяжении нескольких месяцев мы будем общаться довольно часто.

— Сомневаюсь.

— У вас уже есть свой адвокат?

— Пока нет.

— Собираетесь воспользоваться его услугами?

— Это вас абсолютно не касается.

Разговор с таким опытным юристом, как Лэниган, давался Майерсу непросто. Положив руки на поручни по бокам кровати, он с угрозой посмотрел на Патрика:

— Врач говорит, через пару дней вы будете готовы к перевозке.

— Вот как? Но я готов и сейчас.

— В Билокси вас дожидается целая компания.

— Я в курсе. — Патрик кивнул в сторону телевизора.

— Кое-какие вопросы покажутся вам весьма неприятными.

Патрик с презрением фыркнул.

— И все же, — Майерс сделал шаг назад, к двери, — по дороге домой я буду сопровождать вас. — Он бросил на простыню свою визитку. — Там номер телефона в отеле, где я остановился. Будет желание поболтать — звякните.

— Ненавижу сидеть у телефона.

ГЛАВА 10

Сэнди Макдермотт с огромным интересом вчитывался в газетные сообщения об удивительном воскрешении его старого приятеля по юридическому факультету. Вместе с Патриком Лэниганом он три года учился в университете Тулейна. После сдачи экзамена на звание адвоката оба какое-то время были клерками у одного судьи и провели немало часов вместе в пивном баре, обсуждая планы покорения мира. Было принято твердое решение создать свою фирму — небольшую, но мощную, где будут работать лучшие адвокаты, незыблемо почитающие неписаный кодекс чести. Сначала оба станут состоятельными людьми, а затем будут жертвовать десятью часами в месяц на тех, кто окажется не в состоянии заплатить. Все было отлично спланировано.

Но жизнь внесла свои коррективы. Сэнди принял предложение стать помощником государственного прокурора — главным образом из-за хорошего заработка (он в то время только женился). Патрик затерялся среди двухсот юристов какой-то фирмы, расположенной в деловом квартале Нового Орлеана. Семейными узами до поры он не был связан и восемьдесят часов в неделю проводил на работе.

Блестящими прожектами относительно собственной маленькой фирмы они тешили себя лет до тридцати. Старались чаще встречаться за ленчем или вместе выпивать по вечерам, однако с течением времени такие встречи, как и телефонные разговоры, случались все реже. Затем Патрик переехал в Билокси, и бывшие приятели перезванивались от силы раз в год.

Жизнь Сэнди кардинально изменилась, когда приятель его двоюродного брата, работавший на нефтяной платформе в Мексиканском заливе, получил серьезную травму. Сэнди тут же занял десять тысяч долларов, открыл собственную контору, подал в суд на нефтяную компанию «Экссон» и умудрился получить сумму в три миллиона долларов, треть которой досталась лично ему. Так было положено начало делу. Без участия Патрика он создал маленькую фирму, где три юриста занимались вопросами травм и гибели рабочих на морских нефтепромыслах.

Узнав о смерти Патрика, Сэнди уселся за стол с календарем в руке и высчитал, что последний раз виделся с другом девять месяцев назад. Это огорчило его, но не считаться с реальностью было нельзя. Как и большинство сокурсников, они просто пошли по жизни различными путями.

Он утешал Труди. Он помогал нести гроб к могиле.

Когда шестью неделями позже исчезли деньги и поползли странные слухи, Сэнди расхохотался и пожелал другу счастья. «Беги, Патрик, беги», — множество раз за прошедшие четыре года думал он и всегда при этом улыбался.

Офис Сэнди находился на Пойдрес-стрит в прекрасном здании девятнадцатого века, приобретенном после какой-то удачной сделки. Второй и третий этажи Сэнди сдавал внаем, а первый оставил для себя, двоих своих партнеров, трех помощников и секретарш.

Он был чрезвычайно занят, когда вошедшая в кабинет секретарша с недовольным видом заявила:

— Вас хочет видеть дама.

— Ей назначена встреча? — спросил Сэнди.

— Нет. Говорит, дело срочное. Это связано с Патриком Лэниганом. Она назвала себя юристом, — добавила секретарша.

— Откуда она?

— Из Бразилии.

— Бразилии?

— Да.

— Она, что, и похожа на бразильянку?

— По-моему, да.

— Проводите ее ко мне.

Сэнди встретил гостью у двери и радушно поприветствовал.

Ева представилась:

— Лиа.

— Простите, не расслышал вашей фамилии, — улыбнулся Сэнди.

— Я ею редко пользуюсь. Во всяком случае, пока.

Наверняка бразильянка, решил он. Как великий Пеле — просто имя, без всякой фамилии.

Он предложил гостье сесть в стоявшее в углу кресло и попросил секретаршу принести кофе. Лиа неторопливо уселась. Сэнди окинул ее внимательным взглядом. Одета гостья была строго, без всякого шика. Глаза у нее восхитительные, светло-карие и очень усталые. Длинные темные волосы ниже плеч.

У Патрика всегда был хороший вкус. С Труди ему не повезло, хотя она была красивой женщиной, водители на улице, увидев ее, всегда притормаживали.

— Я пришла к вам от имени Патрика, — осторожно начала Лиа.

— Это он послал вас?

— Да, он.

У нее был мягкий низкий голос, говорила она почти без акцента.

— Вы учились в Штатах?

— Да. Изучала право в Джорджтауне.

Вот чем можно объяснить почти безукоризненный американский английский.

— Где же вы практикуете?

— В Рио. Занимаюсь международной торговлей.

Она пока ни разу не улыбнулась, и это беспокоило Сэнди. Гостья издалека. Восхитительная гостья, умная и с безупречными ногами. Ему хотелось, чтобы эта женщина чувствовала себя в его кабинете как дома. В конце концов, они в Новом Орлеане.

— Это там вы встретили Патрика?

— Да, в Рио.

— Вы общались с ним с того момента, как...

— Нет, до того, как его захватили.

Она чуть не призналась, как сильно обеспокоена. Но это прозвучало бы непрофессионально, а она здесь не для того, чтобы рассказывать кому бы то ни было о своих отношениях с Патриком. Сэнди Макдермотт заслуживает доверия, но и ему информацию можно выдавать лишь малыми порциями.

Повисла пауза, во время которой оба отвели взгляды. Сэнди понял, что всего она не расскажет ему никогда. Но ведь у него столько вопросов! Как Патрик украл деньги? Каким образом попал в Бразилию? Как познакомился с Лиа? И самый главный вопрос: где деньги?

— Так что же я могу для вас сделать?

— Хочу нанять вас — для Патрика.

— Я свободен.

— Меня очень волнует вопрос конфиденциальности.

— Как и каждого из нас.

— Сейчас все по-другому.

«Понимаю. Девяносто миллионов делают жизнь другой», — подумал Сэнди.

— Могу заверить вас: что бы вы или Патрик ни сказали мне, все будет сохранено в тайне, — заметил он с обезоруживающей улыбкой, которую гостья, казалось, не заметила.

— Вас могут заставить поделиться секретами вашего клиента.

— Это меня не беспокоит. Я в состоянии постоять за себя.

— Вам будут угрожать.

— Мне и раньше угрожали.

— За вами установят слежку.

— Кто?

— Очень неприятные типы.

— Кто именно?

— Те, кто охотится за Патриком.

— Мне казалось, они уже добрались до него.

— До него, но не до денег.

— Ясно.

Значит, деньги никуда не делись. Ничего удивительного. Сэнди было понятно, что за минувшие четыре года Патрик никак не мог промотать целое состояние. Но сколько осталось?

— Где деньги? — спросил он, не ожидая получить ответа.

— Такой вопрос неправомочен.

— И все-таки я задал его.

Лиа улыбнулась и сделала новый шаг:

— Давайте уточним некоторые детали. Сколько вы рассчитываете получить?

— А для чего я нанят?

— Представлять интересы Патрика.

— Какие именно? Если верить газетам, понадобится целая армия юристов, чтобы хоть как-то прикрыть его фланги.

— Сто тысяч долларов?

— Для начала сойдет. Я должен буду иметь дело с гражданским и уголовным судопроизводством?

— И с тем и с другим.

— Только я?

— Да. Другой юрист ему не нужен.

— Я тронут, — сказал Сэнди.

Он и в самом деле не лукавил. Патрик мог обратиться к десяткам юристов, имевших более богатый опыт общения с клиентами, которым грозила смертная казнь, юристов с хорошими связями на побережье, к юристам из крупных фирм с мощными возможностями и, без сомнения, к тем, кто был ему намного ближе, чем Сэнди, в последние восемь лет.

— Можете считать меня своим, — сказал наконец он. — Патрик — мой старый друг, как вы знаете.

— Знаю.

Много ли ей на самом деле известно? Или для Патрика она стала больше, чем юристом?

— Я хотела бы перевести деньги сегодня же. Не дадите ли вы мне более точные указания?

— Безусловно. Я подготовлю контракт на оказание юридических услуг.

— Есть еще несколько моментов, которые беспокоят Патрика. Один из них — огласка. Он против того, чтобы вы что-то сообщали прессе. Никаких пресс-конференций, без согласования с ним по крайней мере. Не нужно даже обычного «без комментариев».

— Это не проблема.

— Вы не сможете написать об этом книгу, когда все закончится.

Сэнди едва не расхохотался, но Лиа не оценила комичности ситуации.

— У меня не появится и подобной мысли.

— Патрик настаивает, чтобы это стало одним из пунктов контракта.

Сэнди оборвал смех и сделал запись в блокноте.

— Что-нибудь еще?

— Да. Имейте в виду, что ваш офис, как, собственно, и дом, будет прослушиваться. Вам придется нанять эксперта по безопасности. Платить ему будет Патрик.

— Согласен.

— И лучше всего, если больше мы здесь не встретимся. Есть люди, которым до смерти хочется отыскать меня, — они считают, что я смогу вывести их к деньгам. Встречаться будем в других местах.

Возразить на это Сэнди было нечего. Он рассчитывал оказать помощь этой женщине, предложить свою защиту, спросить, куда она отправится от него и как будет скрываться, однако Лиа, видимо, уже продумала все.

Она бросила взгляд на часы:

— Через три часа вылетает самолет в Майами. У меня в сумочке два билета в первый класс. Можем поговорить на борту.

— М-м... куда же я направляюсь?

— Слетаете в Сан-Хуан, увидитесь с Патриком. Я все устроила.

— А вы?

— Я полечу в другое место.

Пока они ждали подготовки реквизитов для перевода денег, Сэнди попросил секретаршу принести еще кофе и булочек. На три ближайших дня он отменил все встречи. Супруга Сэнди принесла в офис дорожную сумку.

Помощник довез их до аэропорта. Еще в пути Сэнди заметил, что у Лиа не было багажа — ничего, кроме небольшой кожаной сумочки, довольно старой, но все еще элегантной.

— Где вы живете? — спросил он, когда они сидели в небольшом кафе, убивая оставшееся до вылета время.

— То здесь, то там, — ответила она, поглядывая в окно.

— Как я смогу найти вас?

— Уточним это позже.

Они заняли места в третьем ряду первого класса. В течение двадцати минут после взлета Лиа не проронила ни слова, сосредоточенно перелистывая журнал мод. Читать толстый справочник Сэнди не хотелось. Хотелось говорить, задавать бесконечные и вполне естественные в этой ситуации вопросы.

Но их будто разделяла стена, глухая и непроницаемая, более прочная, чем могла разделять просто малознакомых мужчину и женщину. Лиа знала ответы на все волновавшие его вопросы, однако предпочитала держать их при себе. Сэнди оставалось лишь сохранять установленную ею дистанцию.

Стюардесса разнесла соленые орешки и крекеры. От шампанского они отказались, предпочтя обыкновенную воду.

— Как давно вы знакомы с Патриком? — осторожно спросил он.

— Чем вызван такой вопрос?

— Извините. Скажите, есть ли вообще что-нибудь, что вы могли бы рассказать мне о том, как Патрик прожил последние четыре года? В конце концов, я его старый друг, а теперь еще и его адвокат. Вы не должны укорять меня за любопытство.

— Будет лучше, если об этом вы спросите его самого, — с едва заметной теплотой в голосе ответила Лиа и вновь переключилась на журнал.

Сэнди занялся орешками.

Когда самолет начал снижаться, Лиа заговорила четко и быстро:

— Несколько дней мы с вами не увидимся. За мной охотятся, и я не могу оставаться на одном месте. Все инструкции передаст вам Патрик, и какое-то время мы с ним будем поддерживать связь только через вас. Обращайте внимание на все: на незнакомцев у телефона-автомата, на каждую следующую за вами машину, на личностей, шляющихся вокруг вашего офиса. Как только люди, которые сейчас ищут меня, поймут, что вы представляете интересы Патрика, они устремятся и за вами.

— Кто они?

— Патрик скажет.

— Деньги у вас?

— На этот вопрос я не могу ответить.

Облака под крылом самолета становились все ближе. Сумма, само собой, выросла. Патрик не идиот. Он доверил деньги профессионалам в каком-нибудь иностранном банке и получал не менее двенадцати процентов в год.

До посадки и он, и она хранили молчание. Торопливо прошли по залу в сторону терминала, где регистрировали пассажиров на Сан-Хуан. Лиа крепко стиснула руку Сэнди.

— Передайте Патрику, что со мной все в полном порядке.

— Он спросит, где вы.

— В Европе.

Сэнди проследил взглядом, как она исчезла в потоке пассажиров, и поймал себя на мысли, что завидует старому другу. Такие деньги. Такая женщина.

В себя его привело раздавшееся из динамиков приглашение на посадку. Тряхнув головой, Сэнди подумал: как можно завидовать человеку, который вот-вот переступит порог камеры смертников, чтобы прождать в ней лет десять исполнения приговора? А сотня голодных юристов, готовых в поисках денег содрать с него кожу?

Зависть! Он уселся в кресло первого класса, впервые ощутив преимущества положения человека, представляющего интересы Патрика Лэнигана.

Взяв такси, Ева доехала до скромного отеля на берегу, где провела ночь. Здесь ей предстояло пробыть несколько дней — все зависело от того, как будут развиваться события в Билокси. Патрик велел ей почаще переезжать с места на место и нигде не проводить более четырех дней. В отеле она зарегистрировалась под именем Лиа Перес, расплатилась при помощи золотой кредитной карточки. Заполняя форму, она указала адрес в Сан-Паулу.

Переодевшись, Ева отправилась к морю. Пляж в середине дня был полон народу, и это устраивало ее. В Рио то же самое, но там всегда наткнешься на кого-нибудь из знакомых. Здесь же она предоставлена самой себе: очаровательная незнакомка, старательно поджаривающаяся в лучах жаркого солнца.

И все-таки ей хотелось домой.

ГЛАВА 11

На то, чтобы проникнуть за внешнюю ограду военно-морской базы, у Сэнди ушло не меньше часа. Его новый клиент не ставил целью хоть как-то помочь своему адвокату. О прибытии Сэнди никто не знал. Пришлось пускать в ход угрозы немедленного вызова в суд, обещания тут же связаться по телефону с именитыми сенаторами и другими власть имущими, громкие и возмущенные жалобы на нарушение прав гражданина США. Только в сумерках Сэнди добрался до здания госпиталя. Медсестра проводила его к Патрику.

Погруженная в темноту палата освещалась лишь голубоватым свечением поднятого едва ли не к потолку телевизора. Шел репортаж с футбольного матча в Бразилии. Двое друзей обменялись рукопожатием. Последний раз они виделись шесть лет назад. Патрик, скрывая раны, натянул простыню до подбородка.

Если Сэнди и рассчитывал на теплую встречу, то ему пришлось довольствоваться сдержанным приветствием. Стараясь не оскорбить друга, он исподволь вглядывался в его лицо: худое, почти изможденное, с невесть откуда появившимся квадратным подбородком и заострившимся носом. Патрик вполне мог сойти за кого-нибудь другого, если бы не глаза. Голос тоже остался прежним.

— Спасибо за то, что приехал, — сказал Патрик. Слова прозвучали с натугой, словно стоили ему значительных усилий.

— Оставь. А потом, особого выбора у меня не было. Аргументы твоей приятельницы оказались чертовски убедительными.

Патрик закрыл глаза и прикусил кончик языка, мысленно произнеся короткую молитву. Евы здесь не было, и она находилась в безопасности.

— Сколько она тебе заплатила? — спросил он.

— Сто тысяч.

— Хорошо.

Последовала долгая пауза. Сэнди понял, что в их разговоре она далеко не последняя.

— С ней все в порядке, — сказал он. — Замечательная женщина. Умна, как дьявол, и полностью держит ситуацию в руках. Если это тебя интересует.

— Тем лучше.

— Когда ты видел ее в последний раз?

— Пару недель назад. Я потерял представление о времени.

— Кто она — жена, подружка, продажная женщина?..

— Юрист.

— Юрист?

— Да.

Это удивило Сэнди. Патрик опять замолчал: ни звука, ни движения под простыней. Шли минуты. В ожидании Сэнди уселся на единственный в палате стул. Патрику предстояло вновь войти в отвратительный мир, населенный врагами, но, если сейчас ему хотелось лежать и смотреть в потолок, Сэнди ничего не имел против. У них еще будет время поговорить. О многом.

Патрик жив, и все остальное отошло на второй план. Сэнди вспомнились похороны: гроб, опускавшийся в могилу холодным и пасмурным днем, слова священника, сдерживаемые рыдания Труди. Надо же, оказывается, в то самое время Патрик прятался в ветвях дерева и наблюдал за происходившим — как уже три дня писали все газеты.

Значит, он выждал, а потом схватил денежки. Многие мужчины к сорока сдаются. Душевный кризис толкает одних в объятия новой жены, другие предаются воспоминаниям о студенческой скамье. С Патриком все случилось по-другому. Он поднялся на свой пик, имитировав собственную смерть, украв девяносто миллионов и скрывшись!

Но в машине были найдены чьи-то обгоревшие останки, и это могло роковым образом повлиять на дальнейшую судьбу Патрика.

— Дома создали чуть ли не комиссию по торжественной встрече, Патрик, — сказал Сэнди.

— Кто же председатель?

— Трудно сказать. Два дня назад Труди подала на развод, но из всех твоих проблем эта — самая незначительная.

— Тут ты прав. Позволю себе высказать догадку: она хочет получить половину денег.

— Она хочет очень многого. Кроме того, большое жюри присяжных признало тебя виновным в убийстве. Я говорю о жюри штата.

— Видел по телевизору.

— Вот и хорошо. Значит, об исках тебе все известно.

— Да. Си-эн-эн постоянно держала меня в курсе событий.

— Тебе не в чем их обвинить, Патрик. История и в самом деле удивительная.

— Спасибо.

— Когда ты захочешь поговорить?

Повернувшись на бок, Патрик посмотрел на выкрашенную белой краской стену.

— Меня пытали, Сэнди, — негромким, ломающимся голосом произнес он.

— Кто?

— Опутали тело проводами и пустили ток. Они издевались надо мной до тех пор, пока я не заговорил.

Поднявшись, Сэнди подошел к кровати, положил руку на плечо друга.

— Что ты сказал им?

— Не знаю. Не могу вспомнить все. Меня накачивали наркотиками. Кололи вот сюда, смотри. — Он поднял левую руку, чтобы Сэнди увидел следы уколов.

Тот нащупал и повернул выключатель стоявшей на столе лампы.

— О Боже!

— Спрашивали только о деньгах. Я терял сознание, приходил в себя, и тогда они вновь включали ток. Боюсь, что о ней я все же проговорился, Сэнди.

— О своем юристе?

— Да, о ней. Каким именем она назвалась?

— Лиа.

— Хорошо. Пусть будет Лиа. Я мог проболтаться о ней. Я почти уверен, что сделал это.

— Проболтаться кому, Патрик?

Он закрыл глаза; ноги его пронзила боль. Осторожно перевернувшись, Патрик устроился на спине, опустив простыню до груди.

— Взгляни, Сэнди. — Он указал на пятна ожогов. — Вот доказательства.

Сэнди склонился, чтобы посмотреть на ужасные красные следы.

— Кто это сделал? — спросил он.

— Не знаю. Кто-то. В комнате их было много.

— Где это происходило?

Патрику стало жаль друга. Сэнди хотел узнать, что случилось, но его интересовала не только пытка. Как и весь мир, Сэнди горел желанием узнать детали похищения денег. История и на самом деле была захватывающая, однако Патрик не был уверен, много ли он может рассказать. Подробности автомобильной катастрофы неизвестны никому. Однако своему другу и адвокату Патрик мог открыть то, как его захватили и пытали. Он вновь натянул простыню повыше.

— Придвинь стул поближе и сядь, Сэнди. И выключи свет — он меня раздражает.

Сэнди торопливо выполнил просьбу, усевшись как можно ближе к постели.

— Вот что они со мной сделали, Сэнди, — сказал Патрик в полумраке.

Он начал с Понта-Пору, с пробежки и машины, у которой спустила шина...

В день похорон отца Эшли Николь исполнилось ровно двадцать пять месяцев. Девочка была слишком маленькой, чтобы помнить Патрика. Единственным мужчиной в доме был Лэнс, тот самый человек, которого она всегда видела рядом с матерью. Время от времени Лэнс подвозил ее до школы. Время от времени все они обедали дома, как настоящая семья.

После похорон Труди спрятала фотографии и остальные свидетельства совместной жизни с Патриком. Имени отца Эшли Николь никогда не слышала.

Однако по истечении трех дней, когда репортеры толпились перед их домом, девочка начала задавать вопросы. Мать ее вела себя как-то странно. Атмосфера сгустилась настолько, что даже шестилетний ребенок не мог этого не заметить. Дождавшись, пока Лэнс отправится к адвокату, мать усадила девочку на постель.

Начала она с признания:

— Мы с Патриком были женаты четыре года, а потом он совершил ужасную вещь.

— Какую? — широко раскрыв глаза, спросила дочь.

— Он убил человека и подстроил все так, что это выглядело как автокатастрофа, понимаешь, с пожаром в его машине. Сбив пламя, полиция обнаружила тело и решила, что это останки Патрика. Так думали все. Патрик исчез, сгорел в своем автомобиле. Я очень расстроилась, ведь он был моим мужем, я любила его. Мы похоронили Патрика. А теперь, четыре года спустя, вдруг выяснилось, что все это время он скрывался на другом полушарии. Он убежал и спрятался.

— Почему?

— Потому что украл у своих друзей много денег и хотел их оставить себе.

— Он убил человека и украл деньги?

— Да, моя маленькая. Патрик не самая приятная личность.

— Очень жаль, что ты вышла за него замуж, мамочка.

— Да. Но видишь ли, малышка, есть кое-что еще, что ты должна понять. Ты родилась, когда мы с Патриком были женаты.

Следя за глазами дочери, Труди пыталась понять, уяснила ли девочка смысл этих слов. Похоже, нет. Она стиснула крошечную ладошку.

— Патрик — твой отец.

Эшли Николь подняла на мать непонимающий взгляд:

— Но я не хочу, чтобы он был моим...

— Прости меня, малышка. Я собиралась рассказать тебе обо всем, когда ты вырастешь, но Патрик может вот-вот вернуться сюда, и ты должна знать правду.

— А Лэнс? Разве он не мой отец?

— Нет. С Лэнсом мы вместе живем, вот и все.

Труди никогда не позволяла дочери называть Лэнса отцом. Да и сам Лэнс ни разу не проявил интереса к столь щепетильному вопросу. Труди считала себя матерью-одиночкой. У Эшли Николь просто не было отца, как и у многих других детей в наше время.

— С Лэнсом нас связывает долгая дружба. — Продолжая говорить, Труди надеялась избежать сотни других вопросов. — Долгая и очень тесная дружба. Конечно, он любит тебя, но он не твой отец. Настоящий твой отец, к сожалению, Патрик. Но ты об этом не беспокойся.

— А он хочет меня видеть?

— Не знаю, но приложу все силы, чтобы держать его подальше от тебя. Он очень плохой человек, моя маленькая. Он бросил тебя, когда тебе было всего два годика. Украл деньги и убежал. О нас тогда он даже не подумал, как не думает и сейчас. И если бы его не поймали, он никогда бы не вернулся назад. Больше мы его не увидим. Поэтому не думай о Патрике и о том, что он может сделать.

Эшли Николь потянулась к матери. Труди нежно обняла дочурку.

— Все будет хорошо, крошка, обещаю. Мне не хотелось ничего говорить тебе, но из-за этих репортеров и болтовни по телевизору пришлось.

— А что там делают эти люди?

— Не знаю. По мне бы, лучше они убрались.

— Чего они хотят?

— Сфотографировать тебя. И меня тоже. Чтобы поместить потом снимки в газете, когда напишут что-нибудь новенькое про Патрика.

— Значит, они пришли сюда из-за Патрика?

— Да, маленькая.

Глядя прямо в глаза матери, Эшли Николь прошептала:
— Я ненавижу его.

Как бы порицая ребячью шалость, Труди покачала головой, затем обняла дочь и улыбнулась.

Лэнс родился и рос в Пойнт-Кадете, старой рыбацкой деревеньке на небольшом полуострове, далеко вдающемся в воды залива Билокси. Это был рабочий поселок ловцов креветок, куда приезжали устраивать свою жизнь иммигранты. Мальчишкой Лэнс практически жил на улице и до сих пор имел в Пойнт-Кадете множество друзей, лучшим из которых был Кэп. Именно он сидел за рулем фургона, груженного марихуаной, в ту памятную ночь, когда их остановили. От внезапного толчка Лэнс, спавший с карабином позади тюков, набитых коноплей, проснулся. У обоих был один адвокат, оба получили один срок и в девятнадцать лет прошли по одному и тому же маршруту.

Кэп держал сейчас пивную и под хороший процент ссужал деньгами рабочих с местной консервной фабрики. Лэнс встретился с ним в задней комнате заведения. Они старались общаться по меньшей мере раз в месяц, но когда у Труди появились деньги и она перебралась в Мобил, виделись приятели все реже и реже. Кэп понял, что друг встревожен.

Разлив по кружкам пиво, приятели стали обсуждать, кто и сколько выиграл в казино, где находится ближайшая точка, в которой можно заправиться крэком, кого сейчас пасут парни из береговой охраны — обычная болтовня жителей побережья, мечтающих в один прекрасный день разбогатеть.

Труди Кэп презирал и в прошлом не раз смеялся над увивавшимся за ней Лэнсом.

— Ну, как твоя потаскушка? — спросил он.

— В общем-то в норме. Немного обеспокоена, ну, после того, как его поймали.

— Еще бы. Сколько она получила по страховкам?

— Пару миллионов.

— В газете написали два с половиной. Судя по тому, как эта сучка их тратит, у нее осталось не так уж много.

— Зато жили мы спокойно.

— Покой ты найдешь в моей заднице. Какой-то писака раскопал, что страховая компания уже предъявила ей иск.

— У нас тоже есть адвокаты.

— Да, но ко мне-то ты пришел не потому, что обзавелся адвокатом, а, Лэнс? Ты здесь потому, что тебе нужна помощь. Адвокату не по плечу сделать то, чего она хочет.

Улыбнувшись, Лэнс отпил из кружки и прикурил сигарету — в обществе Труди он никогда не мог себе этого позволить.

— Где Зеке?

— Так я и думал, — со злостью бросил Кэп. — У нее неприятности, вот-вот накроются денежки, и она тут же отправляет тебя сюда, чтобы отыскать Зеке или другого придурка, который будет готов совершить какую-нибудь глупость. Его схватят. И тебя тоже. Ты загремишь за решетку, а она просто забудет твое имя. Ты идиот, Лэнс, и сам знаешь это.

— Да, знаю. Так где же Зеке?

— В тюрьме.

— Где?

— В Техасе. Феды взяли его за торговлю оружием. Не забудь, ты сам признал, что ты — идиот. Отступись. Когда вашего парня привезут, то сколько копов сюда нагонят? Его запрут в таком месте, куда и муха не пролетит. Речь идет об очень больших деньгах, Лэнс. Его будут охранять до тех пор, пока он не проболтается, где они закопаны. Попробуй подстрелить его, Лэнс, и уложишь дюжину копов. Да и сам сдохнешь.

— Если с умом подойти, то нет.

— Ну уж ты-то точно знаешь, как это сделать! Не потому ли, что ты никогда не занимался такими вещами раньше? Когда же ты успел поумнеть, а, Лэнс?

— Я могу найти нужных людей.

— За сколько?

— Сколько потребуется.

— У тебя есть пятьдесят тысяч?

— Да.

Кэп сделал глубокий вдох и оглядел свое заведение, затем подался вперед и поднял взгляд на приятеля:

— Сейчас я скажу тебе, Лэнс, чем мне не нравится твоя идея. Ты никогда не был особенно сообразительным, знаешь ли. Девки вечно вешались тебе на шею, поскольку думали, будто ты парень что надо. Но мозги — это не по твоей части.

— Спасибо, дружище.

— Ваш парень здесь нужен живым всем: федам, юристам, копам, тем, чьи деньги украдены, — словом, всем. За исключением, естественно, той вонючки, что разрешает тебе жить в ее доме. Только ей нужен его труп. Если ты все же решишься и как-то отделаешься от него, копы направятся прямо к ней. Само собой, девочка окажется ни в чем не виновной, потому что рядом будешь ты. Для этого и держат таких щенков. Но допустим, кто-то его убьет. Деньги останутся у нее, а ты, как и я, прекрасно знаешь: только они для нее и значат что-то. Ты же отправишься в Парчмэн — ведь за тобой водятся грешки, не забыл? Просидишь там до конца своих дней, Лэнс. А она даже не напишет тебе.

— Мы можем сделать это за пятьдесят?

— Мы?

— Да. Я и ты.

— Могу назвать тебе имя, вот и все. Я к этому никакого отношения иметь не желаю. Овчинка выделки не стоит.

— Кто это?

— Парень из Нового Орлеана. Временами он наезжает сюда.

— Можешь ему позвонить?

— Да, но потом — точка. И помни, я советовал тебе не ввязываться.

ГЛАВА 12

Прилетевшую в Нью-Йорк из Майами Еву «конкорд» перенес в Париж. Полет на «конкорде» был данью моде, но сейчас Ева считала себя женщиной состоятельной. Из Парижа она отправилась в Ниццу, а оттуда на машине выехала в Экс-ан-Прованс. Этот же путь вместе с Патриком она проделала почти год назад — когда он единственный раз покинул Бразилию. Даже с новеньким фальшивым паспортом перспектива пересечения границ пугала его.

Бразильцы любят все французское и, получая образование, в конечном итоге почти все знают язык и культуру этой великой страны.

Они сняли номер на вилле Галлицци, в уютной гостинице на окраине городка, и провели там прекрасную неделю, бродя по улицам, заходя в магазины, сидя за столиками кафе и от случая к случаю наведываясь в деревеньки, расположенные между Эксом и Авиньоном. Немало времени пробыли и в номере, как молодожены. Как-то раз, перебрав вина, Патрик назвал это путешествие их медовым месяцем.

Она сняла номер в той же гостинице и после непродолжительного сна вышла, набросив халат, в крошечный дворик выпить чаю. Позже, переодевшись в джинсы, отправилась в город пройтись по Кер-Мирабо — главной улице Экса. В переполненном уличном кафе, наблюдая за играющими на мостовой детьми, выпила стакан красного вина. Позавидовала влюбленным, беззаботно бродившим, держась за руки.

Точно так же, рука об руку, прохаживались когда-то и они с Патриком, шептались и хохотали, будто нависшие над ним тени безвозвратно пропали.

В Эксе в течение той единственной недели, что они провели вместе, Ева впервые поняла, как мало Патрик спит. Во сколько бы она ни проснулась, он всегда неподвижно лежал без сна и смотрел на нее так, как если бы ей угрожала неведомая опасность. Горела настольная лампа. Засыпала Ева в полной темноте, а когда просыпалась, комнату заливал электрический свет. Затем Патрик выключал лампу и начинал нежно ласкать ее до тех пор, пока она не проваливалась в сон. Минут на тридцать засыпал и он, а потом вновь открывал глаза и включал свет. Поднимался Патрик задолго до рассвета и к тому моменту, когда Ева выбиралась из постели, успевал прочитать газету или несколько глав какого-нибудь детектива.

«Не больше двух часов», — ответил он на ее вопрос, как долго он спит.

Патрик крайне редко ложился вздремнуть, а на ночь устраивался всегда очень поздно.

Оружия он не носил и не заглядывал подозрительно в каждый угол. Его не пугало присутствие незнакомцев, почти не было разговоров о жизни в бегах. Он казался совершенно нормальным, обычным человеком, и Ева частенько забывала, что находится в обществе мужчины, которого разыскивают десятки, если не сотни людей.

Как правило, Патрик предпочитал не говорить о прошлом, однако временами избегать этого не удавалось. В конце концов, они были вместе только потому, что он бежал и умудрился стать совершенно другим человеком. Больше всего Патрик любил вспоминать себя мальчишкой в Новом Орлеане. О жене не произносилось почти ни слова, но Ева знала, насколько он презирает ее. Брак не удался, и Патрик сбежал от него тоже.

Несколько раз он пытался заговорить об Эшли Николь, но при мысли о дочери на его глаза наворачивались слезы. Голос изменял ему, уж слишком болезненной была тема.

Поскольку прошлое так и не закончилось для него, будущее тоже имело весьма расплывчатые очертания. За его спиной по-прежнему темнели зловещие тени, и это делало бессмысленным построение каких бы то ни было планов. До тех пор, пока с ними не будет покончено, он отказывался рассуждать о будущем.

Ева знала: спать по ночам Патрику не дает тревога. Невидимая, но ощутимая опасность всегда витала над ним.

Встретились они в Рио, в ее офисе, двумя годами раньше. Патрик представился канадским бизнесменом, живущим в Бразилии. Пришел он в поисках грамотного юриста, разбирающегося в вопросах импорта и налогообложения. Одет он был в светлый костюм из хлопка и белую рубашку. Стройный, загорелый и дружелюбный. Отличный португальский, хотя, впрочем, ее английский был лучше. Патрик хотел разговаривать на ее языке, она настояла на его. Деловой обед длился три часа, в течение которых и он, и она поняли, что это не последняя их встреча. Вечером — ужин и долгая прогулка босиком по пляжу в Ипанеме.

Муж Евы, который был значительно старше ее, погиб в авиакатастрофе в Чили, не оставив после себя детей. Патрик, представившийся как Денило, сообщил, что давно развелся с первой женой и она осталась в их старом доме в Торонто.

На протяжении первых двух месяцев Ева и Денило встречались по нескольку раз в неделю. И наступил момент, когда он рассказал ей правду — всю.

Произошло это в ее квартире после позднего ужина с бутылкой хорошего французского вина. Денило, измученный давившим на его плечи грузом прошлого, раскрыл перед Евой душу. Говорил он безостановочно, превратившись под утро из уверенного бизнесмена в одержимого паническим страхом беглеца. Запуганного, снедаемого беспокойством, но исключительно богатого.

Испытанное облегчение оказалось настолько сильным, что он едва не расплакался, успев вовремя сдержать слезы. В Бразилии мужчины не плачут, тем более в обществе прекрасной женщины.

Ева полюбила его. Она обнимала и целовала Денило и плакала тогда, когда сам он плакать не мог. Она обещала сделать все, чтобы помочь ему. Он поделился с ней самой мрачной своей тайной, и она дала слово хранить ее.

Денило сообщил Еве, где деньги, и научил, как быстро перемещать их по миру.

Когда они встретились впервые, Денило уже находился в Бразилии два года. Жить ему приходилось в Сан-Паулу, Ресифи, Минас-Жересе и десятке других мест. Два месяца прошли в работе на Амазонке, где он спал на барже под толстой москитной сеткой, на которой был такой слой насекомых, что через него не удавалось увидеть луну. Занимался Денило чисткой дичи, убитой богатыми аргентинцами в Пантанале — заповеднике размером с Великобританию, раскинувшемся на территории штатов Мату-Гроссу и Мату-Гроссу-де-Сол. Страну он знал лучше, чем Ева, он бывал в таких местах, о которых она и не слышала, и выбор Понта-Пору был сделан им совершенно сознательно. Денило решил, что Понта-Пору наиболее безопасен. Находившийся на границе с Парагваем городок имел и тактическое преимущество: при необходимости из него было легче бежать.

Ева не спорила с Денило. Ей хотелось бы, чтобы он оставался ближе к ней, в Рио, но ведь она ничего не знала о жизни в бегах и поэтому согласилась с его мнением. Много раз Денило обещал, что в один прекрасный день они навсегда останутся вместе. Время от времени они виделись на квартире в Куритибе — это были восхитительные дни. Ева стремилась к большему, но Денило отказывался строить какие-либо планы.

Шли месяцы, и Денило — Ева никогда не звала его Патриком — укреплялся в мысли, что рано или поздно его найдут. Она сомневалась в этом, зная, как он осторожен. Но Денило становился заметно беспокойнее, спал все меньше и все чаще говорил о том, что она должна делать в том или ином случае. О деньгах больше не упоминалось. Его одолевали дурные предчувствия.

Ей нужно будет остаться в Эксе на несколько дней, следить за выпусками международных новостей Си-эн-эн и просматривать американские газеты. Вскоре Патрика перевезут домой, посадят за решетку и предъявят множество вздорных обвинений. Он предвидел это, заверяя ее в том, что с ним все будет в полном порядке. Он справится, вынесет предстоящее, поскольку она обещала ждать его.

Теперь Ева была склонна перебраться в Цюрих и заняться своими делами. О том, чтобы поехать домой, не следовало и думать, и это мучило ее. Трижды она разговаривала с отцом, звоня ему из аэропортов, убеждая, что у нее нет никаких проблем, просто сейчас она не может вернуться.

Связь с Патриком она будет поддерживать через Сэнди, но пройдут долгие недели, прежде чем они встретятся.

Когда он, проснувшись от острой боли, попросил первую таблетку, было около двух ночи. Ощущение такое, будто по ногам вновь бежал безжалостный ток. И голоса, грубые голоса тех, кто его захватил. «Где деньги, Патрик? — дьявольским хором звенело в ушах. — Где деньги?»

Пожилая и сонная медсестра принесла таблетку, но забыла про воду. Он попросил стакан, проглотил таблетку и запил ее теплой содовой.

Прошло десять минут. Тело его покрывал пот, простыня была мокрой, раны саднило. Еще десять минут. Он включил телевизор.

Связавшие и поджаривавшие его электрическим током люди по-прежнему жаждали получить деньги. Несомненно, они хорошо знали, где он сейчас находится. Дневной свет приносил ощущение безопасности, темнота же таила в себе их безликие фигуры. Тридцать минут. Он нажал кнопку вызова сестры, но никто не пришел.

Навалилось тяжелое забытье.

В шесть утра Патрик уже не спал. Пришел неулыбчивый доктор, деловито осмотрел раны и заявил:

— Можно в путь. Там, куда вы едете, вас ждут отличные врачи.

Черкнув что-то в его карточке, доктор вышел.

Через полчаса в палате появился Брент Майерс — с самодовольной улыбкой и блестящим значком.

— Доброе утро.

— А постучать вы не могли? — не глядя на него, спросил Патрик.

— Извините. Вот что, Патрик, я тут перебросился парой слов с вашим врачом. Отличная новость — вас ждут дома. Завтра. У меня приказ сопровождать вас. Мы выезжаем утром. Правительственные чиновники распорядились доставить вас в Билокси спецрейсом военного самолета. Великолепно, не так ли? Я все время буду рядом с вами.

— А теперь вы не могли бы уйти?

— Безусловно. До завтра.

Выйдя из палаты, Майерс прикрыл дверь. Следующим посетителем был Луис, внесший поднос с кофе, апельсиновым соком и нарезанным плодом манго. Сунув под матрас Патрика какой-то пакет, он спросил не нужно ли ему еще чего-нибудь.

— Нет, — поблагодарил он фельдшера.

Появившийся часом позже Сэнди думал, что этот день пройдет в поисках ответов на накопившиеся за четыре года вопросы. Экран телевизора погас, раздвинулись шторы, в комнату хлынули потоки света.

— Я хочу, чтобы ты немедленно отправился домой, — сказал Патрик. — Прихватишь с собой вот это. — Он передал Сэнди пакет.

Усевшись на единственный стул, Макдермотт принялся неторопливо просматривать снимки своего обнаженного друга.

— Когда они были сделаны?

— Вчера.

Сэнди что-то записал в блокноте.

— Кем?

— Луисом, фельдшером.

— Кто над тобой поработал?

— В чьих руках я сейчас нахожусь, Сэнди?

— ФБР.

— Думаю, что это они. Мое собственное правительство выследило меня, захватило, пытало, а теперь отправляет домой. Правительство, Сэнди. ФБР, министерство юстиции и власти штата в лице окружного прокурора и его людей. Все это сделали со мной они.

— За это ты должен предъявить им иск.

— На миллионы. И чем быстрее, тем лучше. Вот тебе план: утром я вылетаю на военном самолете в Билокси. Можешь представить себе прием, который меня там ждет. Этим необходимо воспользоваться.

— Воспользоваться?

— Совершенно верно. Сегодня после обеда составим иск, а завтра он уже будет в газетах — это организуешь ты. Дашь им пару снимков, я пометил на обороте, какие именно.

Сэнди нашел в пачке две фотографии. На одной крупным планом сняты ожоги на груди Патрика, причем можно было различить и его лицо. Другая засвидетельствовала ожог третьей степени на бедре.

— Ты хочешь, чтобы я передал это прессе?

— Какой-нибудь газете на побережье. Это важно. Ее прочтут восемьдесят процентов жителей округа Гаррисон, а из них, я убежден, и будут набираться присяжные.

Сэнди улыбнулся:

— Похоже, ночью тебе было не до сна.

— Мне было не до сна на протяжении последних четырех лет.

— Просто великолепно.

— Нет, это лишь одна из немногих тактических уловок, которыми мы можем воспользоваться в борьбе с этими гиенами. Пусть присяжные подумают, Сэнди. ФБР применило пытки по отношению к подозреваемому гражданину США.

— Блестяще, Патрик, просто блестяще! Иск только к ФБР?

— Да, не будем распыляться. Я — против ФБР и правительства США. Предмет — физическое и психологическое давление в процессе бесчеловечной пытки и допроса, проводившихся где-то в джунглях.

— Звучит впечатляюще.

— А будет звучать еще лучше, когда поднимет шум пресса.

— На какую сумму иск?

— Все равно. Фактический ущерб я оценил бы в десять миллионов, но, чтобы им было неповадно, пусть будет сто.

Записав и это, Сэнди перевернул страницу и бросил взгляд на Патрика.

— Но ведь это было не ФБР, не так ли?

— Нет, не ФБР. Федам меня доставили какие-то подонки, долгое время охотившиеся за мной. Они и сейчас продолжают где-то рыскать.

— И в ФБР знают о них?

— Да.

В палате воцарилась тишина: Сэнди ждал продолжения, Патрик молчал. Слышно было, как в коридоре переговариваются сестры.

— Тебе нужно как можно скорее попасть домой, Сэнди, — наконец сказал Патрик. — У нас еще будет достаточно возможностей, чтобы поговорить. Я знаю, у тебя много вопросов. Дай мне время.

— Не беспокойся об этом.

— Займись иском, и пусть будет побольше шума. В качестве ответчиков мы сможем повлиять на ход процесса позже.

— Нет проблем. Подобный опыт у меня уже был. — Вместе с блокнотом Сэнди положил в кейс и фотографии.

— Будь осторожен, — предупредил его Патрик. — Как только они поймут, что ты представляешь мои интересы, к тебе тут же потянутся сомнительные и наглые личности.

— Пресса?

— Да, но я имел в виду и нечто другое. Я ведь спрятал изрядную сумму, Сэнди. Есть люди, которые не остановятся ни перед чем, чтобы их найти.

— Сколько у тебя осталось?

— Все. Плюс кое-что еще.

— Эти деньги могут уйти на то, чтобы спасти тебя, дружище.

— У меня есть план.

— Не сомневаюсь. До встречи в Билокси.

ГЛАВА 13

Благодаря тщательно организованным утечкам информации стало известно, что непосредственно перед тем, как здание суда закроется, ожидается подача еще одного иска. Атмосфера была уже достаточно наэлектризована сообщением о скором прибытии в город Патрика Лэнигана.

Сэнди обратился к репортерам с просьбой подождать его в вестибюле суда, пока он завершит формальности, связанные с официальной подачей иска. Выйдя из кабинета, он раздал копии документов собравшимся у дверей журналистам, в основном газетчикам. Двое держали в руках видеокамеры, один работал на местной радиостанции.

С первого взгляда могло показаться, что очередной иск подает адвокат, больше всего озабоченный тем, чтобы увидеть в газете свою фотографию. Ситуация коренным образом изменилась, когда Сэнди заявил, что представляет интересы Патрика Лэнигана. Вокруг него сразу собралась толпа: любопытные клерки, юристы, даже уборщик остановился послушать. Абсолютно спокойно Сэнди проинформировал аудиторию о том, что его клиент предъявил иск ФБР за оскорбления действием и пытки.

Он не торопясь объяснил суть выдвигаемых претензий, вдумчиво глядя в объективы фото- и видеокамер, ответил на десятки вопросов, приберегая «бомбу» напоследок. Наконец, сунув руку в кейс, достал из него два цветных фотоснимка, размером тридцать на сорок сантиметров, и прикрепил их к висевшей на стене пластиковой доске.

— Вот что они сделали с Патриком, — трагическим тоном объявил он.

Камеры приблизились вплотную. Толпа стала почти неуправляемой.

— Его накачали наркотиками, а затем опутали электрическими проводами и стали пытать, поскольку он не отвечал — не мог ответить — на их вопросы. Вот, уважаемые леди и джентльмены, как действует наше правительство в отношении американских граждан. Государственные чиновники, которые называют себя агентами Федерального бюро расследований, применяют пытки!

От подобного заявления дрогнули даже самые опытные газетные волки. Разработанный сценарий не дал осечки.

Местная телекомпания передала сенсационное сообщение в шесть вечера, посвятив заявлению Сэнди и снимкам Патрика половину времени, отпущенного на программу новостей. Вторую половину занял рассказ о том, какая встреча готовится завтра Патрику Лэнигану.

Чуть позже Си-эн-эн начала на всю страну повторять эту новость каждые полчаса, и Сэнди стал героем вечера. Предъявленные им обвинения были слишком громкими для того, чтобы их недооценить.

Гамильтон Джейнс сидел с приятелями в баре загородного клуба в окрестностях Александрии. Голубовато отсвечивал телевизионный экран. На поле для гольфа Джейнс только что прошел восемнадцать лунок и в течение всей игры запрещал себе думать о работе. Но проблемы, связанные с ней, настигли его и здесь.

Иск Лэнигана к ФБР? Извинившись перед друзьями, Гамильтон прошел к концу стойки и, достав сотовый телефон, начал деловито нажимать кнопки.

В недрах Гувер-билдинга на Пенсильвания-авеню, в комнатах без окон, технический персонал ведет запись программ теленовостей, собираемых по всему миру. Другие сотрудники прослушивают и записывают на магнитную ленту радиопередачи. Десятки людей внимательно прочитывают последние номера журналов и газет. В Бюро это называется емким словом «аккумуляция».

Джейнс связался с дежурным техником и через несколько минут получил самую подробную информацию. Покинув клуб, он сел в машину и направился к себе, в располагавшийся на третьем этаже Гувер-билдинга кабинет. Оттуда он позвонил генеральному прокурору, который уже пытался разыскать его, что было неудивительно. Последовала ожесточенная перебранка, причем Джейнсу отводилась незавидная роль мальчика для битья. Тем не менее он смог донести до своего собеседника мысль о том, что ФБР не имеет ни малейшего отношения к голословным обвинениям Патрика Лэнигана.

— Голословным?! — возмущенно переспросил прокурор. — Но я своими глазами видел ожоги! Черт возьми, их видел весь мир!

— Это сделали не мы, сэр, — сдержанно ответил Джейнс, зная, что на этот раз говорит правду.

— Так кто же в таком случае? Это вам известно?

— Да, сэр.

— Отлично. Чтобы в девять утра на моем столе лежал детальный отчет.

— Вы получите его, сэр.

Генеральный прокурор бросил трубку. Джейнс со злостью ударил кулаком по столу, а потом набрал новый номер. Результатом его звонка стало то, что перед дверью дома мистера и миссис Стефано из темноты материализовались двое мужчин.

Проведя вечер перед экраном телевизора, Джек нисколько не удивился реакции чиновников ФБР. Прослушав новости, он тут же связался по телефону со своим юристом. Смешно! ФБР обвиняют в том, что сделали его люди! Великолепный ход Патрика и его адвоката.

— Добрый вечер, — вежливо сказал Джек, стоя на пороге. — Позвольте высказать догадку, джентльмены. Торгуете пончиками вразнос?

— ФБР, сэр, — кивнул первый мужчина, запуская руку в карман.

— Не суетись, малыш. Я узнал вас. Когда мы виделись последний раз, ты сидел в машине за углом, делая вид, будто читаешь вечернюю газету. Скажи мне честно, обучаясь в колледже, ты, наверное, мечтал именно о такой захватывающей работе?

— Вас хочет видеть мистер Джейнс, сэр, — подал голос второй агент.

— Зачем?

— Не знаю. Он приказал нам отправиться за вами. Вы должны сесть в нашу машину.

— Значит, Гамильтону приходится засиживаться допоздна, а?

— Да, сэр. Вы поедете?

— Это что, новый арест?

— Ну... нет, сэр.

— Тогда чем именно вы здесь заняты? У меня целая куча адвокатов, к вашему сведению. Незаконный арест или задержание чреваты для вас серьезными неприятностями.

Агенты встревоженно переглянулись.

Встреча с Джейнсом нисколько не беспокоила Стефано. Он в состоянии отвергнуть любое обвинение. Но тут он вспомнил об угрозе возбуждения уголовного дела. Некоторое сотрудничество все же не повредит.

— Дайте мне пять минут.

Когда Стефано вошел, Джейнс стоял у стола, перелистывая страницы толстенного отчета.

— Садитесь. — Последовал взмах руки в сторону кресла. Была почти полночь.

— Добрый вечер, Гамильтон, — усмехнулся Стефано. Папка с отчетом легла на стол.

— Что, черт бы вас побрал, вы делали там с этим парнем?

— Я не знаю. Думаю, кто-то из бразильцев обиделся на него. Ничего, выживет.

— Кто это сделал?

— Может, мне понадобится адвокат, а, Гамильтон? Это допрос?

— Не знаю. Директор ФБР сейчас дома и ведет по телефону консультации с генеральным прокурором, которому все это очень не нравится. Каждые двадцать минут они звонят сюда, чтобы содрать с меня новый слой кожи. Дело довольно серьезное, понимаешь, Джек? Обвинения, естественно, идиотские, но сейчас вся страна смотрит на его дурацкие фотографии и задает себе вопрос: как мы могли пытать гражданина США?

— Мне ужасно жаль.

— Вижу. Так кто это сделал?

— Какие-то местные ребята. Банда бразильских головорезов, которых наняли, когда нам намекнули, что он находится там. Мне даже неизвестны их имена.

— Откуда поступила информация?

— Ах, как вам хочется это узнать!

— Да, хочется. — Джейнс ослабил узел галстука и уселся на край стола, сверху вниз глядя на Стефано, не подававшего и признака беспокойства: этот найдет выход из любой ситуации — уж больно хорошие у него адвокаты. — Могу предложить тебе сделку, — сказал Джейнс. — Инициатива исходит непосредственно от директора.

— Горю желанием узнать, в чем ее суть.

— Мы готовы арестовать Бенни Арициа завтра. Шумиха будет неимоверная. Пресса узнает, как он потерял свои девяносто миллионов, как нанял тебя, чтобы ты разыскал Лэнигана. И о том, как ты нашел его, работал с ним, но так и не смог ничего выяснить о деньгах.

Стефано внимательно слушал, ничем не выдавая своего интереса.

— А затем мы возьмем еще двух человек: Аттерсона из «Монарх-Сьерры» и Джилла из «Нозерн кейс мьючуэл», членов твоего маленького консорциума, если я не ошибаюсь. Мы заявимся к ним с нашими парнями, а журналисты будут неподалеку, и их вытащат на улицу в наручниках и швырнут в черные фургоны. Репортеры увидят все собственными глазами, как ты понимаешь. А еще мы предпримем некоторые усилия к тому, чтобы газеты не забыли напомнить читателям о том, кто именно помог Арициа отыскать и вытащить из Бразилии Лэнигана. Подумай об этом, Стефано. Все твои клиенты будут арестованы и посажены в камеры.

Стефано хотелось спросить, каким образом ФБР удалось идентифицировать членов его консорциума, но он сообразил, что особого труда для Бюро это не составило. Людей, терявших все, ФБР умело изолировать от общества.

— От твоего бизнеса ничего не останется, — продолжал между тем Джейнс с притворным сочувствием.

— Так чего же вы хотите, Гамильтон?

— Ты расскажешь нам все, что тебе известно: как вы его нашли, что он вам открыл и так далее. Вопросов у нас достаточно. В обмен на твои ответы мы забудем о всяких обвинениях и оставим в покое твоих клиентов.

— Другими словами, вы хотите меня запугать.

— Совершенно верно. Представь: о тебе напишет пресса. Твоя проблема заключается в том, что мы в состоянии разогнать твоих клиентов, а тебя самого вышвырнуть из бизнеса.

— И это все?

— Нет. Если нам хоть чуть-чуть повезет, ты загремишь за решетку.

Причин схватиться за это предложение у Стефано было немало, и не в последнюю очередь из-за жены. Она уже страдала из-за слухов о том, что за их домом ФБР установило круглосуточное наблюдение. Телефоны прослушивались, в этом она нисколько не сомневалась, видя, как муж разговаривал по сотовому, сидя в садике на заднем дворе. Миссис Стефано находилась на грани нервного срыва от всего этого. «Ведь мы — уважаемые в обществе люди», — не уставала повторять она Джеку.

Но просто так сдаваться Стефано не спешил. Он знал намного больше, чем предполагали в Бюро. У него были все шансы так провести игру, что обвинения против него рухнут, а клиенты останутся при нем. И что еще важнее, с помощью мощных рычагов, находящихся в распоряжении федов, он в силах проследить путь денег, украденных Лэниганом.

— Мне необходимо переговорить со своим адвокатом.

— Ты должен принять решение до пяти вечера завтрашнего дня.

В позднем выпуске теленовостей компании Си-эн-эн Патрик увидел на экране свои страшные раны: Сэнди размахивал снимками, как ликующий каратист, получивший новый пояс. По сообщению находившегося в Вашингтоне у Гувер-билдинга репортера, никакой официальной реакции ФБР пока не последовало.

Получилось так, что во время передачи в палату зашел Луис. Услышав слова ведущего, он замер, переводя взгляд с экрана на лицо Патрика. Затем в мозгу его что-то щелкнуло.

— Мои снимки? — спросил он с резавшим слух акцентом.

— Ага, — отозвался готовый расхохотаться Патрик.

— Мои! — с гордостью повторил Луис.

История об американском юристе, заставившем всех поверить в его смерть и наблюдавшем за собственными похоронами, прячась на дереве, человеке, который украл у своей фирмы девяносто миллионов долларов и был пойман через четыре года в Бразилии, стала предметом бесконечных разговоров во всем западном полушарии. Ева прочитала очередной материал о Патрике в американской газете, отхлебывая кофе за столиком своего любимого кафе в Эксе. Шел мелкий дождь, стоявшие под открытым небом в нескольких шагах от нее стулья насквозь пропитались влагой.

Статья помещалась на первой полосе газеты. Детально описывались ожоги третьей степени, но, слава Богу, не было никаких снимков. Сердце ее защемило.

Патрик отправлялся домой. Израненный, в оковах, как пойманный дикий зверь, он вот-вот пустится в путешествие, которое, как всегда знал, давно ждало его. Пора и ей в путь.

Она будет оставаться в тени, скрываться и делать то, что ему нужно, молясь за них обоих.

Из своего номера она тихо уйдет ночью, думая о том, как чувствует себя Патрик, и о том, что их ждет в будущем.

ГЛАВА 14

Для дороги домой Патрик выбрал прорезиненный хирургический халат, уродливый и весьма свободный — ему. не хотелось травмировать ожоги. Ему предстояло более двух часов провести в воздухе. Врач дал Патрику небольшой пузырек с болеутоляющим и папку с медицинской картой. Перед тем как выйти из палаты, Патрик пожал руку Луису и попрощался с пожилой медсестрой.

За дверью его ждал Майерс вместе с четырьмя широкоплечими парнями из военной полиции.

— Давай договоримся, Патрик, — сказал он, — если ты дашь слово вести себя прилично, обойдемся без наручников и цепей на ногах. Но когда мы совершим посадку, выбора у меня уже не будет.

— Благодарю, — отозвался Лэниган и зашагал по коридору.

Ноги его сводила боль — от кончиков пальцев до бедер, колени подгибались. Голову Патрик держал высоко, плечи расправил. Он вежливо кивал стоявшим в коридоре сестрам. Спустившись на эскалаторе, он вышел на улицу и очутился у темно-синего фургона военной полиции. Вооруженные копы хмуро посматривали на стоявшие рядом пустые автомобили. Чья-то крепкая рука помогла Патрику взобраться в фургон. Кто-то вручил ему пару дешевых темных авиационных очков:

— Они вам понадобятся. Наверху вы ослепнете от солнца.

Они так и не выехали за пределы базы. Фургон медленно скользил по поблескивавшему асфальту, со скоростью тридцать пять километров в час, оставляя позади весьма слабо охраняемые контрольные пункты. Пассажиры хранили молчание. Через затемненные стекла Патрик видел казармы, служебные здания и ангары. Он подумал, что пробыл здесь дня четыре. Может, три. Из-за наркотиков впрыснутых в кровь сразу после прибытия, он не был уверен в этом. Из встроенного в приборную доску кондиционера струился прохладный воздух. Патрик крепко сжимал в руках папку с медицинской картой — его единственным в этот момент достоянием.

Он вспомнил о своем доме в Понта-Пору — заметил ли кто-нибудь в городке его отсутствие? Приходит ли убирать дом женщина, которую он нанял? Наверное, нет. А машина, маленький красный «жук», которую он так любил? В Понта-Пору Патрик знал едва ли десяток человек. Что, интересно, они о нем говорят? Ничего.

Да и какая разница? Зато в Билокси без него явно скучают. Возвращение блудного сына. Самый известный на планете житель Билокси вот-вот окажется дома — в оковах и с судебными повестками. Как его встретят? Шествием вдоль побережья, по девяностой автостраде? Ведь это благодаря ему город приобрел мировую известность. Многие ли жители Билокси настолько изобретательны, чтобы заполучить девяносто миллионов долларов?

Патрик усмехнулся собственному тщеславию.

В какую тюрьму его отправят? Будучи юристом, в разное время он посетил их все: городскую, окружную, даже федеральную на военно-воздушной базе «Кеслер». Рассчитывать на последнюю было бы глупо.

Ему дадут одиночку или камеру придется делить с подонками и ворами? Внезапно Патрика осенила идея. Он раскрыл папку и быстро пробежал глазами записи наблюдавшего его врача.

«Пациенту требуется госпитализация в течение хотя бы еще одной недели».

Хвала Господу! Почему же нельзя было подумать об этом раньше? Наркотики. За последние несколько недель его бедный организм подвергся такому массированному воздействию наркотиков, какого не приходилось испытывать на протяжении всей жизни. Провалы в памяти и алогичные суждения могут быть списаны на побочное действие препаратов.

Необходимо только как-нибудь переправить копию этой медицинской справки Сэнди, который приложит все усилия к тому, чтобы обеспечить другу персональную койку, желательно в одиночной камере, где была бы еще и сиделка. Вот какие условия предпочел бы Патрик. Поставьте у двери десять полисменов — пожалуйста! Пусть у него только будет удобная постель, и — ради Бога! — держите его подальше от вульгарных преступников.

— Мне нужно позвонить, — сказал Патрик, повернувшись в сторону водителя фургона.

Ответа не последовало.

Они остановились у огромного ангара, рядом с грузовым реактивным самолетом. Пока военные полицейские ждали, Патрик вместе с Майерсом прошел в ангар, чтобы выяснить, существует ли у обвиняемого конституционное право не только позвонить своему адвокату, но и переслать ему по факсу страницу текста.

Ему удалось убедить Майерса в своей правоте только после угрозы обжаловать его действия в суде. Исписанная врачом страница отправилась по проводам в офис Сэнди Макдермотта в Новый Орлеан.

После довольно долгого пребывания в кабинке туалета Патрик медленно поднялся на борт.

Самолет совершил посадку на военно-воздушной базе «Кеслер» за двадцать минут до полудня. К удивлению Патрика, толпа восторженных горожан отсутствовала. Не было и журналистов. Не пришли в трудную минуту даже старые друзья.

По чьему-то приказу взлетно-посадочная полоса была оцеплена. Никакой прессы. У ворот базы, примерно в двух километрах от места посадки, стояла довольно большая группа людей, щелкавших камерами каждый пролетавший самолет.

Честно говоря, Патрику очень хотелось, чтобы репортеры увидели, как он выходит из самолета в хирургическом балахоне, как неловко спускается по трапу. Впечатляющее было бы зрелище для потенциальных присяжных.

Как и предполагалось, утренняя газета на первой странице поместила сообщение о его иске к ФБР, сопроводив материал огромными цветными снимками. Только законченные ничтожества, прочитав статью, не исполнились бы глубокого сочувствия к главному герою.

Противная сторона — правительство, прокуроры, следователи — была, на взгляд Патрика, обрисована слишком мягко. Закон мог сегодня торжествовать, получив в свои руки короля среди воров, и к тому же юриста! Однако отделение ФБР в Билокси отключило все телефоны и держало двери на замке, чтобы хоть как-то оградить офис от журналистов. На аэродром прибыл только Каттер. Встретить Патрика, как только он коснется родной земли, было его служебным долгом.

Каттер ждал Лэнигана вместе с шерифом Суини, двумя офицерами базы и Сэнди.

— Привет, Патрик. Добро пожаловать домой, — сказал Суини.

Протянув скованные наручниками запястья, Патрик сделал попытку пожать ему руку.

— Привет, Рэймонд, — улыбнулся он.

Они знали друг друга довольно неплохо — обычное дело для местных полицейских и юристов. Девять лет назад, когда Патрик впервые появился в городе, Рэймонд Суини считался первым человеком в округе Гаррисон.

Каттер сделал шаг вперед, чтобы представиться, однако стоило Патрику услышать слово «ФБР», как он тут же повернулся и кивнул Сэнди.

Темно-синий фургон, копия того, что подвез его к борту самолета в Пуэрто-Рико, стоял неподалеку. Все забрались внутрь, Патрик уселся рядом со своим адвокатом.

— Куда мы едем? — шепотом спросил он.

— В госпиталь военно-воздушной базы, — прошептал в ответ Сэнди. — Для медицинского освидетельствования.

— Ты отлично сработал.

Фургон развернулся, миновал контрольно-пропускной пункт — сидевший в будке охранник на мгновение отвел взгляд от спортивного журнала — и покатил по тихой улице, с обеих сторон застроенной коттеджами, где жили офицеры.

Жизнь в бегах была полна снов: глубоких и таких, когда разум как бы бодрствует, но витает в недостижимых высях. Большая часть таких сновидений пугала: это были кошмары с жуткими, словно выраставшими за спиной тенями. Однако случались и другие, приятные, в которых свободное от страхов прошлое плавно перетекало в розовое будущее. Однако они приходили нечасто. Жизнь в бегах, как скоро понял Патрик, по сути, была жизнью в прошлом. Уйти оттуда не представлялось возможным.

В третьей категории снов он видел дом. Кто выйдет встретить его? А воздух — будет ли он таким же свежим? Много ли друзей заглянут проведать его, сколько предпочтут держаться подальше? Были люди, с которыми он встретился бы с радостью, но вот захотят ли они увидеть его? Может, он стал кем-то вроде прокаженного? Или превратился в знаменитость? Наверное, ни то и ни другое.

И все-таки в самом конце бесконечной гонки ему виделось некое утешение. Впереди лежали немыслимые проблемы, зато сейчас можно было забыть о том, что осталось позади. Правда заключалась в том, что Патрик никогда не имел возможности полностью расслабиться и наслаждаться новой жизнью. Даже деньги были не в состоянии отогнать страх. Катастрофа надвигалась давно, он знал, что уйти от расплаты все равно не удастся. Слишком много он украл.

В окошке Патрик замечал всякие мелочи: проезжая часть покрыта асфальтом, что в Бразилии, по крайней мере в Понта-Пору, было большой редкостью. Играющие у обочин дети обуты в кроссовки — там, в Бразилии, они бегали босиком, их подошвы напоминали прочную резину. Внезапно он ощутил тоску по улице Тирадентис, где мальчишки любят гонять футбольный мяч.

— С тобой все в порядке? — спросил Сэнди.

Патрик кивнул и с удивлением осознал, что до сих пор не снял летные очки.

Сэнди достал из кейса газету. Заголовок на первой странице кричал:

ЛЭНИГАН ПОДАЕТ НА ФБР В СУД ЗА ПЫТКИ!

Оставшееся на полосе место занимали две огромные фотографии.

Патрик почувствовал удовлетворение.

— Я прочту ее позже, — кивнул он.

Каттер сидел напротив и ловил каждое слово. Говорить по-человечески в подобных условиях было невозможно, и Патрика это полностью устраивало.

Фургон въехал на стоянку у госпиталя и остановился перед приемным покоем. Через неприметную служебную дверь Патрика ввели в здание. В коридоре стояли в ожидании нового пациента сестры. Из шеренги выступили вперед два лаборанта.

— Добро пожаловать домой, Патрик, — сказал один.

Наглец.

Никаких бланков для заполнения. Никаких вопросов о медицинской страховке или об оплате за услуги. Его немедленно провели на третий этаж и поместили в палате в самом конце коридора. Каттер, а за ним и шериф оставили банальные инструкции: поменьше телефонных разговоров, никаких сюрпризов — охрана у двери. Что еще они могли сказать заключенному? После их ухода с Патриком остался один Сэнди.

Лэниган уселся на край постели.

— Мне бы хотелось увидеться с матерью, — сказал он.

— Она уже выехала. Будет здесь около часа.

— Спасибо.

— А что насчет жены и дочери?

— Я бы с удовольствием посмотрел на Эшли Николь, но позже. Уверен, она не помнит меня. Думает сейчас, что я — чудовище. Ясно почему. А желания увидеть Труди у меня нет.

Послышался громкий стук в дверь. На пороге стоял Суини с толстой пачкой бумаг.

— Прошу извинения за беспокойство, Патрик, но я по делу. Думаю, лучше нам покончить со всем сразу.

— Конечно, шериф.

— Эти формы мне необходимо заполнить на тебя. Во-первых, обвинение в умышленном убийстве. Переслали из жюри присяжных округа Гаррисон.

Патрик, не глядя, передал бумагу Сэнди.

— Вот показания и требование о разводе, поданное Труди Лэниган в Мобиле.

— Ну и сюрприз, — отозвался Патрик. — На каких основаниях?

— Я не читал. Так, теперь показания и жалоба, поданная мистером Бенджаменом Арициа.

— Кем? — спросил Патрик шутливым тоном, но шериф даже не улыбнулся.

— Теперь показания и жалоба твоей фирмы.

— На сколько же они рассчитывают?

— Я не читал. И под конец — показания и жалоба страховой компании «Монарх-Сьерра».

— О да! Этих парней я помню. — Он передал бумаги Сэнди, стоявшему рядом.

— Мне очень жаль, Патрик, — сказал Суини.

— Это все?

— На данный момент да. По дороге в город заеду в суд узнать, нет ли чего-нибудь еще.

— Перешлешь сюда, если будет. Сэнди работает быстро.

Они обменялись рукопожатием, уже без наручников. Шериф вышел.

— Рэймонд всегда мне нравился, — сказал Патрик, уперев руки в бока и медленно сгибая ноги в коленях. — А трудно, Сэнди. Кости все еще ломит.

— Отлично. Это в наших интересах. — Сэнди тряхнул пачкой бумаг. — Похоже, Труди всерьез обиделась. Она твердо решила избавиться от тебя.

— Живя с ней, я пытался делать все возможное. На каких основаниях?

— Ты бросил ее, поступив с осознанной жестокостью.

— Бедняжка.

— Собираешься оспаривать ее заявление?

— Все зависит от того, чего она хочет.

Сэнди перелистнул страницу.

— Она требует развода. Ребенок остается с ней, ты лишаешься всех родительских прав, включая право на посещения. Она хочет получить имущество — недвижимость и прочее, — которым вы вместе владели до твоего исчезновения, как она это называет, плюс... — о да, вот оно — плюс приличный процент с того, что ты мог обрести за время отсутствия.

— Сюрприз, сюрприз.

— Вот чего она желает, пока, во всяком случае.

— Я дам ей развод, Сэнди, и с радостью. Но все будет далеко не так просто, как ей кажется.

— Что у тебя на уме?

— Поговорим об этом позже. Я устал.

— Нам обязательно нужно поговорить, Патрик. Отдаешь ты себе в этом отчет или нет, но существует множество вопросов, которые необходимо уточнить.

— Позже. Мне требуется отдохнуть, да и мать появится с минуты на минуту.

— Хорошо. На дорогу в условиях Нового Орлеана, на парковку и на то, чтобы дойти до двери офиса, у меня уйдет около двух часов. Когда, скажи, мы сможем опять встретиться?

— Прости, Сэнди, но я устал. Как насчет завтрашнего утра? Наберусь сил, и мы проработаем с тобой весь день.

У Сэнди отлегло от сердца. Он спрятал бумаги в кейс.

— Договорились. Буду у тебя в десять.

— Спасибо, Сэнди.

Он вышел, и Патрик несколько минут наслаждался покоем, который прервало внезапное появление мужчин и женщин в белых халатах.

— Добрый день, меня зовут Рози, я возглавляю штат ваших сестер. Нам необходимо осмотреть вас. Вы позволите снять с вас одежду?

Фактически это не было просьбой — Рози уже стягивала с него балахон. Две другие сестры, такие же полные, как и Рози, с обеих сторон принялись помогать ей. Казалось, они испытывали от этого настоящее удовольствие. Четвертая стояла рядом с термометром и никелированным металлическим ящичком, полным устрашающих инструментов. Техник возился у изголовья кровати. Другой, в оранжевом халате, стоял возле двери.

Ввалившаяся в палату команда работала слаженно. Патрик закрыл глаза и полностью отдался в их власть.

* * *

Трогательная встреча с матерью. Он сразу же попросил у нее прощения за все. С присущей всем матерям любовью она простила его. Радость от встречи с сыном мгновенно вытеснила из ее души горечь.

Джойс Лэниган было шестьдесят восемь, здоровье не доставляло ей особых хлопот, если не считать немного повышенного давления. Муж, отец Патрика, двадцать лет назад оставил ее, уйдя к более молодой женщине, которая и похоронила его. Смерть наступила от сердечного приступа. На состоявшихся в Техасе похоронах ни Джойс, ни Патрик не присутствовали. Вторая жена была в то время беременной. Ее ребенок, сводный брат Патрика, ожидал в настоящий момент в Хантсвилле, Техас, приведения в исполнение приговора о смертной казни за убийство двух полицейских из отдела по борьбе с наркотиками. Патрик никогда не говорил об этом ни с Труди, ни с Евой. Зачем?

Какой неожиданный поворот судьбы — оба сводных брата обвинялись в умышленном убийстве. Одного уже осудили. Другого — вот-вот осудят.

Когда отец бросил их, Патрик был студентом колледжа. Новая жизнь разведенной, среднего возраста женщины, не имевшей никакой профессии и ни дня не проработавшей, давалась его матери с трудом. По условиям развода она сохранила за собой дом и как-то сводила концы с концами, время от времени давая уроки в местной начальной школе. Вообще-то Джойс предпочитала сидеть дома, возиться в маленьком садике, смотреть по телевизору «мыльные оперы» и пить чай с соседками.

Патрик всегда считал, что мать действует ему на нервы, особенно после смерти отца, не сильно его огорчившей, поскольку заботливым родителем тот никогда и не был. Как не был и любящим супругом. Патрик уговаривал мать отказаться от добровольного заточения, найти работу, познакомиться с кем-нибудь и пожить в свое удовольствие. Все в ее силах.

Но она же, по всей видимости, наслаждалась своим положением. С годами, все глубже погружаясь в работу, сын отдалился от нее. Перебрался в Билокси, женился на женщине, которую Джойс не выносила. Словом, жизнь шла своим чередом.

Патрик задавал вопросы о своих дядях, тетках, двоюродных братьях и сестрах, о людях, с кем не поддерживал связи задолго до своей «смерти» и о которых не вспоминал на протяжении последних четырех лет. Он спрашивал, потому что должен был спросить. В большинстве случаев интересовавшие его люди жили неплохо.

Нет, увидеться с кем-либо из них у него нет никакого желания.

А они были бы рады.

Странно. Раньше это и в голову им не приходило.

Они очень переживают за него.

Очень странно.

В беседе незаметно прошли два часа. Джойс попеняла сыну на его худобу.

— Ты выглядишь больным, — добавила она.

Спрашивала о новом подбородке и носе, о потемневших волосах, говорила милые материнские глупости.

Выйдя из палаты, Джойс отправилась в Новый Орлеан. Сын обещал писать ей.

Он всегда обещал это, сказала себе Джойс, трогая машину с места. Только делал очень редко.

ГЛАВА 15

Сидя в номере «Хэй Эдамс», Стефано провел утро в телефонных переговорах с перепуганными клиентами. Ему не составило труда убедить Бенни Арициа в том, что вот-вот последует его арест. Затем он предпринял то же в отношении Пола Аттерсона из «Монарх-Сьерры» и Фрэнка Джилла из «Нозерн кейс мьючуэл». Оба были высокопоставленными чиновниками, серьезными белыми джентльменами с хорошим окладом и целым штатом сотрудников, способных оградить босса от любой неприятности. Аресты и прочие досадные недоразумения были для других, рангом пониже.

ФБР фактически сыграло Стефано на руку. Гамильтон Джейнс направил агентов в обе штаб-квартиры — «Монарх-Сьерры» в Пало-Альто и «Нозерн кейс мьючуэл» в Сент-Поле — с инструкциями найти обоих руководителей и задать им вопросы о розысках и поимке некоего Патрика Лэнигана.

Оба выбросили белые флаги к полудню. «Отзови своих псов, — сказали они Стефано. — Поиски закончились. Окажи полное содействие сотрудникам ФБР и, ради Бога, сделай что-нибудь, чтобы убрать их агентов, они мешают работать».

Консорциум распался. Стефано создал его четыре года назад и успел заработать с его помощью почти миллион, потратив за это время два с половиной миллиона долларов своих клиентов и добившись, можно сказать, успеха. Лэнигана они все же нашли. Не нашли пока девяносто миллионов, но вопрос еще не закрыт. Деньги в сохранности. Оставался шанс наложить на них лапу.

Все утро Бенни Арициа пробыл в номере со Стефано, читая газеты, беседуя по телефону и следя за переговорами, которые вел Джек. В час дня он позвонил своему адвокату в Билокси и узнал о прибытии Патрика. Местная телестанция сообщила об этом в полдень, сопроводив слова ведущего кадрами, запечатлевшими военный самолет, приземлявшийся на базу «Кеслер». Ближе, как было сказано, репортеров не подпустили. Шериф округа подтвердил, что мистер Лэниган вернулся.

Пленку, на которой были записаны крики во время пытки, Бенни прослушал трижды, проматывая самые острые моменты для повтора. Два дня назад, сидя в салоне первого класса в самолете, летевшем во Флориду, он, отпивая шампанское, с наслаждением слушал, надев наушники, леденящие душу крики. Но улыбку на лице Бенни в те дни видели нечасто. Он был уверен, что Патрик сказал многое. Лэниган знал: рано или поздно его в любом случае схватят, потому и доверил деньги девчонке, спрятавшей их ото всех, включая и его самого. Блестяще. Все на своих местах.

— Что нужно для того, чтобы найти ее? — спросил Бенни Стефано, когда оба уселись за стол, на который официант только что поставил тарелки с супом. Вопрос был не нов.

— Что или сколько?

— Ну, предположим, сколько?

— Не могу сказать. Мы представления не имеем о том, где она может находиться, зато знаем, откуда она. Ясно, что рано или поздно она объявится в Билокси — ведь Лэниган теперь здесь.

— Сколько?

— Говорю наугад: сто тысяч, и без всяких гарантий. Выкладывай денежки, а когда они закончатся, мы просто прекратим работу.

— Есть вероятность, что феды пронюхают о наших действиях?

— Никакой.

Бенни поводил ложкой в тарелке с супом — лапша и помидоры. Он слишком много уже потерял, и было бы глупо не сделать еще одну попытку вернуть деньги. Шансов на успех не так уж и много, но в случае удачи выигрыш его ждет умопомрачительный.

— А если вы найдете ее, что потом? — поинтересовался Арицца.

— Заставим говорить, — ответил Стефано, и при неприятной мысли, что с женщиной придется обращаться так же, как до нее с мужчиной, оба обменялись многозначительными взглядами.

— А как насчет адвоката? — спросил Арициа. — Нельзя ли поставить «жучки» в офис и прослушивать его разговоры со своим клиентом? Ведь так или иначе речь зайдет и о деньгах.

— Неплохая мысль. Ты это серьезно?

— Серьезно? У меня горят девяносто миллионов, Джек! За вычетом трети для этих кровососов-юристов. Да, серьезно.

— Тут возможны проблемы. Адвокат не дурак, видишь ли. Равно как и его клиент.

— Брось, Джек. Ты же лучший специалист. Во всяком случае, ты самый дорогой.

— Остановимся на компромиссе: пару дней последим за Макдермоттом, выясним его намерения. Особой спешки нет, клиент его никуда не денется. Сейчас меня больше беспокоят феды. Предстоят кое-какие прозаические дела: мне нужно открыть свой офис и выкинуть оттуда их микрофоны.

— Во что это мне обойдется? — поинтересовался Арициа.

— Не знаю. Обсудим это позже. Заканчивай свой обед. Адвокаты ждут.

Стефано вышел из отеля первым, не забыв вежливо махнуть рукой двум агентам, в нарушение всех правил припарковавшим машину напротив выхода, и с деловым видом направился в сторону офиса своего адвоката, расположенного в семи кварталах от «Хэй Эдамса». Через десять минут на улице появился Бенни и остановил такси.

Вторую половину дня оба провели в конференц-зале, заполненном юристами и их помощниками. Шел интенсивный обмен факсами между Стефано и ФБР. В конце концов соглашение было достигнуто. Все уголовные обвинения в адрес Стефано и его клиентов снимались. Взамен ФБР получило его письменное обещание предоставить всю известную ему информацию о поисках и поимке Патрика Лэнигана.

Стефано и в самом деле планировал рассказать почти все, что знал. Розыски прекратились, скрывать что-либо теперь не имело смысла. Допрос Патрика принес мизерные результаты — всего лишь имя юриста, женщины из Бразилии, в распоряжении которой находились деньги. Но она исчезла, и Стефано сомневался в том, что у ФБР будет время и желание заняться ее поисками. Зачем? Ведь деньги-то не их.

Всеми силами стараясь не показывать этого, Джек страстно желал, чтобы феды убрались вон из его жизни. Миссис Стефано негодовала, безмерно раздражая мужа. А если в ближайшее время не удастся открыть офис, на бизнесе можно будет поставить крест.

Вот почему Джек собирался рассказать федам все, что они хотели услышать, точнее говоря, бо́льшую часть. Он возьмет деньги Бенни и начнет охоту за девчонкой. Может, ему повезет. Джек направит своих людей в Новый Орлеан следить за адвокатом Лэнигана. Но ФБР вовсе не обязательно знать об этих деталях.

Поскольку в отделении ФБР в Билокси не было и квадратного сантиметра свободной площади, Каттер попросил шерифа Суини отыскать местечко в окружной тюрьме. Тот неохотно согласился: идея делить свои помещения с сотрудниками ФБР его не прельщала. Выбросив весь хлам из кладовой, он поставил там стол и несколько стульев — кабинет для ведения дела Лэнигана был готов.

Вещдоков оказалось очень немного. Когда Патрик «умер», никто не предполагал, что речь в будущем зайдет об убийстве, а поэтому не предпринималось никаких попыток собрать какие-то вещественные доказательства. Правда, с исчезновением денег возникли первые подозрения, но к тому моменту след уже остыл.

Каттер и Тед Гримшоу, старший следователь округа Гаррисон, самым тщательным образом исследовали имевшиеся в их распоряжении скудные свидетельства, в число которых входили десять развешанных по стенам крупноформатных цветных снимков сгоревшего автомобиля. Гримшоу аккуратно снял все.

Пламя показалось немногим свидетелям удивительно жарким; теперь было ясно почему. Вне всяких сомнений, Патрик загрузил салон пластиковыми емкостями с бензином. В результате алюминиевые стойки сидений оплавились, стекла вылетели, от приборной доски и от трупа почти ничего не осталось. На шести снимках было запечатлено тело — горсть пепла с торчащей тазовой костью на полу под местом пассажира. Слетев с дорожного полотна, «шевроле» несколько раз перевернулся. Вся правая сторона машины обгорела.

Шериф Суини хранил искореженный кузов в течение месяца, а потом продал его как металлолом вместе с тремя другими развалинами, брошенными их владельцами. Позже он пожалел об этом.

Полдюжины фотографий с места происшествия: деревья и заросли обгоревшего дочерна кустарника. Добровольцам потребовалось около часа, чтобы потушить разбушевавшийся огонь.

Патрик в завещании выразил желание быть кремированным. Он распорядился об этом примерно за одиннадцать месяцев до исчезновения. Патрик успел даже изменить свое завещание, вставив в него пункт о том, что его наследница Труди — а в случае их совместной смерти Карл Хаски — должна совершить обряд кремации. Не забыл Патрик включить и особые распоряжения относительно церемонии собственных похорон и непосредственно погребения.

Причиной такой предусмотрительности стала смерть одного из его клиентов, который не смог заблаговременно написать столь детальные инструкции. В обсуждение способа похорон яростно включилась семья, и Патрику пришлось изрядно попотеть. В результате он даже заставил Труди выбрать себе на кладбище участок, что она и сделала, указав на кусок земли рядом с его. Уже тогда оба знали, что, случись что-нибудь с Патриком, супруга очень быстро изменит свое решение.

Служитель кладбища сказал позже Гримшоу, что кремация на девяносто процентов состоялась уже в машине. Взвесив прах после того, как при температуре почти в тысячу градусов останки пролежали в печи около часа, он увидел, что стрелка весов отклонилась на сто сорок граммов — наименьший вес из когда-либо им зарегистрированных. О теле служитель не мог сообщить ничего определенного: принадлежало оно мужчине или женщине, было черным или белым, молодым или старым. Для этого просто не имелось никакой возможности. Но если говорить правду, то служитель даже не пытался определить хоть что-то.

Труп отсутствовал, как и любые данные вскрытия. Огонь — прекрасный способ избавиться от каких-либо улик, и Патрик проделал великолепную работу по уничтожению следов.

Уик-энд он провел в старой охотничьей хижине в окрестностях небольшого городка Лиф, что находится в округе Грин, на самом краю национального парка Де-Сото. Хижину эту он купил вместе с приятелем по колледжу два года назад со скромными планами немного обновить ее, уж больно спартанской была обстановка. Осенью и зимой они охотились на оленей, а весной ходили стрелять диких индеек. Убегая от проблем семейной жизни, он все больше времени проводил в хижине, до которой было около полутора часов езды. Жену Патрик убеждал в том, что отправляется туда поработать в спокойной обстановке. Там и вправду было тихо и спокойно. Его приятель и совладелец уже почти забыл об их приобретении.

Труди делала вид, что скучает, однако Лэнс всегда находился неподалеку, выжидая момент, когда Патрик покинет город.

Вечером в воскресенье, девятого февраля девяносто второго года, Патрик позвонил жене, чтобы предупредить ее о своем приезде домой. Закончив подготовку к сложному судебному процессу, он чувствовал себя усталым. Побыв в его доме еще около часа, Лэнс ушел.

На автостраде Патрик остановился у заправки с магазинчиком, стоявшей на административной границе двух округов: Стоуна и Гаррисона. На четырнадцать долларов и двадцать один цент он приобрел двенадцать галлонов бензина, расплатившись за покупку кредитной карточкой. Поболтал с миссис Верхолл, пожилой владелицей заправки. Она помнила многих проезжавших мимо охотников, в особенности тех, кто, как и Патрик, находил удовольствие в подобных разговорах и пускался в хвастливые рассказы о своих приключениях. Потом миссис Верхолл рассказала, что он был в прекрасном настроении, хотя и жаловался на усталость. Она заметила: прозвучало это как-то странно. А через час услышала сирены проносившихся по автостраде полицейских и пожарных машин.

В девяти километрах, у холма с пологим склоном, метрах в восьмидесяти от дорожного полотна, лежал на боку объятый пламенем «шевроле». Первым его заметил водитель грузовика, сумевший подобраться так близко, что от жара у него опалились брови. По рации он вызвал помощь, а затем уселся на торчавший из земли пень и бессильно смотрел на огонь. Различить, находился ли кто-нибудь в автомобиле, не представлялось возможным. Какая разница? Спасти водителя все равно было уже нельзя.

К моменту когда к месту происшествия подъехал шериф, пламя полыхало так, что за ним нельзя было рассмотреть даже контуров машины. Горели трава и кусты. Прибыла команда добровольных пожарных с насосом, но у них не хватило воды. Останавливались проезжавшие мимо машины, гигантский костер обступали люди, прислушиваясь к реву огненных языков и негромко переговариваясь. Поскольку убитого горем водителя «шевроле» никто не видел, оставалось предположить, что он — или она — остался в салоне.

Подъехали два больших трейлера. Пламя понемногу стихало. Несколько часов шериф Суини вынужден был прождать, пока остынет металл. Была почти полночь, когда под сиденьем он рассмотрел нечто, что вполне могло оказаться телом. Коронер* находился рядом. Обнаруженная тазобедренная кость решила все сомнения. Гримшоу сделал необходимые снимки. Останки собрали и сложили в картонную коробку.

После того как с помощью карманного фонаря в половине четвертого утра были прочитаны буквы и цифры на почерневшей пластине номерного знака, внезапный телефонный звонок сделал Труди вдовой. На целых четыре с половиной года, во всяком случае.

Шериф принял решение не трогать обгоревший остов машины до утра. На рассвете он вернулся вместе с пятью своими помощниками, чтобы прочесать местность. На асфальте были обнаружены четкие следы экстренного торможения, что привело к мысли: уж не появившийся ли на шоссе олень заставил бедного Патрика потерять управление? Удивление вызвала находка метрах в пятидесяти от машины почти новой спортивной туфли для бега фирмы «Найк» десятого размера. Труди сказала, что туфля принадлежала Патрику. Увидев ее, она была глубоко потрясена.

Шериф высказал предположение, что «шевроле» сначала несколько раз перевернулся, а потом сила инерции сбросила его с дороги, отчего находившееся за рулем тело сместилось. Спортивная туфля могла слететь с ноги. Определенная логика в его рассуждениях, безусловно, была.

Остов «шевроле» был погружен на платформу и увезен. Во второй половине дня найденные останки кремировали. Заупокойную службу отслужили на следующий день, за ней последовали похороны. Те самые, за которыми Патрик наблюдал в бинокль.

---

* Следователь, производящий дознание в случаях насильственной или скоропостижной смерти.

Каттер и Гримшоу смотрели на лежавшую в центре стола спортивную туфлю. Рядом были разложены заявления свидетелей: Труди, миссис Верхолл, коронера, служителя кладбища и даже Гримшоу с шерифом. Каждый сообщал именно то, что должен был сообщить. Через несколько месяцев после загадочного исчезновения денег объявился еще один неожиданный свидетель: молодая женщина, жившая неподалеку от заправки миссис Верхолл, под присягой показала, что видела красный «шевроле» 1991 года выпуска, припаркованный у дороги рядом с тем местом, где полыхало пламя. Видела дважды. Сначала в субботу вечером, а затем двадцать четыре часа спустя, то есть непосредственно перед тем, как вспыхнул огонь.

Показания были записаны Гримшоу у нее дома, в глубинке округа Гаррисон, по истечении семи недель после похорон Патрика Лэнигана.

К тому времени его смерть уже вызывала серьезные сомнения. Пропали деньги.

ГЛАВА 16

Врач оказался молодым пакистанцем. Звали его Хайани, он был чутким и отзывчивым человеком. По-английски Хайани говорил с заметным акцентом и, казалось, был абсолютно доволен тем, что ему приходилось сидеть и болтать со своим пациентом столько, сколько тот желал. Ожоги постепенно заживали.

Но душевный покой к Патрику так и не приходил.

— Пытка представляла собой нечто такое, — сказал он как-то после часовой беседы, — чего я никогда не смогу точно описать.

Разговор на эту тему завел Хайани. Хотя в бумагах говорилось об этом достаточно — ведь Патрик как-никак предъявил ФБР судебный иск, — с чисто медицинской точки зрения врачу представилась редкая возможность наблюдать и оказывать помощь человеку, прошедшему через чудовищные муки.

Хайани сосредоточенно кивнул. «Продолжайте, продолжайте», — говорили его глаза.

Сегодня Патрик был явно расположен поговорить.

— Спать невозможно. Максимум час, а потом я начинаю слышать голоса, ощущать запах горелого мяса и просыпаюсь в холодном поту. Ничего не меняется. Сейчас я здесь, дома, в безопасности, как мне кажется, и все же они по-прежнему идут по моим следам. Я не могу спать. Я не хочу спать, док.

— Могу дать вам снотворного.

— Нет. Не сейчас, во всяком случае. Во мне и так полно всякой химии.

— С кровью у вас все в норме. Есть немного дряни, но в незначительных количествах.

— Больше никаких наркотиков, док. Пока.

— Вам необходим сон, Патрик.

— Я знаю. Но мне не хочется спать. Во сне опять начинаются пытки.

Хайани записал что-то в блокноте. Последовало долгое молчание. Хайани с трудом верилось в то, что этот, судя по всему, неплохой человек смог кого-то убить, да еще таким жутким способом.

Палата освещалась лишь пробивавшимся сквозь щель между шторами узким лучом солнца.

— Могу я быть с вами откровенным, док? — негромко спросил Патрик.

— Конечно.

— Мне необходимо остаться здесь как можно дольше. Здесь, в этой палате. Через несколько дней феды заведут речь о том, что пора переезжать в тюрьму округа Гаррисон.

Там меня поместят в камеру с какими-нибудь местными подонками. Я там не выживу.

— Но зачем им это?

— Они давят на меня, док. И будут увеличивать давление до тех пор, пока не получат то, что хотят получить. Меня посадят в камеру с насильниками и наркоманами, дав при этом понять, что чем быстрее я заговорю, тем лучше, поскольку это единственный способ улучшить мое положение. Тюрьма Парчмэн — это что-то ужасное. Вам не приходилось бывать там, док?

— Нет.

— А я бывал. У клиента. Это ад на земле. А окружная тюрьма немногим лучше. Но в ваших силах оставить меня здесь, док. Вам стоит лишь сказать судье, что я нуждаюсь в вашем наблюдении, и меня не тронут. Прошу вас, док.

— Конечно, Патрик. — Хайани вновь черкнул что-то в блокноте.

Очередная пауза. Патрик прикрыл глаза и натужно, прерывисто задышал: мысль о тюрьме взволновала его.

— Я собирался предложить психиатрическое обследование, — сказал Хайани, и Патрик прикусил губу, чтобы сдержать улыбку.

— Зачем? — спросил он с наигранной тревогой.

— Мне просто интересно. А вы против?

— Нет, наверное. Когда?

— Скажем, через пару дней.

— Не уверен, что буду готов через такое короткое время.

— Спешить некуда.

— Это звучит обнадеживающе. Спешить нам действительно некуда, док.

— Я понял. В таком случае на следующей неделе.

— Или через неделю.

Мать парня звали Нелдин Кроуч. Жила она в домике на колесах в окрестностях Геттисберга, хотя в то время, когда пропал ее сын, она вместе с ним обреталась в таком же жилище рядом с Льюсдейлом, небольшим городком неподалеку от Лифа. По ее словам, сын исчез в воскресенье, девятого февраля девяносто второго года, — в тот самый день, когда на автостраде номер пятнадцать погиб Патрик Лэниган.

Однако, если верить записям шерифа Суини, Нелдин Прюитт (ее фамилия по мужу в то время) впервые пришла в его офис тринадцатого февраля — сообщить об исчезновении сына. С этим заявлением она обошла всех местных шерифов, обращалась в ФБР и даже ЦРУ. Выглядела она очень расстроенной и временами впадала в истерику.

Сына звали Пеппер Скарборо. Скарборо была фамилия ее первого мужа, предполагаемого отца Пеппера, хотя она никогда не была уверена в том, кто на самом деле отец ее ребенка. Никто не мог припомнить, откуда взялось имя Пеппер. В роддоме мать назвала мальчика Лавилль, но сын очень скоро возненавидел свое имя. Подростком он уверял окружающих в том, что его зовут Пеппер. Как угодно, только не Лавилль.

На момент исчезновения Пепперу Скарборо было семнадцать. После трех попыток окончить среднюю школу он махнул на нее рукой и отправился работать заправщиком автомобилей в Льюсдейл. Сильно заикавшийся парень очень скоро научился ценить прелести независимой жизни, проводил почти все время в лесах, как правило, в одиночестве.

Друзей у Пеппера было немного, и мать постоянно упрекала его в этом. Помимо Пеппера, она имела еще двоих малышей и множество мужчин. Жила Нелдин вместе с семейством в грязном и тесном трейлере без кондиционера. Пеппер предпочитал ночевать в лесу, в палатке. Накопив денег, он купил себе ружье и охотничье снаряжение. Жил в основном в национальном парке Де-Сото — в двадцати минутах ходьбы и целой вечности от своей матери.

Свидетельств того, что Пеппер и Патрик Лэниган когда-либо встречались, не существовало. По чистой случайности охотничья хижина Патрика располагалась в том же районе, где любил промышлять и Пеппер. Оба были белыми мужчинами схожего телосложения, хотя Патрик казался намного плотнее. Куда более интересным представлялся тот факт, что ружье Пеппера, его палатка и спальный мешок в конце февраля девяносто второго года были найдены в хижине Патрика.

Оба исчезли приблизительно в одно время и примерно в одном месте. Через несколько месяцев Суини и Каттер установили, что в начале февраля в штате Миссисипи других пропавших без вести не было. Были сообщения об исчезновении в феврале нескольких подростков, однако к началу весны все они благополучно вернулись домой.

Сидя за компьютером в вашингтонской штаб-квартире ФБР, Каттер выяснил, что ближайшим по времени к моменту предполагаемой гибели Патрика пропавшим без вести был водитель грузовика из Дотэма, штат Алабама. В воскресенье, восьмого февраля, он словно испарился, оставив несчастную жену и кучу неоплаченных счетов. Каттер занимался этим вопросом целых три месяца и в результате пришел к убеждению, что связи между водителем грузовика и Патриком Лэниганом нет.

Существовала, конечно, вероятность, что Патрик и Пеппер все же столкнулись друг с другом. По мнению Каттера и Суини, в машине сгорел именно Пеппер. Естественно, подобное бездоказательное заключение для суда было неприемлемо. Патрик мог согласиться подвезти предпочитавшего путешествовать автостопом австралийца, безвестного бродягу или человека, отчаявшегося дождаться автобуса.

Был составлен список из восьми имен, куда включили и пожилого джентльмена из Мобила. Его видели последний раз, когда он на бешеной скорости выезжал из города в направлении Миссисипи. Значилась в списке и молодая проститутка из Хьюстона, сказавшая приятелям, что собирается перебраться в Атланту, чтобы начать там новую жизнь.

Но все восемь человек были объявлены пропавшими задолго до февраля девяносто второго, поэтому Каттер и Суини считали бесполезным заниматься этими людьми.

Единственной стоящей версией оставался Пеппер, но они не могли доказать свою правоту.

В отличие от них Нелдин считала, что может сделать это, о чем и заявила прессе. На второй день после поимки Патрика она отправилась к адвокату, местному ловчиле, за гонорар в триста долларов устроившему ей развод, и попросила его помощи в нелегком деле общения с журналистами. Тот моментально согласился и даже пообещал сделать это бесплатно, а потом поступил так, как любой плохой адвокат на его месте: созвал пресс-конференцию у себя в офисе, в Геттисберге, километрах в ста сорока к северу от Билокси.

Представив плачущую клиентку пишущей братии, он гневно обрушился на шерифа Билокси и местное отделение ФБР, обвиняя власти в неспособности найти Пеппера. Какой позор — более чем четыре года валять дурака, в то время как его клиентка живет в бесконечных муках. За пятнадцать минут выступления он превзошел себя. Он призывал к мерам самого сурового воздействия на Патрика Лэнигана — мужчину, который убил бедного юношу и сжег его тело, чтобы скрыть кражу девяноста миллионов долларов. В его зажигательной речи не хватало лишь одного — фактов.

Журналисты, несмотря на всю свою осторожность, проглотили услышанное. Им раздали фотографии Пеппера — простого патлатого паренька с едва пробивающимися усиками. Безликая жертва обрела наконец лицо, стала человеком. Вот тот парень, которого убил Патрик Лэниган.

История с Пеппером наделала немало шуму. Называли его теперь не иначе как «предполагаемой жертвой», причем слово «предполагаемой» почти всегда произносилось едва слышно. Лежа в палате, Патрик следил за развитием событий по телевизору.

Вскоре после своего исчезновения Патрик узнал: ходят слухи о том, будто в пламени сгоревшего «шевроле» сгинул Пеппер Скарборо. В январе девяносто второго они как-то вместе охотились на оленя, а потом холодным полуднем ели в лесу поджаренную на костре оленину. Патрик тогда поразился, узнав, что молодой человек практически жил в лесу, предпочитая палатку родному дому, о котором отзывался весьма неодобрительно. Способности к выживанию были у него исключительными. Патрик предложил парню прятаться под навесом хижины в плохую погоду, но, насколько ему было известно, Пеппер ни разу не воспользовался им.

Они несколько раз встречались в лесу. С вершины поросшего деревьями холма, расположенного примерно в километре от охотничьей хижины, Пеппер мог хорошо видеть ее, и, когда рядом появлялась машина Патрика, он обычно прятался где-то неподалеку. Ему доставляло наслаждение красться за своим знакомым по лесу. Он швырял в Патрика камешками, на что тот только кричал и ругался. А потом они ненадолго присаживались вместе. Пеппер не горел желанием поддерживать разговор, но одиночество, по-видимому, надоедало и ему. Патрик подкармливал его бутербродами и конфетами.

Весть о том, что в убийстве парня обвиняют его, нисколько не удивила Патрика ни тогда, ни сейчас.

Доктор Хайани с интересом смотрел телевизионные новости. Прочитав газеты, он в деталях обсудил с молодой женой поведение своего скандально известного пациента. Сидя поздно вечером на постели, оба увлеченно следили за экраном.

Телефонный звонок раздался, когда свет был уже выключен — супруги ложились спать. Это оказался Патрик. Пробормотав извинения, он расстроенным голосом объяснил, что должен с кем-нибудь поговорить. Будучи в полном смысле этого слова узником, он имел право звонить лишь своему адвокату и врачу, причем не более двух раз в сутки. Не найдется ли у дока минуты свободного времени?

Безусловно.

Последовало еще одно извинение за поздний звонок: спать сейчас просто невозможно, а последние новости, особенно предположение об убийстве парня, неприятно поразили его. Док смотрел телевизор?

Да, конечно.

Патрик в палате, у него не выключен свет. Слава Богу, все остальные сидят в коридоре. Ему страшно, признался Патрик. Он слышит какие-то голоса и странные звуки. Причем голоса доносятся не из коридора, а исходят от стен палаты. Это не может быть следствием воздействия наркотиков?

Это может быть следствием разных вещей, объяснил доктор Хайани, — медицинских препаратов, усталости, перенесенной травмы, физического и психологического шока.

Они проговорили ровно час.

ГЛАВА 17

Уже третий день он не мыл голову. Пусть волосы станут жирными. Он не брился. Одет был не в пижаму из легкого хлопка, в которой спал, а в мятый хирургический балахон. Хайани обещал как-то принести новый. Но сегодня нужен был именно мятый. На правую ногу он натянул длинный белый носок, а на левой, чуть выше лодыжки, виднелся отвратительный шрам от веревки, растершей кожу в кровь. Это должны увидеть. К черту носок. Хватит и одной сандалии из черной резины.

Сегодня его выставят на всеобщее обозрение. Мир ждет.

В девять прибыл Сэнди с двумя парами дешевых пластиковых солнечных очков и черной бейсболкой, как заказывал Патрик.

— Спасибо, — поблагодарил его Лэниган. Стоя перед зеркалом в ванной комнате, он примерял очки и бейсболку.

Десятью минутами позже подъехал доктор Хайани. Патрик представил мужчин друг другу. Неожиданно он ощутил легкое возбуждение, голова прояснилась. Усевшись на край постели, он провел рукой по волосам, дыхание его сделалось ровнее.

— Видите ли, я никогда не думал, что этот день придет, — пробормотал он, глядя в пол. — Никогда.

Адвокат и врач переглянулись, не зная, что ответить.

Хайани предложил таблетки сильного успокаивающего, и Патрик выпил две.

— Может, мне удастся проспать этот спектакль, — заметил он.

— Говорить буду я, — пообещал Сэнди. — Расслабься и слушай, ничего другого от тебя не требуется.

— Именно этим он и будет занят, — вставил Хайани.

Послышался стук в дверь. На пороге появился шериф Суини с таким количеством сопровождавших, которого хватило бы на подавление небольшого восстания. В ходе краткого обмена приветствиями Патрик надел бейсболку, солнечные очки и протянул руки для наручников.

— А это что такое? — настороженно спросил Сэнди, увидев металлические цепи, которые держал помощник шерифа.

— Оковы для ног, — любезно пояснил Суини.

— Они вряд ли годятся в данном случае, — решительно заметил Сэнди. — У него рана на щиколотке.

— Это правда, — подтвердил Хайани. — Можете взглянуть. — Он указал на левую ногу Патрика.

Суини на мгновение задумался, и эта нерешительность дорого обошлась ему.

— Бросьте, шериф, — проговорил Сэнди. — Какие у моего клиента шансы бежать? Он изранен, закован в наручники и окружен вашими людьми. Что он в силах сделать?

— Если нужно, я позвоню судье, — вмешался Хайани.

— Да, но сюда-то он приехал в цепях, — заметил Суини.

— Но это же были люди из ФБР, Рэймонд, — сказал Патрик. — Да и крепились цепи не на щиколотке, а выше колена. И это было невыносимо.

Оковы отложили в сторону, и Патрика провели в коридор, где стояли парни в коричневой форме. Окружив его, группа двинулась в сторону лифтов. Сэнди поддерживал Патрика под локоть.

Кабина лифта оказалась слишком маленькой для такого эскорта. Те, кто не поместился, бросились бегом по лестнице вниз, чтобы встретить Патрика в вестибюле. Перестроившись, плотной группой люди вышли через стеклянные двери в теплый осенний день к поджидавшим их автомобилям. Патрика усадили в новенький сияющий «форд» с номерными знаками округа Гаррисон, и автомобиль тронулся, сопровождаемый белым автобусом, где разместилась вооруженная охрана. Кортеж замыкали три вымытые до блеска патрульные машины. Впереди двигались еще две. Миновав контрольно-пропускной пункт, автомобили оказались в лежавшем за пределами базы обычном мире.

Сквозь грубые пластиковые очки Патрик замечал все вокруг: улицы, по которым проезжал сотни раз, знакомые здания. Кавалькада свернула на автостраду номер девяносто, выходившую к заливу, спокойные темные воды которого ничуть не изменились с того момента, когда Патрик видел их в последний раз. Вдалеке показался пляж — узкая полоса песка между шоссе и водной гладью. Расстояние, отделявшее его от отелей и бунгало, стоявших на противоположной стороне шоссе, было слишком большим.

Бизнес развлечений процветал в основном благодаря удивительной активности открывшихся во время отсутствия Патрика казино. Перед тем как покинуть город, он только слышал, что собираются открыть игорные заведения, а сейчас за окном машины блестели огромные, в стиле Лас-Вегаса, сверкающие неоном дворцы. Стоянки перед ними оказались забиты битком, несмотря на то что была только половина десятого утра.

— Сколько здесь казино? — спросил он у сидевшего справа шерифа.

— Тринадцать. Но будут и еще.

— Просто не верится.

Таблетки оказались весьма эффективными. Дыхание Патрика сделалось ровнее, мышцы расслабились. На мгновение ему захотелось задремать, но, когда машина свернула на главную улицу, им вновь овладело любопытство. Ну же, еще пара кварталов. Через несколько секунд на него вновь навалится прошлое. Мимо здания городского собрания, поворот налево, быстрее, быстрее! Вот он, уголок Вью-Марше, старой улицы с витринами роскошных магазинов, где стояло фешенебельное белое строение, одним из совладельцев которого он был когда-то, — юридическая фирма Богена, Рэпли, Витрано, Хаварека и Лэнигана — адвокатов и советников юстиции.

Фирма стояла на прежнем месте, изменился лишь состав партнеров.

Перед ними на Говард-стрит высилось здание суда округа Гаррисон — всего в трех кварталах от бывшего офиса Патрика. Это был простой, красного кирпича, двухэтажный дом с газоном перед входом. На газоне толпились люди, вдоль улицы выстроились вереницы автомобилей. По тротуарам торопливо сновали пешеходы, казалось, почти все они направлялись в суд. Ехавшие впереди патрульные машины притормозили.

Людей, стремившихся попасть в здание, оттесняли заслоны полисменов. Свободен был лишь проход к боковой двери. Патрику не раз приходилось видеть, как через нее проводили закоренелых убийц. Машины остановились, высыпавшие из двери помощники шерифа сгрудились вокруг черного «форда». Патрик выбрался из автомобиля, его балахон светлым пятном выделялся на темном фоне формы охраны.

Большая группа журналистов, фоторепортеров и телеоператоров, стоявших у ближайшего заслона, затаила дыхание. Оказавшийся в центре внимания Патрик низко опустил голову, шагая в окружении помощников шерифа. Они быстро проследовали к двери, слыша за спиной многочисленные вопросы:

— Приятно очутиться дома, а, Патрик?

— Где деньги, Патрик?

— Кто сгорел в машине, Патрик?

Подъем по лестнице не занял много времени. Патрику приходилось неоднократно проделывать этот путь, когда он спешил увидеться с судьей, чтобы получить его подпись на документе. В ноздри ударил знакомый запах. За прошедшие годы бетонные ступени так и не удосужились покрасить. Дверь, за ней небольшой коридор, полный любопытных клерков.

Патрика ввели в расположенную рядом с залом заседаний комнату для присяжных. Он уселся на стул рядом с кофеваркой. К нему склонился Сэнди:

— Ты в порядке?

Шериф отпустил помощников.

— Кофе? — спросил Сэнди.

— Черный, пожалуйста.

— С тобой все в норме, Патрик? — поинтересовался Суини.

— Да, Рэймонд, спасибо.

Голос его звучал робко и испуганно. Руки и колени сотрясала дрожь, унять которую он не мог. Не обратив внимания на протянутый кофе, скованными руками Патрик поправил очки и еще ниже опустил длинный козырек бейсболки. Плечи его поникли.

Раздался стук в дверь. Белинда, привлекательная девушка, заглянула в щель и многозначительно сообщила:

— Судья Хаски желает переговорить с Патриком.

Голос показался ему знакомым. Посмотрев на дверь, Патрик мягко приветствовал девушку:

— Здравствуй, Белинда.

— Здравствуй, Патрик. Рада видеть тебя дома.

Он отвернулся. Белинда была секретаршей в комнате судебных клерков, и все адвокаты флиртовали с ней напропалую. Приятная девушка. Приятный голос. Неужели и вправду прошло четыре года?

— Где? — спросил Суини.

— Здесь. Через несколько минут.

— Хочешь повидаться с судьей, Патрик? — поинтересовался Сэнди. — Это не обязательно.

В обычных обстоятельствах это было бы просто странно.

— Конечно же. — Патрику очень хотелось увидеться с Карлом Хаски.

Дверь захлопнулась.

— Я пока выйду, — сказал Суини. — Нужно покурить.

Патрик остался со своим адвокатом и внезапно встрепенулся:

— Пара вопросов, Сэнди. От Лиа Перес ничего не слышно?

— Нет.

— Скоро она отыщет тебя, будь к этому готов. Я написал ей длинное послание и хочу, чтобы ты передал его.

— О'кей.

— И второе. Существует специальный прибор от «жучков», называется он «Ди-экс-130». Выпускает его корейская компания «Ло Ким», стоит эта штука около шести сотен долларов, а размером с небольшой диктофон. Купи ее и бери с собой на каждую нашу встречу. Перед любым разговором придется проверять помещение и установленные в нем телефоны. Обратись также к уважаемой в Новом Орлеане фирме, чтобы по крайней мере дважды в неделю они проверяли твой офис. Это будет недешево, но я все оплачу. Вопросы есть?

— Нет.

Стук в дверь заставил Патрика опять опустить плечи. В комнату вошел Карл Хаски — без сопровождения, без судейской мантии, в рубашке, галстуке и очках, сползших на самый кончик носа. Из-за седых волос и морщин вокруг глаз он, сорокавосьмилетний мужчина, казался пожилым и мудрым.

Когда Хаски протянул руку, Патрик посмотрел ему прямо в глаза и улыбнулся.

— Рад видеть тебя, Патрик, — тепло сказал судья, пожимая звякнувшую наручниками руку.

Хаски хотелось наклониться и обнять старого приятеля, однако, скованный юридическим протоколом, он ограничился сердечным рукопожатием.

— Как поживаешь, Карл?

— Отлично. А ты?

— Бывали времена и получше, но сейчас мне приятно вновь встретиться с тобой. Даже при таких обстоятельствах.

— Благодарю. Я и представить себе не могу...

— Я сильно изменился, не так ли?

— Еще как. Не уверен, что узнал бы тебя на улице.

Патрик улыбнулся.

Подобно немногим людям, кто еще хранил в душе дружеские чувства к Патрику Лэнигану, Хаски чувствовал себя преданным, но все же для него было большим облегчением узнать, что этот человек остался жив. Обвинение в умышленном убийстве глубоко взволновало Хаски. Развод и гражданские иски еще куда ни шло, но убийство...

Связанный с обвиняемым узами дружбы, он не мог председательствовать на процессе Лэнигана. Хаски планировал заняться предварительным следствием, а потом, задолго до принятия каких-либо решений, отойти в сторону. Об истории их взаимоотношений давно ходили слухи.

— Полагаю, ты заявишь, что не признаешь себя виновным, — сказал Хаски.

— Совершенно верно.

— Тогда все ограничится первым слушанием. Выпустить под залог я тебя не смогу, поскольку речь идет об умышленном убийстве.

— Понимаю, Карл.

— Слушание не займет и десяти минут.

— Мне уже приходилось бывать здесь. Сейчас буду сидеть на другом стуле, только и всего.

Двенадцать лет работы судьей не ожесточили Хаски. Он до сих пор испытывал сочувствие к людям, совершившим даже самые тяжкие преступления. У него был особый дар видеть страдания этих несчастных. Осознание собственной вины жгло их огнем. Хаски послал за решетку сотни обвиняемых, которые, предоставь судьба им шанс, вышли бы из зала и никогда больше не преступили бы закона. Ему хотелось помочь им, протянуть руку, простить.

А сейчас перед ним был Патрик. Его чести с трудом удавалось сдерживать слезы. Старый друг — со скованными руками, одетый в клоунский наряд, с закрытыми глазами и изменившимся лицом, нервный, измученный и перепуганный. Хорошо бы привести его домой, как следует накормить, дать отдохнуть и помочь вернуться к нормальной жизни.

Опустившись рядом с Патриком на колени, Хаски сказал:

— Знаешь, я не могу участвовать в твоем деле, не могу по совершенно очевидным причинам. Сейчас я займусь вопросами предварительного следствия: хочу быть уверенным в том, что тебе обеспечена защита. Я по-прежнему твой друг. Можешь рассчитывать на меня. — Он осторожно дотронулся до колена Патрика, боясь потревожить свежую рану.

— Спасибо, Карл. — Патрик прикусил губу.

Хаски хотелось увидеть его глаза, но из-за темных очков Лэнигана это было невозможно. Поднявшись, судья направился к двери.

— Сегодня все будет обычным порядком, — обратился он к Сэнди.

— Народу там много? — спросил его Патрик.

— Да. Друзья и враги. Все там.

Он вышел.

В богатой истории побережья было немало известных убийц и других преступников, поэтому переполненные залы судов давно никого не удивляли. Но такого скопления людей на первом слушании дела не помнил никто.

Прибывшие раньше всех представители прессы заняли лучшие места. Поскольку Миссисипи оставался одним из немногих штатов, где торжество здравого смысла простиралось так далеко, что в зал суда было запрещено проходить с фото-, теле- и видеоаппаратурой, журналистам оставалось только сидеть и слушать, а затем излагать увиденное и услышанное. Для этого требовалось быть настоящими профессионалами своего дела — задача, к которой большинство оказались явно не готовыми.

Каждое громкое дело привлекало массу народу: клерков и секретарш из разных кабинетов, скучающих помощников юристов, вышедших на пенсию полисменов, местных законников — они шатались по коридорам, пили дармовой кофе, сплетничали, совали нос в сделки с недвижимостью, ожидали последнего слова судьи — словом, делали что угодно, лишь бы не сидеть на своих рабочих местах. Слушание дела Патрика Лэнигана собрало их всех.

Чарлз Боген и Дуг Витрано сидели рядом, приложив все силы для того, чтобы оказаться как можно ближе к первому ряду. Проклятые репортеришки опередили их, заняв места напротив стола ответчика. Оба хотели наблюдать за выражением его лица, видеть его глаза, громко шептать угрозы и скабрезности. Однако пришлось довольствоваться пятым рядом, где они и ожидали момента, который, по их представлениям, уже никогда не наступит.

Третий партнер, Джимми Хаварек, стоял у задней стены и спокойно разговаривал с помощником шерифа. Он не обращал внимания на взгляды знакомых, большинство которых — юристы — в глубине души были довольны тем, что деньги пропали и фирма потеряла былое величие. В конце концов, речь шла о самом большом гонораре, заработанном юридической фирмой в истории штата. Что ж, ревность — вполне естественное человеческое чувство. Он ненавидел их всех, как ненавидел и каждого зрителя, сидевшего в зале. Стервятники, слетевшиеся в ожидании падали.

Сын ловца креветок, Хаварек был толстым, грубым человеком, убежденным в собственной исключительности. Пять минут наедине с Патриком — и уж он-то наверняка получит назад свои денежки.

Четвертый партнер, Итэн Рэпли, находился дома, как обычно, в кабинете под самой крышей, корпя над очередным дурацким прошением. О суде он узнает завтра из газет.

Присутствовали в зале и несколько старых приятелей Патрика, пришедших выразить ему поддержку. Бегство и свобода были невысказанной мечтой многих юристов, обреченных на прозябание в крошечном городке, где честолюбивые помыслы не имели шансов воплотиться в жизнь. Патрик по крайней мере имел мужество погнаться за мечтой. Именно потому и пошел на убийство.

Поздно прибывший Лэнс стоял в углу. Он уже прошелся по зданию, оценивая на глазок меры безопасности. Смотрелось, на его взгляд, все довольно впечатляюще. Вопрос заключался в том, смогут ли полицейские на протяжении долгого процесса добросовестно охранять обвиняемого.

Пришло немало знакомых — людей, с которыми Патрик почти не общался, но которые вдруг возомнили себя его ближайшими друзьями. Многих он никогда в жизни не видел, однако это не останавливало их от досужих рассуждений относительно того или иного его поступка. Объявились новые друзья и у Труди: к ней то и дело подходили незнакомцы, чтобы выразить свое негодование по поводу поступка подонка, разбившего ее сердце и решившего бросить милую Эшли Николь.

Движение среди судебных чиновников привлекло всеобщее внимание. Зал стих.

Дверь рядом с барьером, за которым находились места присяжных, открылась, и в зал вошла охрана. Появились Суини с Патриком Лэниганом, двое помощников шерифа и Сэнди.

Так вот он! Присутствовавшие, вытянув шеи, провожали его взглядами. Кое-кто даже встал.

Медленно, опустив голову и оглядывая сквозь темные очки зал, Патрик подошел к столу защиты. Он поймал взгляд, который бросил на него Хаварек, чье лицо сказало ему о многом. Перед тем как усесться, Патрик увидел и отца Филипа, когда-то отпускавшего ему грехи, — выглядел тот постаревшим, но таким же доброжелательным.

Он опустился на стул: согбенные плечи, уткнувшийся в грудь подбородок, в облике ни намека на гордыню. Смотреть по сторонам не было необходимости: он кожей ощущал на себе придирчивые взоры.

Положив руку на плечо Патрика, Сэнди прошептал ему что-то ободряющее.

Дверь распахнулась вновь. В гордом одиночестве вошел окружной прокурор Т.Л. Пэрриш и проследовал к своему столу, установленному напротив места Патрика. Он был известен всем как человек, почти лишенный честолюбивых помыслов, который не стремился пересесть в новое, более высокое, кресло. Трудился Пэрриш в ходе судебных процессов методично, без всяких намеков на небрежность. Основной целью его работы было добиться смертного приговора. Он считался среди прокуроров штата вторым по количеству утвержденных обвинительных протоколов. Пэрриш уселся рядом с шерифом. Чуть сбоку расположились агенты ФБР Джошуа Каттер, Брент Майерс и двое других, имен которых прокурор не знал.

Бейлиф призвал всех к порядку и приказал встать. Появившийся в зале судья Карл Хаски проследовал к своей скамье.

— Прошу всех сесть, — прозвучали первые его слова.

Люди опустились на свои места.

— Слушается дело «Штат против Патрика С. Лэнигана», регистрационный номер 96—1140. Ответчик присутствует?

— Да, ваша честь, — приподнялся со стула Сэнди.

— Попрошу вас встать, мистер Лэниган. — Хаски повернул голову к Патрику.

По-прежнему в наручниках, тот медленно отодвинул стул и поднялся — согбенная фигура, подбородок и плечи опущены. И это была не игра: сильнейшее успокоительное действовало не только на мышцы, едва справлялся со своей работой и мозг.

Патрик застыл в неудобной позе.

— Мистер Лэниган, у меня в руке копия акта, подписанного большим жюри присяжных округа Гаррисон, где утверждается, что вы лишили жизни неизвестного человека, за что и обвиняетесь в умышленном убийстве. Вы прочитали этот акт?

— Да, сэр, — приподняв подбородок, твердым, насколько это было возможно, голосом ответил Патрик.

— И обсудили его со своим адвокатом?

— Да, сэр.

— Что вы можете сказать по этому вопросу?

— Не виновен.

— Ваше утверждение принято. Можете садиться. — Покопавшись в бумагах, Хаски продолжил: — Суд, по собственному усмотрению, налагает на ответчика, адвокатов, полицию и следственные органы, на всех свидетелей и каждого из своих сотрудников запрет на разглашение любых материалов данного дела, вступающий в силу с настоящего момента и действующий до окончания процесса. Желающие ознакомиться с текстом данного решения могут взять у меня копии. Любое несоблюдение решения будет рассматриваться как неуважение к суду, и нарушитель понесет суровое наказание. Без моего одобрения никто не имеет права сказать представителям прессы хотя бы одно слово. Вопросы, господа адвокаты?

Тон, каким были произнесены эти слова, не оставлял сомнений в том, что судья не только говорил серьезно, нет, он прямо-таки горел желанием собственноручно разделаться с нарушителем закона. Вопросов у адвокатов не возникло.

— Замечательно. Я подготовил записку относительно открытия процесса, выступлений сторон, предсудебного совещания и собственно суда. Она находится в комнате клерков. Что-нибудь еще?

— Один небольшой вопрос, ваша честь, — поднялся со своего места Пэрриш. — Нам бы хотелось как можно быстрее увидеть ответчика в надежно охраняемом месте. Сейчас, как вам известно, он содержится в госпитале военной базы, и мы, собственно...

— Я только что разговаривал с его врачом, мистер Пэрриш. В настоящее время ответчик проходит курс лечения. Уверяю вас, сэр, как только врачи позволят, мы переведем мистера Лэнигана в окружную тюрьму.

— Благодарю, ваша честь.

— Если других вопросов нет, на сегодня все.

Патрика вывели из зала и под щелчки и жужжание фото- и телекамер провели по коридорам и лестницам к машине.

Он вернулся в госпиталь.

ГЛАВА 18

Единственными преступлениями, в которых можно было обвинить Стефано, были похищение и физическое оскорбление Патрика. Причем происходило это в Южной Америке, на которую юрисдикция США не распространяется. Фактически физическое оскорбление нанесено другими людьми, в том числе и бразильцами. Адвокат Стефано был убежден, что если дело дойдет до суда, то эти аргументы возобладают и обвинения добиться будет очень трудно.

Проблема заключалась в том, что в деле оказались замешаны клиенты, да и репутация тоже чего-то стоила. Адвокат хорошо знал, как ловко заметает следы ФБР, как умеет выходить сухим из воды. Вот почему он посоветовал Стефано рассказать то, что ему было известно, в обмен на обещание правительственных чиновников оставить в покое как его самого, так и его клиентов.

Адвокат настоял на своем присутствии во время дачи показаний. Процедура должна была отнять несколько дней, но тем не менее он хотел все слышать лично. Джейнс потребовал, чтобы допрос проходил в штаб-квартире ФБР и проводился его людьми. Участникам подали кофе с пирожными. За сидевшим у стола в рубашке с короткими рукавами Стефано и его адвокатом наблюдали две видеокамеры.

— Назовите, пожалуйста, свое имя, — попросил Андерхилл, первый из допрашивавших, выучивший документы по делу Лэнигана назубок.

— Джонатан Эдмунд Стефано. Джек.

— Ваша компания?

— «Эдмунд ассошиэйтс».

— Чем она занимается?

— У нас широкие интересы. Консультационные услуги по вопросам безопасности. Наблюдение. Изучение персонала. Поиск пропавших людей.

— Кто является владельцем компании?

— Я. Она принадлежит мне целиком.

— Сколько у вас сотрудников?

— В настоящее время одиннадцать штатных. Около тридцати заняты неполный рабочий день.

— Вас наняли для розыска Патрика Лэнигана?

— Да.

— Когда?

— Двадцать восьмого марта тысяча девятьсот девяносто второго года. — Перед Стефано лежали набитые бумагами папки, но он не смотрел в них.

— Кто вас нанял?

— Бенни Арициа, человек, чьи деньги были украдены.

— Сколько вы потребовали с него за свои услуги?

— Первоначально речь шла о двухстах тысячах долларов.

— Сколько он заплатил на сегодняшний день?

— Одну целую девять десятых миллиона долларов.

— Что вы сделали после того, как Бенни Арициа нанял вас?

— Прежде всего я сразу же вылетел в Нассо, чтобы встретиться с сотрудниками банка на Багамах, где была совершена кража. Речь идет о филиале Объединенного банка Уэльса. Мой клиент, мистер Арициа, и его бывшая юридическая фирма открыли там новый счет, на который должны были поступить деньги, но, как мы теперь знаем, другой человек тоже ждал их.

— Мистер Арициа является гражданином США?

— Да.

— Почему от открыл счет за рубежом?

— Он хотел положить туда девяносто миллионов долларов, из которых шестьдесят предназначались ему, а тридцать — его юристам. Никто не стремился к тому, чтобы деньги появились в банке в Билокси. В то время мистер Арициа жил там, и всеми было признано, что ничего хорошего из поступления денег в местный банк не выйдет.

— Мистер Арициа пытался избежать уплаты налогов?

— Я не знаю. Этот вопрос вам следует задать ему. Меня это не касалось.

— С кем вы разговаривали в Объединенном банке Уэльса?

Адвокат негодующе фыркнул, но промолчал.

— С Грэмом Данлэпом, британцем, одним из вице-президентов банка.

— И что он вам сказал?

— То же, что и ФБР. Что деньги ушли.

— А откуда они поступили?

— Из Вашингтона. Перевод сделали в половине десятого утра двадцать шестого марта девяносто второго года из Национального банка федерального округа Колумбия. Он был срочным, а это означало, что через час деньги будут в Нассо. В десять пятнадцать они поступили в Объединенный банк Уэльса, пробыли там девять минут и были переведены на Мальту, а оттуда в Панаму.

— Каким образом деньги сняли со счета?

Адвокат не выдержал.

— Так мы никуда не придем, — перебил он. — Ваши люди располагают данной информацией уже четыре года. На разговоры с банкирами вы потратили больше времени, чем мой клиент.

Андерхилл пожал плечами:

— У нас есть право задавать такие вопросы. Мы лишь уточняем детали. Каким образом деньги были сняты со счета, мистер Стефано?

— Некто неизвестный моему клиенту и его юристам, как мы предполагаем, мистер Лэниган, получил доступ к новому оффшорному счету, зная, что деньги вот-вот поступят, подготовил инструкции для перевода на Мальту и послал их через девять минут после поступления средств от имени юристов моего клиента, с которыми работал в одной фирме. Все, естественно, думали, что мистер Лэниган мертв, и поэтому не ждали подвоха. Сделка на девяносто миллионов была заключена в обстановке абсолютной секретности, и, кроме моего клиента, его юристов и нескольких человек в министерстве юстиции, ни один человек не знал, когда или куда направляются деньги.

— Как я понял, в момент прибытия денег в банк там кто-то был.

— Да. Мы почти убеждены, что там находился Патрик Лэниган. В то утро, когда деньги переводились, он представился Грэму Данлэпу как Дуг Витрано, один из партнеров юридической фирмы. Его документы: паспорт, водительское удостоверение и прочее — были безукоризненны, он был хорошо одет и прекрасно знал о переводе из Вашингтона. У него на руках оказалась нотариально заверенная резолюция исполнительного комитета с поручением принять деньги и перевести их на Мальту.

— Черт побери, я отлично знаю, что у вас есть копии этой резолюции и поручения о переводе! — вставил адвокат.

— Да, есть, — просматривая записи, как бы между прочим бросил Андерхилл.

ФБР проследило путь денег через Мальту до Панамы, но далее след исчезал. Имелся не совсем четкий снимок человека, назвавшегося Дугом Витрано, — его сделала камера охранной сигнализации банка. ФБР и партнеры были уверены, что на нем, несмотря на отличный грим, запечатлен Патрик. Выглядел он заметно похудевшим, очень темные волосы коротко подстрижены, усы, очки в роговой оправе. Грэму Данлэпу он объяснил, будто прибыл специально для того, чтобы распорядиться деньгами, поскольку фирма и ее клиент беспокоятся по поводу сделки. С точки зрения Данлэпа, в этом не было ничего необычного, он с готовностью предложил помочь, а неделей позже, уволенный, вернулся в Лондон.

— А мы вернулись в Билокси и целый месяц искали объяснение происшедшему, — продолжал Стефано.

— И обнаружили, что помещения фирмы прослушиваются?

— Да. По вполне понятным причинам у нас сразу возникли подозрения относительно мистера Лэнигана. Перед нами стояла задача, во-первых, найти его самого и деньги, во-вторых, выяснить, как ему это удалось. На выходные партнеры предоставили свои кабинеты в наше распоряжение, и специалисты проверили их. Вы уже заметили, что их прослушивали. «Жучки» были везде: в каждом кабинете, в телефонах, под столами, в коридорах и даже в туалете на первом этаже. За единственным исключением: офис Чарлза Богена оказался совершенно чист. Боген никогда не забывал тщательно запирать его. Двадцать два установленных микрофона были самого высокого качества. Их сигналы поступали на устройство, которое мы обнаружили в коробке на чердаке, куда никто не поднимался годами.

Андерхилл почти не слушал Стефано. В конце концов, велась видеозапись, и руководство всегда сможет изучить ее позже. Все это было давно ему известно. Он нашел листок, на котором в четырех емких абзацах излагались технические параметры установленной Лэниганом схемы. Микрофоны представляли собой чудо техники: крошечные, исключительно мощные и дорогие, изготовлены солидной малазийской фирмой. Законы США запрещали приобретение и применение таких устройств, но их можно было купить в любом европейском городе. Новый год Патрик и Труди встречали в Риме — всего за пять недель до его смерти.

Обнаруженное на чердаке приемо-передающее устройство произвело впечатление даже на экспертов ФБР. Они неохотно признали, что эта штука, установленная три месяца назад, по меньшей мере на год опередила их собственные последние разработки. Сделанный в Венгрии прибор принимал сигналы спрятанных в кабинетах двадцати двух микрофонов, а затем передавал их по одному или все сразу на тарелку антенны.

— Вы установили, куда именно посылались сигналы? — спросил Андерхилл.

Вопрос был честным: в ФБР об этом не имели понятия.

— Нет. Радиус действия — четыре с половиной километра в любом направлении, так что определить не удалось.

— Есть какие-нибудь соображения?

— Да. Сомневаюсь, что Лэниган был настолько глуп, чтобы установить принимающую тарелку в пределах четырех с половиной километров от центра Билокси. Для этого ему пришлось бы снять помещение, спрятать там антенну и тратить время на прослушивание разговоров. Он оказался более методичным. Я всегда подозревал, что он пользовался лодкой — это намного проще и безопаснее. Офис расположен в шестистах метрах от берега, а лодок и катеров в заливе хватает. Брось якорь в трех километрах — и тебя никто не потревожит.

— У него была лодка?

— Нам это не известно.

— Существуют свидетельства, что он пользовался ею?

— Видимо, — после паузы ответил Стефано, вступая в сферу, о которой ФБР не располагало никакой информацией.

Его сдержанность не понравилась Андерхиллу.

— У нас не перекрестный допрос, мистер Стефано.

— Знаю. Мы переговорили с пунктами сдачи лодок напрокат по всему побережью, от Дестина до Нового Орлеана, и нашли только одно вызвавшее сомнения место — небольшую компанию в Ориндж-Бич, Алабама, которая предоставила некоему мужчине рыбацкий катер одиннадцатого февраля девяносто второго года, в день похорон Лэнигана. Берут они тысячу долларов в месяц, а человек предложил наличными в два раза больше при условии отказа от оформления каких-либо бумаг. Они решили, что имеют дело с перевозчиком наркотиков, и испугались. Тогда парень сказал, что оставит в залог пять тысяч и заплатит еще четыре тысячи за два месяца. Дела компании шли так себе. Катер застраховали на случай кражи и сдали.

Андерхилл внимательно слушал. Записей он не делал.

— Вы показали им фотографию?

— Да. Они сказали, что, может быть, это он. Но бороды не было, волосы темные, бейсболка, солнечные очки и избыточный вес. Все происходило еще до того, как он наткнулся на средство для похудения. Как бы то ни было, стопроцентной гарантии у нас нет.

— Какое он назвал им имя?

— Рэнди Остин. Предъявил водительское удостоверение штата Джорджия и больше ничего. Не забывайте, он платил наличными.

— Что стало с катером?

— В конце концов компания получила его назад. Человек, с которым я разговаривал, сказал, что Рэнди не показался ему знатоком управления рыбацким катером. Он задал Остину несколько вопросов и выяснил, что тот хочет отвлечься от неудавшейся семейной жизни в Атланте. У штурвала когда-то стоял, но лишняя практика ему якобы не помешает. На воде старается всегда держаться неподалеку от берега. Звучало это довольно убедительно, и владелец катера немного успокоился, хотя все его подозрения не исчезли. На следующий день Рэнди появился как из-под земли: ни своей машины, ни такси, будто автостопом добрался до дока. Получил катер с дизельным движком, позволявшим развить скорость восемь узлов при любом ветре, и отплыл в южном направлении. Делать владельцу было нечего, и он отправился по дороге вдоль побережья, останавливаясь в своих излюбленных барах и поглядывая в сторону моря, где примерно в полукилометре от берега довольно сносно управлялся с катером Рэнди, добравшийся до Пердидо-Бэй и уехавший оттуда на взятом напрокат «форде» с номерами штата Алабама. Так продолжалось пару дней. Владелец наблюдал за катером. Рэнди держался примерно в километре, потом отважился отойти дальше. На третий или четвертый день он взял курс на запад, в сторону Мобила и Билокси, и проплавал три дня. Вернулся и вновь поднял якорь. На юг или восток он не ходил ни разу, только на запад. О своих страхах владелец уже забыл: Рэнди временами пропадал на неделю, но всегда возвращался.

— И вы думаете, что это был Патрик?

— Да. Убежден в этом. Получается очень логично. На катере он находился в полном одиночестве, не видя целыми днями никого. Информацию мог получать в сотне различных точек. Помимо этого, катер — превосходное место для того, чтобы похудеть.

— Что стало с судном?

— Рэнди оставил его в доке и просто исчез. Владелец получил катер назад и положил в карман пять тысяч.

— Вы осмотрели судно?

— С лупой. Ничего. Нам сказали, что таким чистым катер еще никогда не был.

— Когда он исчез?

— Трудно сказать, потому что владелец далеко не каждый день его видел. Катер был в доке тридцатого марта, через четыре дня после кражи денег. Мы поговорили с парнем, который тогда дежурил. С его слов, Рэнди загнал посудину в док то ли двадцать четвертого, то ли двадцать пятого марта и больше не появлялся. Даты совпадают великолепно.

— А что насчет взятого напрокат «форда»?

— Выяснилось чуть позже. Машину арендовали в аэропорту Мобила утром в понедельник, десятого февраля, часов через десять после того, как сгорел «шевроле». Взял ее гладковыбритый мужчина с короткими темными волосами, в роговых очках, в пиджаке и при галстуке. В конторе проката сказал, будто только что прилетел из Атланты. Мы предъявили работавшей там девушке фотографии, и она не очень уверенно указала на Патрика Лэнигана. Похоже, он воспользовался тем же водительским удостоверением. Расплатился кредитной карточкой на имя Рэнди Остина с номером, соответствовавшим реальному счету в Декатуре, Джорджия. Сказал, что занимается недвижимостью и приехал посмотреть площадку под казино. Названия своей компании в бланках не указывал. Машина была ему нужна на неделю. Больше его в конторе не видели, а «форд» искали четырнадцать месяцев.

— Почему же он не вернул машину? — задумчиво спросил Андерхилл.

— Это довольно просто. Когда он ее брал, он ведь только что «погиб», и о «смерти» его ничего не было известно. Однако на следующий день, когда его портреты появились на первых страницах газет в Билокси и Мобиле, он решил не рисковать. Машину позже нашли в Монтгомери, она была разбита.

— И куда после этого Патрик направился?

— Думаю, числа двадцать четвертого или двадцать пятого марта он оставил Ориндж-Бич, превратившись в Дуга Витрано. Удалось выяснить: двадцать пятого он вылетел из Монтгомери в Атланту, оттуда первым классом в Майами, а из Майами — первым же классом в Нассо. Все билеты оформлены на имя Дуга Витрано, его же паспортом он пользовался, вылетая из Майами и на Багамах. Самолет совершил посадку в Нассо в половине девятого утра двадцать шестого марта, так что в девять он был уже в банке, предъявил Грэму Данлэпу паспорт и другие бумаги, перевел деньги, попрощался, вылетел в Нью-Йорк, где и приземлился в аэропорту Ла Гуардиа в половине третьего дня. К этому времени он уже избавился от паспорта Витрано. Мы потеряли его.

Когда цена поднялась до пятидесяти тысяч долларов, Труди сказала «да». Снимать ее должны были для пользовавшегося успехом семейного шоу «Взгляд изнутри», и телевидение не поскупилось на наличные. Техники установили осветительную аппаратуру, закрыли окна и опутали всю комнату проводами. Вести беседу должна была Нэнси ди Анджело, прилетевшая из Лос-Анджелеса с командой парикмахеров и визажистов.

Проведя два часа перед зеркалом, Труди выглядела великолепно, была, по словам Нэнси, «непозволительно привлекательной». Куда только подевалась разбитая, сломленная женщина, пребывавшая вне себя от злости из-за того, как с ней и с ее дочерью поступил муж? Услышав этот вопрос журналистки, Труди расплакалась, и Лэнсу потребовалось не менее получаса, чтобы успокоить ее. Вернувшись в комнату в джинсах и блузке из хлопка, Труди ничуть не стала смотреться хуже.

Для пущей убедительности на кушетку рядом с ней усадили Эшли Николь.

— Постарайтесь быть как можно печальнее, — попросила Нэнси в то время, пока осветители проверяли аппаратуру. — Нам нужны ваши слезы, и настоящие.

Примерно час они проговорили о том, как ужасно повел себя Патрик по отношению к собственной семье. Говоря о похоронах, Труди заплакала и достала из сумочки снимок найденной на месте пожара спортивной туфли. Господи, какие же страдания выпали на ее долю за четыре долгих года! Нет, второй раз замуж она так и не вышла. Нет, она не связывалась с мужем после того, как он вернулся в город, и не уверена, что захочет увидеть его. Нет, он даже не попытался встретиться с их дочерью. Труди вновь расплакалась.

Мысль о разводе ей ненавистна, однако что остается делать? А этот чудовищный иск! Мерзкая страховая компания объявила на нее настоящую охоту.

Патрик был невыносимым человеком. Рассчитывает ли она получить хотя бы часть денег, если их найдут? Конечно, нет! Ей представляется дикой сама мысль об этом.

В эфире сюжет уложился в двадцать минут.

Лежа в палате, Патрик смотрел на экран телевизора и улыбался.

ГЛАВА 19

Когда раздался звонок, секретарша Сэнди вырезала из новоорлеанской газеты снимок и заметку о первом слушании в суде. Она мгновенно отыскала в переполненном людьми офисе своего босса и пригласила его к телефону.

В трубке послышался голос Лиа Перес. Поздоровавшись с Сэнди, она спросила, не проверял ли он свой кабинет на наличие подслушивающих устройств. Сэнди ответил утвердительно — это было только вчера. Лиа звонила из номера отеля, расположенного в нескольких кварталах от офиса. Встретиться она предложила у нее. Ее слова значили для Сэнди больше, чем непосредственная директива федерального судьи. Как будет угодно, Лиа.

Он спокойно, не оглядываясь шел по Пойдрес-стрит к отелю. Охватившая Патрика паранойя вполне понятна: парень столько времени жил в бегах. Однако никто в мире не смог бы убедить Сэнди в том, что те же люди будут следить и за каждым его шагом. Он — высококлассный юрист. Эти ничтожества не решились даже подбросить «жучков» в его кабинет. Один неверный их шаг — и дело против Патрика Лэнигана рухнет.

Тем не менее Сэнди связался с местной компанией и попросил их проверить его офис. В конце концов, этого требовал клиент.

Лиа приветствовала Сэнди крепким рукопожатием и сдержанной улыбкой. Адвокат сразу понял, что разговор предстоит серьезный. Лиа была босой, в джинсах и белой спортивной майке. Должно быть, так просто одеваются все бразильцы, подумал Сэнди, никогда не бывавший в Южной Америке. Сквозь приоткрытую дверцу шкафа было видно, что одежды там совсем немного. Перебиралась Лиа с места на место очень быстро и все необходимое привыкла иметь под рукой.

Налив две чашки кофе, она предложила Сэнди сесть к столу.

— Как он?

— Поправляется. Врач говорит, все будет в порядке.

— А было плохо? — Ее легкий акцент нравился Сэнди.

— Довольно-таки. — Он достал из кожаного кейса папку, передал ей. — Вот.

Взглянув на снимок, Лиа нахмурилась и пробормотала что-то на португальском. Вторую фотографию она рассматривала уже повлажневшими глазами.

— Бедный Патрик, — сказала она едва слышно. — Несчастный.

Она изучала снимки и смахивала набегавшие слезы тыльной стороной ладони, пока Сэнди не догадался подать салфетку. Чувств своих Лиа не стыдилась. Наконец она положила фотографии в папку.

— Извините меня, — единственное, что нашел сказать Сэнди. — Вот письмо от Патрика.

Вытерев слезы, Лиа долила в чашки кофе.

— Серьезные раны у него есть? — спросила она.

— Доктор считает, что нет. Останутся шрамы, но время сотрет и их.

— Соображает он нормально?

— Вполне. Спит еще меньше, чем раньше. Постоянно видит кошмары, днем тоже. Но лекарства постепенно помогают, честно говоря, я даже представить не могу, через что он прошел. — Сэнди сделал глоток кофе. — Думаю, он просто счастлив, что остался в живых.

— Он всегда говорил, что его не убьют.

Сэнди нужно было о многом расспросить Лиа. Как юрист, он готов был обрушить на нее бесчисленные вопросы: знал ли Патрик, что к нему уже подбираются? Что близится конец погони? Где в то время была она? Жила с ним? Как они спрятали миллионы? Где деньги сейчас? В безопасности? «Скажи мне хоть что-нибудь. Я — его адвокат, мне можно доверять!» — думал он.

— Давайте поговорим о его разводе, — попросила Лиа, резко меняя тему. Поднявшись, она подошла к письменному столу и достала из ящика толстую папку. — Вы видели вчера по телевизору Труди? — спросила она.

— Да. Сплошная патетика.

— Она очень красива, — заметила Лиа.

— Согласен. Боюсь, Патрик сделал ошибку — он был ослеплен ее привлекательной внешностью.

— Не он первый.

— Пожалуй.

— Патрик презирает ее. Она — очень дурной человек и всегда изменяла ему.

— Изменяла?

— Да. В этой папке все материалы. Патрик нанял частного детектива, который следил за ней. Любовником у нее некто Лэнс Макса, она виделась с ним постоянно. Тут есть даже снимки, на которых он приходит и выходит из ее дома в то время, пока Патрика нет. На других они вдвоем загорают у бассейна, без одежды, конечно.

Сэнди быстро просмотрел папку. Действительно, лежат голые, как новорожденные. Он довольно усмехнулся:

— В вопросе развода снимки очень помогут.

— Понимаете, Патрик хочет развестись. Никаких споров здесь не возникнет. Нужно только, чтобы она не болтала. Она наговорила про него уже более чем достаточно.

— Эти кадры заткнут ей рот. А что насчет ребенка?

Вернувшись на свое место, Лиа посмотрела Сэнди в глаза:

— Патрик любит Эшли Николь, но существует одна проблема. Отец ребенка не он.

Сэнди с невозмутимым видом пожал плечами:

— Кто же?

— Патрик не знает. Может, Лэнс. Труди довольно долгое время провела в его обществе. Познакомились они, когда она еще училась.

— Откуда Патрик знает, что отец не он?

— Когда ребенку исполнилось четырнадцать месяцев, Патрик взял у девочки несколько капель крови из пальца и отослал их вместе с образцом собственной крови на анализ ДНК. Его подозрения оправдались: отец — точно не он. Справка о результатах анализа в папке.

Сэнди поднялся из-за стола и принялся расхаживать по номеру. Остановившись у окна, он долго смотрел на канал. Еще один фрагмент головоломки встал на свое место. Вопрос, над которым адвокат ломал сейчас голову, заключался в следующем: давно ли Патрик спланировал свой побег? Неверная жена, чужой ребенок, ужасная авария, отсутствие трупа, дерзкая кража и — бегство. Задумано все виртуозно. Да и осуществлено тоже — до настоящего момента.

— Тогда к чему эта возня с разводом? — спросил Сэнди. — Если ему не нужен ребенок, зачем поднимать шум?

Ответ он знал, но хотел услышать ее объяснение. Дав его, Лиа невольно раскроет и весь разработанный Патриком план.

— Об этом узнает только ее адвокат, — сказала она. — Вы покажете ему папку целиком. И тогда им захочется поскорее обо всем договориться.

— Договориться? Решить проблему деньгами?

— Нечто вроде этого.

— И что это будет за договоренность?

— Труди не получит ничего.

— А могла бы?

— В принципе да. Небольшую сумму или целое состояние.

Обернувшись, Сэнди посмотрел на Лиа:

— Я не смогу вести переговоры, не зная, чем располагает мой клиент. Когда-то вам все равно придется просветить меня.

— Имейте терпение, — невозмутимо ответила Лиа. — Со временем вы узнаете больше.

— Патрик и в самом деле считает, что в состоянии откупиться?

— Во всяком случае, он попробует.

— Это не сработает.

— У вас есть предложение получше?

— Нет.

— Это наш единственный шанс.

Сэнди прислонился к стене.

— Было бы намного проще, если бы вы позволили себе чуть большую откровенность.

— Мы сделаем это, я обещаю вам. Но прежде всего позаботимся о разводе. Труди не должна думать о каких-либо имущественных притязаниях.

— Этого будет легко добиться. И весело.

— Сделайте это. А на следующей неделе продолжим разговор.

Лиа встала из-за стола, собрала бумаги. Свои Сэнди положил в кейс.

— Вы долго здесь пробудете?

— Не очень, — ответила она. — Вот письмо Патрику. Скажете, что со мной все в полном порядке, я постоянно переезжаю с места на место и пока никого за спиной не заметила.

Взяв конверт, Сэнди попытался встретиться с ней взглядом. Лиа начинала нервничать, ей не терпелось проводить гостя. Он хотел помочь, во всяком случае, хотел предложить свою помощь, хотя и знал, что любое предложение будет в данных условиях отвергнуто.

Лиа натянуто улыбнулась:

— У вас теперь есть работа. Займитесь ею, а мы с Патриком побеспокоимся обо всем остальном.

В то время, когда Стефано рассказывал в Вашингтоне свою историю, Бенни Арициа и Гай уже устроились в Билокси. Сняв на побережье домик с тремя спальнями, они установили там телефон и факс.

Они ожидали, что девица Патрика вот-вот объявится в Билокси. Патрик находился под надзором, и в обозримом будущем в этом отношении изменений не предвиделось. Ехать куда-либо он не собирался. Значит, ей придется прийти к нему. А когда она явится, они ее схватят.

На эту последнюю кампанию Арициа выделил сто тысяч долларов, поклявшись, что больше не даст ни цента. Потратив фактически два миллиона, он вынужден был теперь остановиться, чтобы не бросить на ветер то, что у него еще осталось. Два других шатких союзника, «Нозерн кейс мьючуэл» и «Монарх-Сьерра», выбросили белый флаг, признав поражение. Стефано рассказывает ФБР свои сказки, а вот Гай со своими людьми, может, и отыщет девчонку. Оставалось только ждать.

Осмар и его парни по-прежнему прочесывали улицы Рио, по нескольку раз в день обходя одни и те же места. Если она вернется, они найдут ее и там. Народу в подчинении Осмара было немало, однако обходилось это в Бразилии дешево.

Возвращение на побережье принесло Бенни Арициа ощущение горечи. Впервые он приехал сюда в 1985 году в качестве весьма ответственного чиновника из «Платт энд Роклэнд индастриз» — гигантского конгломерата компаний, двадцать лет посылавшего его в самые глухие уголки мира с весьма непростыми поручениями. Одним из самых прибыльных подразделений компании была судостроительная фирма, расположенная на побережье, между Билокси и Мобилом, в Паскагуле. В 1985 году она получила от военно-морских сил двенадцатимиллиардный заказ на постройку четырех атомных подводных лодок, и кто-то наверху решил, что Бенни пора осесть.

Выросший в Нью-Джерси, получивший образование в Бостоне и являвшийся одно время мужем дамы из высшего общества, Бенни чувствовал себя очень неуютно на морском побережье штата Миссисипи. После двух лет, проведенных в Билокси, супруга покинула его.

«Платт энд Роклэнд» являлась открытой акционерной компанией с активами, исчислявшимися двадцатью одним миллиардом долларов, с восемьюдесятью тысячами сотрудников в тридцати шести подразделениях, разбросанных по ста трем странам мира. Она продавала офисное оборудование и древесину, изготовляла тысячи наименований потребительских товаров, занималась страхованием, поиском газовых месторождений, поставкой контейнерных грузов, добывала медь и, помимо всего прочего, строила атомные подводные лодки. По сути, это была бурно развивавшаяся группа децентрализованных компаний, где, как правило, левая рука крайне редко знала то, что делает правая. Баснословные прибыли притекали на банковские счета как бы сами собой.

Бенни мечтал координировать деятельность «Платт энд Роклэнд». Он хотел бы продать мелкие фирмы и сосредоточить усилия на главном направлении. Амбициозность его не имела пределов и благодаря длинным языкам менеджеров высшего звена сделалась притчей во языцех.

Жизнь в Билокси была для Бенни жестокой насмешкой. Он оказался как бы на обочине скоростной магистрали, стал жертвой интриг своих недругов. Он терпеть не мог заключать контракты с правительством США, проклинал бюрократов и выскочек из Пентагона. Его бесили черепашьи темпы постройки ядерных субмарин.

В 1988 году он подал рапорт с просьбой о переводе. Ему отказали. Годом позже поползли слухи о серьезных перерасходах сметы строительства. Все работы были остановлены. Нагрянули правительственные аудиторы и высокие деятели из Пентагона.

В качестве постоянного подрядчика военного ведомства «Платт энд Роклэнд» имела богатую историю перерасходов, завышенных счетов и ничем не обоснованных требований. Бизнес есть бизнес, и, когда подобные случаи вскрывались, компания увольняла причастных к скандалу сотрудников, а с Пентагоном договаривалась о незначительном возмещении ущерба.

Бенни отправился к местному адвокату Чарлзу Богену — старшему партнеру небольшой юридической фирмы, где работал и молодой Патрик Лэниган.

Двоюродный брат Богена был сенатором от штата Миссисипи, известным своими милитаристскими взглядами. В сенате он возглавлял комиссию по военным ассигнованиям, и армейские чины были от него без ума. Бывший преподаватель Богена-юриста стал федеральным судьей, так что небольшая фирма имела превосходные связи. Бенни знал об этом.

Акт о неправомочных требованиях, известный также под названием «закон свистка», был принят конгрессом с целью облегчить доставку жизненно важной информации для тех, кто располагал какими-либо сведениями о завышении счетов правительственными подрядчиками. Готовясь к разговору с Богеном, Бенни внимательно проштудировал акт и даже нанял юриста для более точного его толкования.

Он был убежден, что по проекту строительства атомных подводных лодок сможет доказать завышение предъявляемых компанией «Платт энд Роклэнд» счетов на шестьсот миллионов долларов. Бенни чувствовал, что топор уже падает, но ему не хотелось класть свою голову на плаху. Обыкновенное же доносительство означало для него потерю всяких шансов найти достойное его талантов место. «Платт энд Роклэнд» распространит среди потенциальных работодателей слухи о его некомпетентности, его внесут в черный список, а это будет равнозначно концу. Правила игры Бенни знал хорошо.

По акту, информатор, поднесший к губам «свисток», мог получить пятнадцать процентов от суммы, представленной к оплате правительству. В распоряжении Бенни имелась документация, подтверждающая схему составления счетов «Платт энд Роклэнд». Сейчас ему требовался совет Богена, как выбить из правительства эти пятнадцать процентов.

Для того чтобы детально ознакомиться с документами, поставляемыми с судостроительных верфей мистером Арициа, Боген нанял инженеров и консультантов. Схема выглядела вполне логичной. «Платт энд Роклэнд» делала то же, что и всегда: многократно завышала цены на исходные материалы и фальсифицировала бухгалтерские документы. Практика эта была укоренившейся, в доках только два менеджера знали все детали. Сам Бенни заявил, что ему стало об этом известно по чистой случайности.

С подачи юристов возникло ясное и весьма эффектное дело. В сентябре 1990 года в федеральный суд был подан иск, из которого следовало, что компания «Платт энд Роклэнд» нагрела правительство на шестьсот миллионов долларов. В день подачи иска Бенни оформил уход с занимаемой должности.

Выверенный до последнего слова иск был тщательно обоснован. Боген давил. То же самое делал и его двоюродный брат. Сенатора привлекли к сотрудничеству задолго до подачи документов в суд, и он с большим рвением подключился к делу. Услуги Богена обходились недешево, равно как и содействие его родственника в Вашингтоне. Гонорар юридической фирмы должен был составить треть от пятнадцати процентов. Доля сенатора особо не оговаривалась.

Чтобы перетянуть на свою сторону общественное мнение в Миссисипи, Боген дал достаточно информации местной прессе, его двоюродный брат проделал то же в Вашингтоне. «Платт энд Роклэнд» оказалась в центре внимания. Доброе имя компании повисло на волоске, финансирование иссякло, держатели акций были вне себя от гнева. Десятки менеджеров на судоверфях потеряли работу. Ожидались новые сокращения.

Как обычно, «Платт энд Роклэнд» вступила в изматывающие переговоры с министерством юстиции, однако на этот раз они не приносили никаких результатов. Через год компания согласилась-таки пересчитать шестьсот миллионов и дала обещание больше не грешить. Вследствие того, что две субмарины были наполовину построены, Пентагон решил не разрывать контракт, давая таким образом «Платт энд Роклэнд» возможность закончить двенадцатимиллиардный проект, обходившийся теперь почти в двадцать миллиардов.

В ожидании обещанной суммы Бенни потирал руки. Боген со своими коллегами строили планы, как распорядятся гонораром. Но тут исчез Патрик Лэниган, потом и их деньги.

ГЛАВА 20

У Пеппера Скарборо был помповый «ремингтон» двенадцатого калибра. Он приобрел ружье в ломбарде Льюсдейла, когда ему исполнилось шестнадцать, — по молодости купить его в магазине он не мог. За «ремингтон» было заплачено две сотни долларов, и, по словам Нелдин, сын очень дорожил своей игрушкой. Два шерифа, Суини и Татум из округа Грин, обнаружили ружье вместе со старым спальным мешком и палаткой через неделю после гибели Патрика, составляя опись находившегося в его хижине имущества. Труди дала согласие на осмотр, хотя владелицей хижины она не являлась. Любая попытка использовать ружье, спальный мешок и палатку в качестве улик, изобличавших Патрика как убийцу, была бы встречена в штыки, поскольку нашли эти вещи в результате обыска, проделанного без ордера, дающего на это право. Тем не менее они представляли собой весомый аргумент: ведь шерифы тогда и не искали улики. Они лишь собирали пожитки Патрика, чтобы передать их его семье. О преступлении в то время известно не было.

Спальный мешок и палатка были ни к чему Труди. Она упорно повторяла то, что подобное тряпье не могло принадлежать Патрику, она не видела этих вещей раньше. Куплены они были по дешевке, а Патрик любил все дорогое. Кроме того, в лесу он ни разу и не разбивал лагеря, у него ведь имелась хижина. Суини нашел на находки инвентарные ярлыки и оставил их в кладовке — другого места просто не было. Шериф решил выждать год-другой, а потом продать палатку вместе со спальником на ежегодной распродаже. Увидев их шестью неделями позже, Нелдин Кроуч залилась слезами.

К «ремингтону» отнеслись по-другому. Его обнаружили под койкой вместе с палаткой и спальным мешком — в комнате, где спал Патрик. Кто-то, по мнению Суини, торопливо запихнул все эти вещи туда. Наличие ружья моментально возбудило его интерес. Страстный охотник, Суини знал, что никто не оставит свой ствол в отдаленной хижине, откуда его могут легко похитить. Суини самым внимательным образом осмотрел неожиданную находку и выяснил, что серийный номер оружия сточен напильником. Получалось, когда-то его все-таки украли.

Он обсудил свое открытие с шерифом Татумом. Оба решили снять с ружья отпечатки пальцев. Узнать что-нибудь стóящее все равно не удастся, как они считали, однако попробовать не мешает.

Позже, после неоднократных уверений в том, что не несет за это никакой ответственности, владелец ломбарда признал: ружье было продано Пепперу Скарборо.

Суини и Тед Гримшоу, главный следователь округа Гаррисон, вежливо постучали в дверь палаты Патрика Лэнигана и вошли только после того, как их туда пригласили. Суини приходил сюда уже чуть раньше, чтобы предупредить Патрика о предстоящем визите и его цели: обычная процедура, ведь пока его появление здесь никак не зарегистрировано.

Патрика сфотографировали на стуле в белой майке и спортивных трусах. Волосы его были растрепаны, выражение лица кислое. В руке Патрик держал номер, соответствовавший номеру его дела. Затем Гримшоу снял отпечатки его пальцев — в то время, как Суини развлекал хозяина палаты разговором. Патрик при этом стоял — так он сам пожелал.

Суини задал ему пару вопросов о Пеппере Скарборо, однако Лэниган тут же напомнил, что у него есть адвокат, обязанный присутствовать при любом допросе, после чего просто отказался продолжать беседу.

Поблагодарив его, парочка исчезла. В тюрьме их ждали Каттер и прибывший из Джексона специалист ФБР по дактилоскопии. «Ремингтон» Пеппера дал более десятка вполне отчетливых и пригодных к идентификации отпечатков. Хранивший их в сейфе Гримшоу разложил белые карточки на столе. Само ружье лежало на полке, рядом с палаткой, спальным мешком, спортивной туфлей, фотографиями и несколькими другими предметами, которые можно было использовать в качестве улик против Патрика Лэнигана.

Пока дактилоскопист с помощью лупы сверял отпечатки, остальные пили из пластиковых стаканчиков кофе и говорили о рыбалке. Проверка не заняла много времени.

— Кое-где узор линий совпадает идеально, — сказал эксперт, продолжая работу. — На ложе ружья полно отпечатков Лэнигана.

Отличная новость, подумали они. Что теперь?

Патрик настоял на том, чтобы его встречи с адвокатом проходили в другом помещении, и доктор Хайани быстро отдал соответствующие распоряжения, потребовав заодно и кресло на колесиках для перевозки Патрика в кабинет на первом этаже.

Сиделка с достоинством протолкнула кресло мимо двух помощников шерифа и специального агента Брента Майерса в лифт. Один из мужчин увязался следом.

Кабинетом пользовались для проведения совещаний медицинского персонала. Госпиталь был невелик, и помещение часто пустовало. Сэнди заказал устройство, регистрирующее наличие «жучков», о котором говорил Патрик, но получить его можно было лишь через несколько дней.

— Поторопи их, пожалуйста, — напомнил Патрик.

— Брось. Неужели ты думаешь, что кто-то будет подслушивать нас? Да в госпитале узнали о наших планах всего час назад.

— Осторожность никому не вредила. — Поднявшись из кресла, Патрик обошел длинный стол заседаний — без намека на хромоту, мысленно отметил Сэнди.

— Послушай, Патрик, почему бы тебе не расслабиться хоть немного? — спросил он. — Я знаю, ты довольно долго вел весьма скрытный образ жизни, прятался и привык оглядываться. Но все это в прошлом. Тебя взяли. Так расслабься же.

— Там остались еще люди, пойми. Да, взяли. Но меня, а не деньги. А деньги значат для них намного больше. Не забывай об этом, Сэнди. Они не успокоятся до тех пор, пока не получат свое.

— Кто нас здесь будет подслушивать? ФБР или те подонки?

— Люди, которые потеряли деньги, затратили сумасшедшие суммы на то, чтобы отыскать пропажу.

— Откуда тебе это известно?

Патрик молча пожал плечами.

— Кто они? — задал новый вопрос Сэнди, но ответа не получил.

Оба долго молчали.

— Садись, — сказал наконец Патрик.

Они уселись друг против друга. Сэнди достал из кейса толстую папку, полученную от Лиа четырьмя часами раньше. Материалы на Труди.

Патрик мгновенно узнал бумаги.

— Когда ты видел ее? — встревожился он.

— Сегодня утром. Она в полном порядке, любит тебя и говорит, что пока ею никто не интересовался. Она просила меня передать тебе это. — Сэнди подал Патрику конверт, который был тут же вскрыт.

Забыв о своем адвокате, Патрик погрузился в чтение трехстраничного письма.

Сэнди листал папку, рассматривая фотографии, на которых обнаженная Труди лежала в шезлонге возле бассейна в обществе своего воздыхателя. Ему не терпелось предъявить эти снимки ее адвокату, встреча с которым должна была состояться через три часа.

Патрик прочел письмо, аккуратно сложил его и сунул в конверт.

— У меня тоже есть для нее послание, — сказал он и, бросив взгляд через стол, увидел фотографии. — Неплохая работа, а?

— Поразительно. Ни в одном деле о разводе мне не приходилось видеть такого количества аргументов.

— Да, поработать было над чем. Мы прожили вместе почти два года, когда я совершенно случайно на какой-то вечеринке столкнулся с ее первым мужем. Выпили, начали болтать, и парень рассказал мне о Лэнсе. Лэнс — это тот самец, что на снимках.

— Лиа объяснила.

— Труди в то время была беременна, так что я ничего не стал говорить ей. Семейная жизнь налаживалась, и мы рассчитывали, что появление ребенка еще больше сблизит нас. У нее потрясающая способность врать. Я решил немного подыграть, превратиться в гордого собой отца и все такое прочее, но через год начал все же собирать доказательства. Тогда я еще не знал, когда именно смогу воспользоваться ими, но брак наш потерпел крах, это я понимал. Уезжал из города при первой же возможности: по делам, на охоту, порыбачить, встретиться с друзьями, да мало ли что. Она никогда ничего не имела против.

— В пять вечера у меня встреча с ее адвокатом.

— Тем лучше. Уверяю, ты интересно проведешь время. Мечта юриста. Можешь грозить чем угодно, но вырви у него соглашение. Она должна отписать мне все права, Сэнди. Она не получит ни гроша.

— Когда мы поговорим о твоих активах?

— Очень скоро, обещаю. Есть кое-что более срочное. Сэнди достал блокнот:

— Я слушаю.

— Лэнс — личность омерзительная. Вырос в барах, школу так и не окончил. Отсидел три года за контрабанду наркотиков. Приятелей у него хватает, есть среди них и такие, которые за деньги готовы сделать все. Существует еще одна папка такой же толщины — на него. Насколько я понял, Лиа тебе ее не отдала.

— Нет. Только эту.

— Спроси ее, когда вы увидитесь. Тот же частный детектив собирал данные на Лэнса в течение года. Сам по себе он ничтожество, но у него есть опасные друзья. А у Труди водятся денежки. Не знаю, сколько их на сегодняшний день осталось, но она наверняка не успела потратить все.

— Думаешь, он выйдет на охоту на тебя?

— Вполне вероятно. Сэнди, сейчас Труди — единственная, кому все еще нужна моя смерть. Если меня не станет, она сохранит деньги и больше не будет беспокоиться об иске страховой компании. Я знаю Труди. Деньги и привычный образ жизни — это все для нее.

— Но как она сможет...

— Сделать это можно, Сэнди. Поверь мне, можно.

Патрик сказал это со спокойной уверенностью человека, совершившего убийство и оставшегося безнаказанным. На мгновение Сэнди показалось, что кровь в его жилах застыла.

— Сделать это можно легко, — в третий раз повторил Патрик; глаза его в сеточке морщинок ярко блестели.

— Ладно, так что мне делать? Сидеть в коридоре вместе с помощниками шерифа?

— Займешься фантастикой, Сэнди.

— Ну-ну?

— Во-первых, сообщишь ее адвокату, что получил анонимное известие о том, будто Лэнс нанял кого-то расправиться со мной. Сделай это сегодня же, перед тем как расстаться с ним. К этому моменту адвокат будет поражен увиденными материалами и поверит каждому твоему слову. Скажешь, что собираешься обсудить это с полицией. Он, без сомнений, свяжется со своей клиенткой, которая начнет в истерике отрицать все. Вряд ли он ей поверит. Труди придет в ужас при одной мысли о том, что их с Лэнсом планы стали кому-то известны. Затем пойди к шерифу и в ФБР и расскажи там ту же историю. Объясни им, почему тебя волнует моя безопасность. Настаивай на том, чтобы они побеседовали с Труди и Лэнсом относительно этих слухов. Я знаю ее очень хорошо, Сэнди. Она пожертвует Лэнсом ради денег, но только не в том случае, когда ей самой будет что-то угрожать. Если у полиции появятся подозрения, Труди даст задний ход.

— Ты неплохо все продумал, Патрик. Что-нибудь еще?

— Да. Последнее, что ты должен сделать, — это организовать утечку информации. Необходимо отыскать репортера...

— Это не так трудно.

— ...которому ты можешь доверять.

— Намного сложнее.

— Не совсем. Я ведь тоже читаю газеты, могу подсказать несколько имен. Проверишь их и выберешь того, кто тебе по вкусу. Предложишь опубликовать эти слухи без указания их источника и пообещаешь в обмен право на публикацию интересных сведений. Так они все работают. Скажешь, что шериф уже занялся проверкой показаний осведомителей о том, будто моя супруга бросилась на поиски наемного убийцы, желая сохранить выплаченные ей страховой компанией деньги. Писака это проглотит. Зачем ему выискивать подтверждения? Газеты печатают сплетни и почище.

Сэнди закончил строчить, отдав в душе должное предусмотрительности своего клиента, закрыл блокнот, сунул в него ручку, а затем спросил:

— Много у тебя накопилось подобного?

— Ты имеешь в виду эту грязь?

— Да.

— Килограммов двадцать. Все заперто в Мобиле с момента моего исчезновения.

— Что еще там есть?

— Новая грязь.

— На кого?

— На моих бывших партнеров. И других. Дойдет очередь и до них.

— Когда?

— Скоро, Сэнди.

Адвокат Труди, Дж. Мюррей Ридлтон, был бодреньким шестидесятилетним здоровяком с толстой шеей, специализировавшимся на громких, скандальных разводах и финансовых советах, суть которых сводилась к тому, как покрупнее надуть правительство. Он являл собой замечательный образчик единства и борьбы противоположностей: состоятельный, но дурно одетый юрист; образованный, но с примитивным, ничего не выражавшим лицом; улыбающийся, но коварный. Про таких говорят: мягко стелет, да жестко спать. Его огромный кабинет в центре Мобила был завален папками со старыми делами и давно устаревшими юридическими справочниками. Учтиво встретив Сэнди, он указал гостю на кресло и предложил чего-нибудь выпить. Поскольку было только начало шестого, Сэнди от последнего отказался, заставив тем самым воздержаться от выпивки и Дж. Мюррея.

— Так как же наш молодой человек? — поинтересовался мистер Ридлтон, сверкнув белозубой улыбкой.

— Вы о ком?

— Оставьте! О Патрике, конечно. Вы нашли деньги?

— А я и не знал, что занимался их поисками.

Ридлтон нашел этот ответ весьма удачным и добродушно расхохотался. У него не промелькнуло и тени сомнения в том, что действительным хозяином положения является именно он. Еще бы, ведь все козыри у него!

— Вчера вечером я видел вашу клиентку по телевизору, — сказал Сэнди. — Как называлось это шоу?

— «Взгляд изнутри». Получилось великолепно, не правда ли? И девочка выглядела настоящей куколкой. Бедняжки, как им не повезло!

— Мой клиент просил бы, чтобы ваша клиентка воздержалась в будущем от каких бы то ни было публичных выступлений относительно ее брака и развода.

— Пусть ваш клиент запечатлеет поцелуй на заднице моей клиентки. Вам я могу предложить собственную.

— Уклоняюсь от высокой чести, равно как и мой клиент.

— Послушай-ка, сынок, я собственные зубы съел на Первой поправке к Конституции*. Ничего не говори. Ничего не делай. Ничего не публикуй. Все это даровала нам наша Конституция. — Последовал жест в сторону затянутых паутиной книг на полке возле окна. — Ваша просьба отклоняется. Моя клиентка имеет полное право обращаться к публике, если сочтет это необходимым, причем в любое удобное для нее время. Она унижена и оскорблена вашим клиентом, а теперь и вовсе оказалась в весьма неопределенном положении.

— Сказано достаточно прямо. Но я и пришел сюда, чтобы уточнить наши позиции.

— Теперь они вам ясны?

— Да. В настоящий момент не вижу никаких проблем с выполнением желания вашей клиентки получить развод. Ребенок остается у нее.

— Весьма признателен. Удивительная широта души.

— Мой клиент не планирует искать встреч с ребенком.

— Да после того, как он бросил девочку на четыре года, его, наверное, силой пришлось бы тащить к ней!

— Причина в другом. — Сэнди раскрыл папку, отыскал в ней справку с результатом анализа ДНК и вручил ее копию переставшему вдруг улыбаться Дж. Мюррею.

— Что это? — с подозрением спросил тот.

---

* Первая поправка к Конституции США гарантирует гражданские свободы. Принята 15 декабря 1791 года.

— А вы прочтите, — ответил Сэнди.

Из нагрудного кармана пиджака адвокат выудил очки и надел их. Вытянув вперед руку, медленно прочел справку. На первой же странице взгляд его стал абсолютно пустым, на второй — плечи Дж. Мюррея опустились.

— Обезоруживает, а? — спросил Сэнди.

— Всему этому наверняка есть какое-то объяснение.

— Боюсь, единственное. В соответствии с законами штата Алабама, анализ ДНК является решающим доказательством. В отличие от вас я не являюсь знатоком Первой поправки, однако, если данная справка будет опубликована, ваша клиентка наверняка впадет в уныние. Представьте себе: иметь дочь от одного мужчины и делать вид, что бесконечно счастлива в браке с другим. Боюсь, на побережье это будет воспринято с осуждением.

— Публикуйте, — без всякой уверенности в голосе сказал Дж. Мюррей. — Меня это не беспокоит.

— А не лучше ли будет сначала согласовать вопрос с вашей клиенткой?

— По нашим законам это не имеет особого значения. Если даже она и была неверна мужу, он-то продолжал жить с ней после того, как узнал. Значит, не имел ничего против. Он не может использовать этот факт в качестве повода для развода.

— Забудьте о разводе. Она получит его, вместе с ребенком.

— А, понимаю. Лишение прав. Она снимает свои требования на принадлежащее ему имущество, а он отказывается от мысли стирать грязное белье на публике.

— Нечто вроде этого.

— Ваш клиент сошел с ума, как, впрочем, и вы. — Щеки Дж. Мюррея стали багровыми, а кулаки на секунду сжались.

Сэнди спокойно перевернул страницу папки и швырнул на стол очередной листок.

— Что это? — встревожился Дж. Мюррей.

— Прочтите.

— Мне надоело читать.

— Хорошо, это отчет частного детектива, который наблюдал за вашей клиенткой и ее приятелем за год до исчезновения моего клиента. Они бывали вместе в различных местах, но главным образом в доме моего клиента, в основном в постели, по меньшей мере шестнадцать раз.

— Подумаешь!

— Взгляните. — Сэнди протянул два снимка размером восемнадцать на двадцать два сантиметра, где были запечатлены обнаженные тела.

Дж. Мюррей искоса бросил взгляд и тут же взял фотографии в руки для более детального изучения.

Сэнди решил помочь:

— Сняты у бассейна в доме моего клиента в то время, когда он находился на семинаре в Далласе. Вы кого-нибудь узнаете?

Дж. Мюррей слегка кивнул.

— Подобных снимков у меня много, — сказал Сэнди в ожидании, пока собеседник отведет взгляд от фотографий. — Есть также три отчета от частных детективов. Мой клиент, видите ли, был в то время весьма подозрительным.

На глазах Сэнди Дж. Мюррей из самоуверенного адвоката превращался в задумчивого мыслителя — перемена, достойная юриста, внезапно понявшего, что противник выбил из его рук оружие. Он тяжело вздохнул и сгорбился во вращающемся кресле.

— Нам никогда ничего не говорят, — проронил он.

Смена лагеря. Мы и они. Адвокаты и их клиенты. Теперь он был вместе с Сэнди. Так что же им делать?

Однако Сэнди не испытывал готовности играть с Дж. Мюрреем в одной команде.

— Вынужден напомнить, я не дока в Первой поправке, но опять-таки, если эти снимки окажутся в газетах, Труди будет очень расстроена.

Взмахнув рукой, Дж. Мюррей посмотрел на часы:

— Вы уверены, что не хотите выпить?

— Абсолютно.

— Чем располагает ваш клиент?

— Откровенно говоря, я и сам пока не знаю. Да это и не принципиально. Важно то, что останется после того, как пыль осядет.

— Безусловно, он сохранил большую часть из девяноста миллионов.

— Суд обвинит его во многом, не говоря уже о возможности длительного тюремного заключения и даже смертного приговора. Этот развод, мистер Ридлтон, наименьшая из его проблем.

— В таком случае почему вы нам угрожаете?

— Он хочет, чтобы она заткнулась, хочет развестись с ней и иметь гарантии от будущих притязаний. Это должно быть сделано сейчас.

— А если нет? — Дж. Мюррей ослабил узел галстука и сгорбился еще больше. День клонился к вечеру, ему нужно было идти домой. После некоторого раздумья он добавил: — Она же теряет все. Ваш клиент знает об этом? Страховая компания выжмет ее до капли.

— Победителей здесь нет, мистер Ридлтон.

— Позвольте мне переговорить с ней.

Собрав бумаги и снимки, Сэнди медленно двинулся к двери. Изобразив на лице печальную улыбку, Дж. Мюррей протянул ему руку. И тут, как бы вспомнив в самый последний момент, Сэнди сообщил об анонимной записке, полученной в его офисе в Новом Орлеане. Речь в записке шла о том, что Лэнс начал поиски наемного убийцы. Неизвестно, можно ли этому верить, заметил Сэнди, но обсудить с шерифом и людьми из ФБР наверняка стóит.

Они обменялись еще несколькими словами. Ридлтон обещал все рассказать своей клиентке.

7*

ГЛАВА 21

Перед уходом домой Хайани решил заглянуть к Патрику. Было довольно поздно, на улице почти стемнело. Своего пациента доктор увидел в спортивных трусах за столом в единственном свободном углу палаты. Небольшой стол освещался выпрошенной у медсестры лампой. Из одного пластикового стаканчика торчали карандаши и ручки. В другом лежали скрепки, резинки, коробочки с грифелями для карандаша, принесенные обслуживающим персоналом. Имелись даже три новых блокнота.

Патрик работал. На углу стола высилась впечатляющая пачка юридических документов: он просматривал предъявленные ему судебные иски, когда в третий раз за день к нему зашел его лечащий врач.

— Располагайтесь, — предложил Патрик.

Под самым потолком висел огромный телевизор. Спинка стула находилась в нескольких сантиметрах от края постели.

— Неплохо, — бросил Хайани.

В госпиталях слухи распространяются намного быстрее, чем где бы то ни было. На протяжении двух дней весь персонал шептался о новой юридической фирме, начавшей работать в палате номер триста двенадцать.

— Надеюсь, с докторами вы судиться не собираетесь?

— Нет. За тринадцать лет занятий юриспруденцией я ни разу не возбудил дела против врача. Или больницы. — Встав, Патрик повернулся к Хайани.

— Я сразу понял, что вы мне понравитесь. — Врач осторожно осмотрел следы ожогов на груди Патрика. — Как вы себя чувствуете?

— Прекрасно, — заверил его Патрик.

Любопытные сестры, заглядывавшие в палату каждые полчаса, никогда не забывали задать ему этот вопрос: «Как вы себя чувствуете?» «Прекрасно», — отвечал им Патрик.

— Вы спали сегодня? — Хайани занялся его левым бедром.

— Нет. Без таблеток сон не приходит, а принимать их днем мне не хочется.

Правда же заключалась в том, что при снующих туда и сюда сестрах и сиделках никакой сон был невозможен.

Усевшись на край постели, Патрик посмотрел на врача:

— Могу я вам кое-что сказать?

Хайани поднял голову:

— Конечно.

Патрик скосил глаза влево и вправо, словно опасался увидеть торчащие из углов уши.

— В бытность юристом, — негромко начал он, — у меня имелся клиент, банкир, которого уличили в растрате. Мужчина сорока с небольшим, женат, трое детей-подростков. Отличный парень, но совершил глупость. Его арестовали дома поздно ночью и привезли в окружную тюрьму. Она была переполнена, так что пришлось делить камеру с двумя молодыми хулиганами и чернокожими, отвратительными до невозможности. Прежде всего ему заткнули рот. Потом его избили, а потом сделали такое, о чем лучше не говорить. Через два часа после того, как его схватили в гостиной, где он сидел перед экраном телевизора, он валялся полумертвый в тюремной камере в трех километрах от дома. — Патрик низко опустил подбородок и потер переносицу.

Хайани коснулся его плеча.

— Вы не должны допустить, чтобы такое же случилось и со мной, док, — сказал Патрик напрягшимся голосом; глаза его повлажнели.

— Не беспокойтесь.

— Меня ужасает сама мысль об этом, а по ночам душат кошмары.

— Даю вам слово, Патрик.

— Видит Господь, я уже достаточно испытал.

— Обещаю, Патрик.

* * *

Очередного следователя, суетливого маленького человечка, звали Уоррен. Он курил сигарету за сигаретой и смотрел на мир сквозь толстые темные очки. Глаза его оставались невидимыми. Левая рука подносила ко рту сигарету, правая работала ручкой. Скорчившись над аккуратными стопками бумаги, он задавал вопросы игравшему скрепкой Стефано, чей адвокат сражался с ноутбуком.

— Когда вы создали свой консорциум? — спросил Уоррен.

— Потеряв след в Нью-Йорке, мы решили выждать. Слушали и собирали информацию. Проверили все, что имелось. Пусто. След быстро остывал, и мы поняли, что поиски отнимут еще очень много времени. Я встретился с Бенни Арициа, который изъявил желание финансировать розыски. Затем состоялся разговор с людьми из «Монарх-Сьерры» и «Нозерн кейс мьючуэл», и они тоже выразили согласие. «Нозерн кейс мьючуэл» только что выплатила два с половиной миллиона вдове Лэнигана. Компания не могла обратиться в суд с иском о возвращении этих денег, поскольку отсутствовали какие-либо доказательства того, что он жив. Нам было выделено полмиллиона. С «Монарх-Сьеррой» получилось несколько сложнее: на то время они ничего не платили, а должны были перевести четыре миллиона.

— «Монарх» выдал фирме страховку от злоупотреблений сотрудников?

— Нечто подобное. Это было дополнение о совершении преступления к обычному пункту об ошибках и упущениях персонала. Оно обеспечивало фирме защиту от мошенничества или кражи, совершенных ее работниками или партнерами. Так как Лэниган обокрал фирму, «Монарх-Сьерра» была обязана платить, ограничиваясь максимальным размером в четыре миллиона долларов.

— Однако ваш клиент, мистер Арициа, получил свои деньги, так?

— Да. Он первым предъявил иск на потерянные шестьдесят миллионов, хотя у фирмы уже не оставалось никаких активов. Тем не менее было решено выплатить деньги из страхового полиса. Мы сели вместе и подписали сделку. «Монарх-Сьерра» обещала отдать деньги, если мистер Арициа даст слово потратить миллион на поиски Патрика Лэнигана. Арициа выразил готовность сделать это при условии, что второй миллион выделит «Монарх-Сьерра».

— Таким образом вы получили миллион от Арициа, миллион от «Монарх-Сьерры» и полмиллиона от «Нозерн кейс мьючуэл». Всего два с половиной.

— Да, таково было первоначальное соглашение.

— А что юридическая фирма?

— Она предпочла не участвовать. По правде говоря, и денег-то не было. Да и от шока партнеры Лэнигана никак не могли оправиться. Но в самом начале они оказывали нам помощь другими способами.

— А все остальные заплатили?

— Да. Деньги поступили на банковский счет моей конторы.

— Сколько осталось сейчас, после того как поиски завершились?

— Почти ничего.

— Сколько вы потратили?

— Примерно три с половиной миллиона. Около года назад фонд иссяк. Страховые компании в новых средствах отказали. Мистер Арициа добавил пятьсот тысяч, а потом еще триста. В общей сложности он дал миллион девятьсот.

Фактически эта сумма уже достигла двух миллионов — после того как Бенни согласился потратиться еще и на поиски девчонки. Но в ФБР об этом не знали.

— И как вы распорядились деньгами?

Стефано посмотрел в свои записи.

— Почти миллион ушел на зарплату сотрудникам, разъезды и другие расходы, связанные с поисками. Миллион пятьсот тысяч — на выплаты за информацию. Ровно миллион получила моя контора в качестве гонорара.

— Вам заплатили миллион долларов? — спросил Уоррен, едва заметно повысив голос.

— Да. За четыре года.

— Расскажите о плате за информацию.

— Первым делом мы установили фонд вознаграждения за любую информацию об исчезновении Патрика Лэнигана. Ваши люди знали об этом, но считали, что фонд учредила его фирма. Мы же просто пошли туда и убедили Чарлза Богена объявить о выплате вознаграждения за информацию. Он обратился в газеты и пообещал для начала пятьдесят тысяч. Суть нашей договоренности сводилась к тому, что Боген даст нам знать, если кто-нибудь к ним обратится.

— ФБР об этом ничего не известно.

— Нет, ФБР знало о вознаграждении и не возражало. Однако наши условия с Богеном оставались в тайне. Мы хотели первыми получить доступ к любой информации. Речь шла не о недоверии ФБР, мы просто рассчитывали отыскать Лэнигана и деньги сами.

— Сколько людей было занято поисками на тот момент?

— Около десятка.

— Где находились лично вы?

— Здесь. Но в Билокси наведывался по меньшей мере раз в неделю.

— В ФБР знали о том, что вы делаете?

— Нет. Насколько мне известно, до прошлой недели ФБР даже не подозревало о нашем участии.

В лежавшей перед Уорреном папке это наверняка было зафиксировано.

— Продолжайте.

— Второй, третий, четвертый месяц мы не получали ничего нового. Сумму вознаграждения подняли сначала до семидесяти пяти тысяч, потом до сотни. Боген разругался из-за этого со всеми своими тупоголовыми коллегами. В августе девяносто второго ему позвонил юрист из Нового Орлеана и заявил, что его клиенту кое-что известно об исчезновении Лэнигана. Прозвучало это вполне убедительно, и мы отправились в Новый Орлеан, чтобы встретиться с ним.

— Как его звали?

— Рауль Лозьер.

— Вы виделись с ним?

— Да, на Лойола-стрит.

— Кто еще из вашей конторы присутствовал?

Стефано бросил взгляд на своего адвоката и объяснил:

— Наш бизнес построен на конфиденциальности. Мне не хотелось бы называть имен моих коллег.

— Он не обязан делать это, — подал голос адвокат, и вопрос был снят.

— Отлично. Продолжайте.

— Лозьер оказался человеком серьезным, воспитанным и заслуживающим доверия. Он был хорошо подготовлен к разговору, а об исчезновении Патрика Лэнигана и денег знал, похоже, абсолютно все. У него имелась папка, полная газетных вырезок, все пронумеровано, указаны даты. Он вручил нам четырехстраничный документ, где излагалось то, что было известно его клиенту.

— Перескажите вкратце. Потом я прочту его.

— Само собой, — кивнул Стефано. — Клиентом оказалась молодая женщина по имени Эрин, учившаяся в медицинском колледже в Тулейне. Она не так давно развелась и, чтобы свести концы с концами, работала по вечерам в большом книжном магазине крупного торгового центра. Примерно в январе девяносто второго она обратила внимание на покупателя, задержавшегося у секции книг по туризму и иностранным языкам, — крепко сложенного, с черной седоватой бородкой и несколько нервного. Одет он был в костюм. Времени почти девять вечера, зал практически пуст. Мужчина выбрал курс иностранного языка: двенадцать кассет, учебники, все упаковано в одну коробку, и направился к кассе, где сидела Эрин. В этот момент в зал вошел другой покупатель. Первый тут же скрылся за стеллажом и поставил коробку на место. Появившись с противоположной стороны, он попытался проскользнуть мимо вошедшего, явно знакомого, с которым ему не хотелось вступать в разговор. Но у него ничего не вышло. Второй повернул голову и воскликнул: «Патрик, давно же мы не виделись!» Завязалась беседа, говорили об успехах в карьере. Эрин слышала каждое слово — больше покупателей не было. Как женщина аккуратная, она привыкла на все обращать внимание.

Первый человек, которого назвали Патриком, торопился поскорее уйти из магазина и, выбрав удобный момент, распрощался со своим знакомым. Через три дня, примерно в тот же час, он появился вновь. Эрин на этот раз уже не сидела за кассой, а раскладывала по полкам товар. Она заметила, как вошел покупатель, узнала его, вспомнила имя Патрик и стала наблюдать за ним. Мужчина посмотрел в сторону кассы, понял, что там сидит другая кассирша и закружил по залу, приближаясь к секции книг по туризму и иностранным языкам. Сняв с полки тот же курс, он подошел к кассе, расплатился наличными и быстро вышел. Отдал почти три сотни долларов. Эрин смотрела ему вслед. Он не видел ее, а если и видел, то не узнал.

— Что это был за язык?

— Хороший вопрос. Три недели спустя Эрин прочла в газете о гибели Патрика Лэнигана в ужасной автокатастрофе. Там же была помещена и его фотография. Еще через шесть недель весь город говорил об украденных из его фирмы деньгах, и вновь с газетного листа на нее смотрело знакомое лицо.

— В книжном были установлены телекамеры охраны?

— Нет. Мы проверили.

— Так что насчет языка?

— Лозьер не сказал нам. Во всяком случае, не сразу. Мы предлагали сто тысяч за надежную информацию о местонахождении Лэнигана. Лозьер же вместе со своим клиентом хотел получить эту сумму, назвав нам всего лишь язык. Мы торговались три дня, но все без толку. В конце концов он позволил переговорить с Эрин. После шестичасовой беседы и проверки каждого сказанного ею слова мы согласились заплатить деньги, все сто тысяч.

— Бразильский португальский?

— Да. Мир внезапно сузился.

Как и каждый юрист, Дж. Мюррей Ридлтон далеко не первый раз попал в подобную ситуацию. Дело, надежное, как гранит, разваливалось на глазах. Карты, которыми он играл, оказались мечеными.

Из желания хоть как-то компенсировать свое унижение, а отчасти желая отомстить, он, перед тем как опустить топор, дал Труди возможность расправить перышки.

— Супружеская измена! — трагически прошептала Труди с оскорбленным видом пуританки-девственницы.

Даже Лэнс бросил на нее изумленный взгляд и, приблизившись, взял за руку.

— Знаю-знаю, — сказал Дж. Мюррей примерно таким же тоном. — Это происходит при каждом разводе. Начинаются гадости.

— Я убью его, — пробормотал Лэнс.

— Об этом поговорим чуть позже, — повернулся к нему адвокат.

— С кем? — мужественно спросила Труди.

— С Лэнсом. Утверждают, что измена имела место до, во время брака и после похорон. Говорят даже, что все это началось еще в школе.

В девятом классе, если соблюдать точность.

— Идиот, — сказал Лэнс без особой уверенности.

Труди кивком выразила согласие. Дикарь. Затем она с тревогой осведомилась:

— И какие у него есть доказательства?

— А вы собираетесь отрицать это? — Дж. Мюррей решил захлопнуть мышеловку.

— Категорически, — негодующе фыркнула Труди.

— Естественно, — добавил Лэнс. — Он — законченный лжец.

Сунув руку в ящик стола, Дж. Мюррей достал полученный от Сэнди отчет.

— Видимо, Патрика мучили подозрения на протяжении всей вашей совместной жизни. Он нанял частных детективов, чтобы они пошарили поосновательнее. Вот, например, только один отчет.

Какое-то мгновение Труди и Лэнс смотрели друг на друга. Оба тут же поняли, что попали в западню. Отрицать связь, длившуюся более двадцати лет, было невозможно и бессмысленно. Ну так что же? Мелочь!

— Я обобщу, — предложил Дж. Мюррей и ограничился перечислением дат, времени дня и мест встреч.

Труди и Лэнс нисколько не смутились, хотя узнать о том, что подробности их отношений подробно задокументированы, было неприятно.

— Будете по-прежнему отрицать? — спросил Дж. Мюррей, закончив.

— Такую чушь может написать каждый, — выговорил Лэнс.

Труди хранила молчание.

Адвокат вытащил другой отчет — о семи месяцах, предшествовавших исчезновению Патрика. Даты, время суток, места свиданий. Когда Патрик выезжал из города, его тут же замещал Лэнс. Каждый раз.

— Эти ищейки могут давать свидетельские показания в суде? — поинтересовался Лэнс.

— В суд мы не пойдем, — ответил Дж. Мюррей.

— Почему? — спросила Труди.

— Потому. — Он швырнул на стол восемь крупноформатных цветных фотоснимков.

Увидев свою фотографию в обнаженном виде и рядом Лэнса, Труди чуть не задохнулась. Пораженный не менее своей подруги, Лэнс чуть заметно улыбнулся. Похоже, снимки пришлись ему по вкусу.

В молчании они передавали друг другу снимки. Улучив момент, Дж. Мюррей сказал:

— Вы позволили себе быть чересчур беспечными.

— Оставьте свой менторский тон, — бросил Лэнс.

Как и следовало ожидать, Труди расплакалась. На ее глазах заблестели слезы, верхняя губа дрогнула, носик сморщился, и щеки мгновенно стали мокрыми. Всегда они начинают плакать, подумал адвокат, и не из-за того, что согрешили, а из-за цены, которую приходится платить за свои грехи.

— Мою дочь он не получит, — со злостью сказала Труди сквозь слезы. Дальнейшие слова утонули в рыданиях.

Стоявший рядом Лэнс попытался ее успокоить.

— Простите, — выговорила Труди, утирая слезы.

— Не принимайте все так близко к сердцу, — без намека на сочувствие в голосе сказал Дж. Мюррей. — Ребенок ему не нужен.

— Почему? — Влага на ее лице мгновенно высохла.

— Ее отец не он. — Адвокат вытащил третий лист. — Когда девочке было четырнадцать месяцев, Лэниган взял у нее образец крови и послал на анализ ДНК. Он просто не может быть ее отцом.

— Тогда кто... — начал было Лэнс, однако так и не сумел закончить мысль.

— Это зависит от того, кто еще был рядом, — с готовностью подсказал Дж. Мюррей.

— Рядом никого не было, — язвительно отозвалась Труди.

— Кроме меня, — признался Лэнс и медленно прикрыл глаза.

Внезапно свалившееся отцовство тяжелым грузом легло на его плечи. Лэнс терпеть не мог детей. Он мирился с Эшли Николь лишь потому, что та была дочерью Труди.

— Поздравляю в таком случае! — Дж. Мюррей достал из ящика дешевую сигару и бросил Лэнсу. — У вас девочка! — Он громко захохотал.

Труди кипела от злости, Лэнс крутил в пальцах сигару. Когда Дж. Мюррей насмеялся вволю, она спросила:

— Так что же мы имеем?

— Все очень просто. Вы отказываетесь от всех прав на его имущество, а он дает вам развод, ребенка и все, что вы еще захотите.

— Чем он сейчас владеет?

— В настоящий момент это неизвестно даже его адвокату. Вашему мужу грозит смертный приговор, так что деньги, возможно, никогда не будут найдены.

— Но я же потеряю все! — воскликнула Труди. — Посмотрите, что он со мной сделал! Когда он погиб, я получила два с половиной миллиона, а теперь страховая компания готова пустить меня по миру с протянутой рукой.

— Труди имела право на эту сумму, — вставил Лэнс.

— Я могу привлечь его за обман, мошенничество или что-то в этом роде? — взмолилась она.

— Нет. Слушайте, все намного проще. Вы получаете развод и ребенка. Патрик сохраняет за собой деньги. И все заканчивается тихо. В противном случае он расскажет о вашей двойной жизни газетчикам. — Дж. Мюррей побарабанил пальцами по отчетам и фотографиям. — Это будет весьма унизительно. Вы уже ворошили ваше грязное белье на публике. Лэниган считает, что тоже имеет на это право.

— Где я должна расписаться? — спросила Труди.

Дж. Мюррей налил всем присутствующим водки, а через весьма короткое время — и по второму разу. В конце концов речь зашла о дурацких слухах: Лэнс, оказывается, бросился на поиски наемного убийцы. Мгновенно посыпались гневные возражения, и адвокату пришлось признать, что он и сам не поверил этой глупости.

Сколько же слухов ходит по побережью!

ГЛАВА 22

Наблюдение за Сэнди Макдермоттом началось в восемь утра, сразу, как только он выехал за пределы Нового Орлеана и влился в поток машин, следовавших по автостраде номер десять. Довели его до озера Пончатрейн, где поток транспорта стал менее плотным. Его автомобиль обогнали и по радиотелефону сообщили, что адвокат направляется по дороге в Билокси. Следить за Сэнди было нетрудно. Проблемы возникнут с прослушиванием. У Гая имелись «жучки» для офиса и дома Сэнди, один планировали поставить даже в машине, однако решение об их установке пока не было принято. Боялись рисковать. Особенно беспокоился Арициа. Он вступил в спор со Стефано и Гаем, говоря, что Сэнди мог разгадать их намерения и поэтому даже сейчас опасается обсуждать серьезные вещи, находясь в помещении.

Сэнди не смотрел через плечо, да и впереди себя видел не так уж много. Он просто вел машину, двигаясь вперед и стараясь не зацепить никого рядом. Мысли его были далеко.

С точки зрения стратегии битвы, затеянные Лэниганом, еще не были проиграны. Иски «Монарх-Сьерры», его юридической фирмы и Арициа легли на и без того переполненные столы судейских чиновников, так что формальная реакция на них требовалась от Сэнди лишь через месяц. Следственные действия и допросы начнутся не ранее чем через три месяца и продлятся целый год. На суд можно рассчитывать только спустя года два. Примерно то же самое и с иском Патрика к ФБР: в один прекрасный день в него потребуется внести дополнения относительно мистера Стефано и его консорциума. Дело обещает быть исключительно интересным, однако Сэнди сильно сомневался в том, что ему представится возможность участвовать в нем.

Ситуация с разводом вполне управляема.

В центре внимания адвоката оставалось обвинение в умышленном убийстве. Будучи наиболее серьезной из всех проблем, с которыми столкнулся Патрик, оно являлось также и первоочередной. В соответствии с законом Патрика должны были судить не позднее, чем через двести семьдесят дней после вынесения обвинения.

Как считал Сэнди, обвинение, построенное на имевшихся уликах, было весьма шатким. Отсутствовали такие важнейшие доказательные элементы, как установление личности погибшего и обстоятельств его смерти, а также свидетельства того, что убийцей явился именно Патрик Лэниган. Все зависело от множества мельчайших деталей, и суду никуда не деться от весьма широких обобщений.

Однако вполне можно было предвидеть, что обвинение будет исходить и из сложившегося общественного мнения. К теперешнему моменту в радиусе сотни километров от Билокси каждый знал картину происшедшего, и фактически было невозможно найти человека, который не считал бы, что Патрик убил кого-то с целью инсценировать собственную смерть, а потом украсть девяносто миллионов долларов. Безусловно, кое-кто восхищался им, мечтая о новой жизни под новым именем и с полными карманами денег. Но в состав жюри присяжных эти люди не войдут. Большинство жителей округа, если судить по разговорам в кафе и слухам в коридорах суда, считали его виновным. Пусть посидит за решеткой. Правда, к смертной казни склонялись очень немногие, оставляя ее для насильников и тех, кто убивал полицейских.

Главное сейчас — обеспечить безопасность Патрика. Документы из папки на Лэнса, доставленные предыдущим вечером самой Лиа в очередной гостиничный номер, рисовали его человеком с взрывным характером и склонным к насилию. Он боготворил оружие и вынужден был даже отвечать на вопросы присяжных по поводу нелегального его сбыта через ломбард. Позже обвинение сняли. В дополнение к трехгодичному сроку за контрабанду наркотиков Лэнса также приговаривали к двухмесячной отсидке за драку в баре Галфпорта, хотя все ограничилось несколькими днями. Имелись еще два ареста: за другую драку и за сопротивление полиции.

Если Лэнса привести в надлежащий вид, он будет выглядеть вполне прилично: красивый, стройный. Он умел одеваться и вести непринужденную болтовню за бокалом коктейля, нравился женщинам. Однако его выходы в свет всегда были весьма кратковременными. Душа Лэнса принадлежала улице, по которой он прогуливался с ростовщиками, букмекерами, торговцами краденым и наркодельцами — аристократией местного преступного мира. Это были его друзья. Патрик знал о них: в папке лежало не менее десятка кратких биографических справок на приятелей Лэнса. У каждого — криминальное прошлое.

Поначалу Сэнди весьма скептически относился к тому, что считал паранойей Патрика. Теперь же он верил ему. Зная не так уж много о преступном мире, он в силу своей профессии время от времени вынужден был общаться с его представителями. Слышать о том, что за пять тысяч долларов можно убрать кого угодно, ему приходилось неоднократно. На побережье это стоило даже дешевле.

У Лэнса наверняка было больше, чем пять тысяч. К тому же он имел вескую причину устранить Патрика. Страховой полис, сделавший Труди богатой, не исключал никаких видов смерти, кроме самоубийства. Выпущенную в голову пулю можно с уверенностью приравнять к автокатастрофе или разрыву сердца. К чему угодно. Мертвый — он и есть мертвый.

Побережье никогда не было для Сэнди его территорией. Он не знал шерифов и их заместителей, судей, клерков, членов местной ассоциации адвокатов. Вот почему, подозревал он, именно на нем Патрик и остановил свой выбор.

Голос Суини в телефонной трубке был далеко не приветливым. Шериф сказал, что занят, а, кроме того, разговоры с адвокатами означают, как правило, пустую трату времени. Да, он в состоянии выкроить несколько минут в половине десятого, если не случится ничего непредвиденного. Прибыв чуть раньше, Сэнди налил в стаканчик кофе из стоявшей возле голубого баллона с охлажденной водой кофеварки. Вокруг с озабоченным видом сновали чиновники. В дальнем конце здания располагалась набитая постояльцами тюрьма.

Суини провел Сэнди в кабинет — спартанского вида комнату с давно отслужившей свой век казенной мебелью и выцветшими фотографиями улыбающихся политиков на стенах.

— Садитесь. — Устраиваясь за столом, Суини кивнул на колченогий стул.

Сэнди сел.

— Вы не против? — Шериф нажал кнопку записи стоявшего в центре стола огромного магнитофона. — Я привык фиксировать все, — объяснил он.

— Пожалуйста. — Выбора у Сэнди все равно не было. — Спасибо, что нашли время для встречи.

— Нет проблем.

Однако не помешало хотя бы улыбнуться или как-то иначе дать понять, что визит не тяготит его. Шериф закурил сигарету и отпил из дымящегося стаканчика глоток кофе.

— Я сразу перейду к сути, — предупредил Сэнди. — Я получил известие, что жизни Патрика Лэнигана может угрожать опасность. — Врать Сэнди ненавидел, однако в сложившихся обстоятельствах ничего другого не оставалось: так хотел его клиент.

— С чего это кому-то ставить вас в известность об опасности, угрожающей вашему клиенту? — спросил Суини.

— Мои люди тоже ведут расследование. До кого-то из них дошел слух, только и всего.

По лицу Суини невозможно было понять, поверил он услышанному или нет. Затянувшись дымом, шериф размышлял. На прошлой неделе ему пришлось выслушать немало подробностей о деле Патрика Лэнигана. На каждом шагу только о его приключениях и судачили. Слухов о наемном убийце было несколько, и Суини решил, что сеть его осведомителей шире, чем у сидящего напротив адвоката, да еще прибывшего из Нового Орлеана. Но пусть выговорится.

— Вы кого-то подозреваете?

— Да. Имя — Лэнс Макса. Уверен, вы знаете его.

— Знаем.

— Он занял место Патрика в доме Труди почти сразу же после похорон.

— Кое-кто считает, что это Патрик занял его место. — Суини впервые улыбнулся.

Сэнди явно был на чужой территории. Шериф располагал более обширной информацией, чем он.

— В таком случае вы, по-видимому, знаете о Лэнсе и Труди все, — с некоторым беспокойством сказал Сэнди.

— Пожалуй. У нас принято следить за тем, что происходит в городе.

— Не сомневаюсь. Как бы то ни было, вам известно: Лэнс — довольно неприятная личность. Я слышал, сейчас он занялся поисками наемного убийцы.

— И сколько же он предлагает? — скептически спросил Суини.

— Не знаю. Но деньги у него есть, как и причина.

— Это мне уже приходилось слышать.

— Тем лучше. Что же вы собираетесь предпринять?

— Относительно чего?

— Относительно обеспечения безопасности моего клиента.

— Он находится на военной базе, в палате госпиталя, которую охраняют мои заместители и люди из ФБР. Не уверен, что правильно понял вашу мысль.

— Послушайте, шериф, я вовсе не собираюсь учить вас.

— Да ну?

— Нет. Попытайтесь понять, что мой клиент в настоящее время совершенно запуган. Действую я по его поручению. За ним четыре года велась настоящая охота. И вот его поймали. У него начались слуховые галлюцинации. Он видит некие тени, которых больше не замечает никто. Он убежден, что его попытаются убить, и рассчитывает на вашу помощь.

— Он находится в безопасности.

— Пока. А что, если вы поговорите с Лэнсом и расскажете ему об этих слухах? Когда он поймет, что вы контролируете ситуацию, то вряд ли решится на какую-то глупость.

— Лэнс — глупец.

— Может быть, но Труди — нет. Если ей станет ясно, что их план раскрыт, Лэнсу и делать ничего не придется.

— Она всегда мастерски управляла им.

— Именно так. Она не пойдет на такой риск.

Закурив новую сигарету, Суини бросил взгляд на часы.

— Что-нибудь еще? — спросил он, поднимаясь из-за стола.

— Один момент, — встрепенулся Сэнди. — Повторяю, я не хочу совать нос в ваши дела. Патрик испытывает к вам безмерное уважение, это правда, и тем не менее он считает, что сейчас находится в самом безопасном месте.

— Надо же!

— Тюремная камера таит для него угрозу.

— Об этом стоило подумать до того, как кого-то убить.

Пропустив фразу мимо ушей, Сэнди пояснил:

— В госпитале легче обеспечить его защиту.

— А вы бывали в моей тюрьме?

— Нет.

— Тогда не рассказывайте мне сказок о том, насколько она опасна. Я делаю свою работу уже долгие годы, ясно?

— Я не рассказываю вам сказок.

— Как же! Вы просидели здесь уже больше пяти минут. Что-нибудь еще?

— Нет.

— Отлично. — Суини направился к двери.

Достопочтенный судья Карл Хаски прибыл на военно-воздушную базу «Кеслер» во второй половине дня и неторопливо прошел мимо охраны к госпиталю. Он чувствовал себя усталым в самом разгаре тянувшегося уже неделю процесса над наркодельцами. Сюда его привел звонок Патрика.

На похоронах Лэнигана Хаски сидел рядом с Макдермоттом. В отличие от Сэнди он поддерживал дружеские связи с Патриком до последнего дня. Познакомились они в ходе судебного разбирательства, где интересы одной из сторон представлял Патрик. Было это вскоре после приезда в Билокси. Чувство взаимной симпатии, как нередко бывает среди еженедельно встречающихся судей и адвокатов, объединяло их. Обедая раз в месяц в местной ассоциации юристов, они дружески болтали за отвратительной едой, а однажды на рождественской вечеринке здорово перебрали спиртного. Пару раз в год играли в гольф.

Знакомство их было легким и необременительным, первые три года Патрика в Билокси оно никак не могло считаться тесной дружбой. Активное сближение началось за несколько месяцев до его исчезновения. Сейчас, когда Карл мысленно оглядывался, припоминая то время, он думал, что должен был еще тогда заметить происходившие в Патрике перемены.

В течение месяцев, последовавших за исчезновением Лэнигана, юристы, которые знали Патрика лучше других, в том числе и Карл, любили по пятницам вечером посидеть за выпивкой в нижнем баре ресторанчика Мэри Мэхони, строя порой невероятные умозаключения относительно загадочного случая с их знакомым.

В этих разговорах Труди получила сполна, хотя, по мнению Карла, она была слишком легкой мишенью. На первый взгляд их брак не представлялся неудачным. Патрик на эту тему никогда ни с кем не говорил, во всяком случае, у Мэри Мэхони. Поведение Труди после похорон, в частности покупка красного «роллс-ройса» и появление в ее доме «старого приятеля», равно как и наплевательское отношение к окружающим, которое она усвоила сразу по получении страховки, огорчило многих, так что ни о какой объективности суждений не могло быть и речи. До исчезновения Патрика никто и не предполагал, что у его законной супруги есть кто-то на стороне. Служащий городского архива Бастер Гиллеспи, завсегдатай бара, искренне восхищался Труди. Одно время она работала с его женой в какой-то благотворительной организации, и Бастер чувствовал себя обязанным говорить ей что-нибудь приятное. Однако он был, пожалуй, единственным, кто не перемывал Труди косточки.

Одной из причин, подтолкнувших Патрика к трагическому решению, стала чудовищная нагрузка на работе. Это было несомненно для всех. Фирма в те дни процветала, и Патрик из кожи вон лез, чтобы стать партнером. Он постоянно засиживался в своем кабинете допоздна над теми делами, от которых отказывались его коллеги. Даже рождение Эшли Николь не заставило его проводить больше времени дома. Он сделался партнером, проработав в фирме всего три года, о чем знали немногие. Патрик сам шепнул Карлу об этом после какого-то заседания суда, причем в голосе его отсутствовал малейший намек на хвастовство.

Выглядел он усталым и подавленным, как, собственно, и большинство юристов, появлявшихся на пороге кабинета Карла Хаски. Но наиболее заметные перемены произошли во внешности Патрика. Имея рост ровно метр восемьдесят, он постоянно твердил, что никогда не был худосочным. Уверял, будто в колледже очень полюбил спортивную ходьбу и проходил по сорок пять километров в неделю. Но откуда у заваленного работой юриста свободное время? Патрик начал прибавлять в весе, а в последний год жизни в Билокси его просто разнесло. На сыпавшиеся со всех сторон ехидные шутки он не обращал никакого внимания. Карл несколько раз по-дружески попенял ему, что он слишком много ест. Это ни к чему не привело. За месяц до исчезновения Патрик признался Карлу во время обеда, что весит девяносто три килограмма и Труди не дает ему из-за этого проходу. Сама она вместе с Джейн Фондой на экране два часа в день занималась аэробикой и была сложена как фотомодель.

Еще Патрик сказал, что беспокоится по поводу повысившегося давления и намеревается сесть на диету. Мысль эту Карл приветствовал. Позже Хаски, правда, выяснил, что никаких проблем с давлением у Патрика не было.

И возросший вес, и его мгновенный сброс — все теперь казалось ему абсолютно логичным.

Как и борода. Патрик впервые отрастил ее в ноябре девяностого года, сказал, что это охотничья бородка. В Миссисипи подобная растительность на лице даже у юриста не казалась чем-то необычным. Воздух в этих местах довольно прохладный, а тестостерона в крови хоть отбавляй. Мальчишество. Патрик не брился, и Труди издевалась над этим тоже. Со временем в бороде стало пробиваться все больше седины. Друзья Патрика к этому привыкли, а она — нет.

Патрик несколько отпустил волосы — так что теперь они опускались на уши. Карл называл его за это Джимми Картером семьдесят шестого года выпуска. Патрик отговаривался тем, что его парикмахер уехал, а найти другого такого же хорошего не удается.

Он одевался со вкусом и двигался весьма легко, несмотря на избыточный вес. Но ведь в то время он был слишком молод, чтобы махнуть на себя рукой.

За три месяца до исчезновения из Билокси Патрик смог убедить партнеров в том, что фирме необходимо выпустить собственный проспект. Казалось бы, ничего грандиозного, однако идея захватила его целиком. Хотя предполагалось, что Патрику ничего не известно, фирма уже почти договорилась с Арициа, и в воздухе запахло деньгами. Амбиции стремительно взлетели. Очень солидная фирма вот-вот станет и очень богатой, так почему не сказать о самих себе доброе слово в хорошо изданной брошюре? Все пятеро партнеров высказались за услуги профессионального фотографа, после чего потратили ровно час на позирование для группового снимка. Патрик отпечатал проспект в пяти тысячах экземпляров, и его работа получила самую высокую оценку коллег. Вот и он сам, на второй странице, — толстый, бородатый и длинноволосый, ничуть не похожий на того Патрика Лэнигана, которого привезли из Бразилии.

Газеты использовали этот снимок, когда поместили сообщение о его смерти. Во-первых, это была его последняя фотография, а во-вторых, Патрик сам отослал экземпляр проспекта в местную газету — вдруг фирма захочет разместить на ее страницах рекламу. Господи, они еще смеялись над этим у Мэри Мэхони, когда он прикреплял увеличенную копию снимка к стене конференц-зала. А Боген, Витрано, Рэпли и Хаварек в своих мрачно-синих костюмах и с серьезными улыбками на лицах!

Патрик же в это время готовился убыть в неизвестные дали.

Позже, уже после того как Лэниган оставил их, собравшиеся у Мэри Мэхони частенько поднимали тосты в его честь, гадая, где он может быть. Они желали Патрику всяческого добра и размышляли о его деньгах. Время шло, постепенно проходило потрясение, вызванное исчезновением друга и собутыльника. Однажды собравшиеся в баре серьезно поспорили о жизни и поступках Патрика, что и положило конец их встречам. Месяцы сменялись годами. Патрика Лэнигана уже почти не рассчитывали найти.

И все же Карлу было трудно в это поверить. Зайдя в кабину лифта, он в одиночестве поднялся на третий этаж.

Интересно, а сам он когда-нибудь рассчитывал увидеть Патрика вновь? Загадки, загадки. Еще один трудный день в суде, и он начнет представлять Лэнигана в окружении прекрасных девушек где-нибудь на залитом солнцем песке. Еще один год без повышения в окладе, и он примется размышлять о судьбе девяноста миллионов. Пройдет слух о том, что фирма Богена переходит в другие руки, и он станет укорять Патрика за ее разорение. Нет, нет, правда заключалась в том, что Карл думал о Патрике по той или иной причине каждый день, начиная с того самого, как он исчез.

Ни сестер, ни других пациентов в коридоре не было. У двери в палату стояли двое помощников шерифа.

— Добрый вечер, судья, — сказал один.

Ответив на приветствие, Карл Хаски вошел в слабо освещенную палату.

ГЛАВА 23

Патрик сидел на постели и смотрел телевизор. Он был без майки. Жалюзи на окнах опущены, темноту в палате разгонял тусклый свет настольной лампы.

— Садись-ка сюда. — Он указал Карлу на изножье кровати.

Выждав, пока пришедший рассмотрит ожоги на груди, Патрик проворно натянул спортивную майку и скрылся под простыней.

— Спасибо за то, что пришел, — сказал он и выключил телевизор.

В палате стало еще темнее.

— Ожоги у тебя серьезные, Патрик. — Карл сел как можно дальше от него.

Патрик подтянул колени к груди. И под простыней он выглядел ужасающе худым.

— Было хуже, — сказал он, обхватывая колени руками. — Док говорит, что заживают они неплохо. Но пока мне придется здесь остаться.

— С этим нет никаких проблем, Патрик. Никто и не требует твоего перевода в тюрьму.

— Пока. Уверен, очень скоро положение изменится.

— Брось, Патрик. Решение принимать буду я.

На лице Лэнигана отразилось облегчение.

— Спасибо, Карл. Ты знаешь, что в окружной тюрьме мне не выжить.

— А как насчет Парчмэна? Там в сотню раз хуже.

Повисло долгое молчание, и Карл пожалел о сказанном. Его слова оказались слишком жестокими.

— Прости. Само как-то вырвалось.

— В Парчмэн я не поеду. Лучше покончить с жизнью.

— Понимаю. Давай поговорим о чем-нибудь другом.

— Ты не сможешь довести мое дело до конца, так?

— Да. Не смогу. Буду вынужден ретироваться.

— Когда?

— Довольно скоро.

— Кого назначат вместо тебя?

— Трассела или Лэнкса. Вероятно, Трассела.

Карл не сводил с Патрика внимательного взгляда. Выдерживать его Лэнигану удавалось с трудом. Судья ждал знакомого блеска в глазах Патрика, за которым последовали бы усмешка и хохот — как бывало, когда тот рассказывал о своих эскападах. «Ну же, Патрик, — хотелось сказать ему, — давай выкладывай, что там с тобой случилось!»

Однако глаза Патрика оставались озабоченными. Он стал другим. И все же Карл решил, что должен попробовать.

— Откуда у тебя такой подбородок?

— Купил в Рио.

— А нос?

— То же самое, там же и в то же время. Нравится?

— Красиво.

— В Рио все это можно сделать, не выходя из машины.

— Я слышал, там отличные пляжи.

— Неправдоподобно отличные.

— Ты встречался с девушками?

— Была парочка.

На темы секса Патрик никогда особенно не любил говорить. Смотреть на красивую женщину ему доставляло удовольствие, однако, насколько Карл знал, на протяжении жизни с Труди Патрик оставался верен ей. Как-то раз на охоте они обменялись впечатлениями о женах. Патрик признал тогда, что удовлетворить Труди далеко не так просто.

Опять повисла долгая пауза. Карл понял, что Патрик не очень расположен говорить. В молчании прошла минута, вторая. Карл не испытывал сожаления от того, что пришел, напротив, он был рад видеть друга.

— Послушай, Патрик, я не буду участвовать в твоем деле и здесь нахожусь не как судья. Адвокатом твоим я тоже не являюсь. Я — твой друг. Можешь говорить.

Протянув руку, Лэниган взял пакет апельсинового сока.

— Не хочешь?

— Нет.

Он сделал небольшой глоток и поставил пакет на стол.

— Романтично, а? Я имею в виду мечту пропасть, раствориться в ночи. Представляешь, восходит солнце, а ты уже кто-то другой. Все твои проблемы остались далеко позади: усталость после рабочего дня, развалившаяся семейная жизнь, мечты о богатстве. Ты ведь тоже мечтаешь об этом, Карл?

— В какой-то мере об этом мечтает каждый. Долго ты все планировал?

— Долго. У меня были серьезные сомнения в том, что ребенок мой. Я решил...

— Извини?

— Это правда, Карл. Отец не я. Труди всегда спала с другими. Я любил девочку, но чувствовал себя отвратительно. Собирал доказательства и обещал себе, что непременно объяснюсь с Труди, но всегда как-то откладывал. Странно, однако я привык к тому, что у нее есть любовник. Я собирался уйти, только не знал, как сделать это получше. Прочел пару пособий, где рассказывалось об изменении внешности и способах выправить новые документы. Оказалось, это вовсе не так трудно. Требуется только продумать все и определить порядок действий.

— Поэтому ты начал отращивать бороду и набрал двадцать килограммов.

— Да. Меня самого поразило, насколько сильно я изменился. Это было в то время, когда я стал партнером и сил у меня почти не оставалось. Женат на женщине, которая мне изменяет, играю с дочкой, которая не моя, работаю с людьми, которых на дух не выношу. У меня что-то щелкнуло в мозгу, Карл. Я отправился куда-то по делам и застрял в пробке. Сидел и смотрел на залив. У самого горизонта качался крохотный одинокий парус, и мне так захотелось оказаться под ним, захотелось уплыть куда-то, где меня никто не знает. Я чуть не выскочил из машины и не бросился в воду. По щекам потекли слезы, Карл, поверишь?

— Бывают такие дни.

— После этого я стал другим. Понял, что исчезну.

— Сколько у тебя ушло времени на подготовку?

— Нужно было запастись терпением. Многие, ощутив желание бежать, начинают спешить и делают множество ошибок. Я не терял голову. Мне не грозило разорение или жестокие кредиторы. Я застраховал свою жизнь на два миллиона долларов, на что потребовалось целых три месяца. Я же понимал, что не смогу оставить Труди и девочку с пустыми руками. Начал набирать вес, есть как умалишенный. Изменил завещание, убедил Труди, что нам обоим необходимо оставить распоряжения насчет собственной смерти и похорон. Мне даже удалось сделать это, не вызвав никаких подозрений.

— Ты хорошо придумал с кремацией.

— Благодарю. Рекомендую и тебе.

— Я имею в виду такие немаловажные детали, как установление причины смерти и опознание погибшего.

— Давай не будем об этом.

— Прости.

— А потом я услышал о мистере Бенни Арициа и его маленькой войне с Пентагоном и «Платт энд Роклэнд индастриз». Боген ужасно скрытничал по этому вопросу. Я копнул глубже и выяснил, что в сделке участвуют все: Витрано, Рэпли и Хаварек. Все, кроме меня. Они тоже изменились, Карл. Превратились в хитрых молчальников. Да, я был среди них новичком, но все же являлся партнером! Они сами единогласно проголосовали за это, а через два месяца начали водить меня за нос и вступили в сговор с Арициа. Неожиданно я стал мальчиком для разъездов, что устраивало всех. Труди совершенно спокойно проводила время так, как ей хотелось. Партнеры могли не прятаться, когда им необходимо было переговорить с Арициа. Куда меня только не отсылали, и это было просто здорово, потому что я уже начал строить планы. Однажды отправился в Форт-Лодердейл на целых три дня. Там-то я и встретил парня из Майами, который мог сделать абсолютно надежные документы. За две тысячи долларов я получил новое водительское удостоверение, паспорт, карточку социального страхования и регистрационную карточку избирателя округа Гаррисон. Мое новое имя — Карл Хилдебрандт — звучало в твою честь.

— Я польщен.

— В Бостоне мне удалось отыскать человека, который помогает людям заметать следы. Я заплатил ему тысячу за однодневный семинар. В Дейтоне нанял специалиста по наружному наблюдению, он посвятил меня в тонкости использования «жучков», микрофонов и прочего шпионского арсенала. Я был терпелив, Карл, очень терпелив. Оставался на работе допоздна, собирал информацию на Арициа. Внимательно вслушивался в каждое слово, болтал с секретаршами и копался в мусорных корзинах. Потом приступил к оборудованию кабинетов «жучками». Начал с двух, чтобы отработать технологию. Установив микрофон у Витрано, я не поверил собственным ушам. Они собирались вышвырнуть меня вон, Карл. Правда! Они знали, что Арициа заплатит им примерно тридцать миллионов, которые предстояло разделить на четверых. И не поровну. Самый большой кусок доставался, естественно, Богену — что-то около десяти миллионов, ведь он должен был подумать и о людях в Вашингтоне. Трое оставшихся удовлетворялись пятью миллионами, остальное шло на фирму. Меня они планировали выставить на улицу.

— Когда все это происходило?

— На протяжении почти всего девяносто первого года. Рассмотрение иска Арициа министерство юстиции назначило на четырнадцатое декабря девяносто первого года, а это означало, что деньги могут поступить только через девяносто дней, не раньше. Ускорить процесс не мог даже сенатор.

— Расскажи о машине.

Патрик переменил позу, а затем выбрался из-под простыни.

— Авария, — пробормотал он, потягиваясь, и направился к двери ванной. — Это было воскресенье. — Последовал взгляд в сторону Карла.

— Девятое февраля.

— Да, девятое февраля. Выходные я провел в хижине, а на обратном пути попал в аварию, погиб и отправился на небеса.

Карл внимательно, без улыбки смотрел на него.

— Давай-ка еще раз, — сказал он.

— Зачем, Карл?

— Нездоровый интерес к деталям.

— И это все?

— Обещаю. Работа была мастерской, Патрик. Как ты это проделал?

— Но кое-что мне придется опустить.

— Безусловно.

— Давай пройдемся. Надоело мне здесь сидеть.

Они вышли в коридор, где Патрик объяснил своим стражам, что им с судьей необходимо размяться. Оба помощника шерифа в отдалении последовали за ними. Сестра улыбнулась и спросила, не принести ли им чего-нибудь. Две банки кока-колы, сказал ей Патрик. В полном молчании они неторопливо добрели до конца коридора. Огромное окно выходило на стоянку. Друзья опустились на небольшой диванчик. Метрах в пятнадцати охранники остановились и повернулись к ним спиной.

Патрик был во фланелевых штанах, на ногах — легкие кожаные сандалии.

— Ты видел снимки места происшествия? — негромко поинтересовался он.

— Да.

— Я нашел его за день до аварии. Мне оно показалось идеальным местом для дорожного происшествия. В воскресенье после десяти вечера я покинул хижину. По дороге остановился у небольшой заправки с магазинчиком.

— Миссис Верхолл.

— Да. Заправил бак.

— Полностью, на четырнадцать долларов и двадцать один цент. Расплатился кредитной карточкой.

— Совершенно верно. Перебросился парой слов с миссис Верхолл и отъехал. Движения на автостраде почти не было. Через пару километров я свернул на грунтовую дорогу и тремя минутами позже оказался на выбранном месте. Остановил машину, открыл багажник, оделся. У меня был с собой комплект дорожного рабочего: каска, комбинезон, рукавицы. Я натянул все, кроме каски, поверх того, в чем ехал, вернулся на автостраду и отправился на юг. Сначала позади меня ехал какой-то автомобиль. Затем попался кто-то навстречу, я заметил огни фар. Ударил по тормозам, оставив на асфальте четкие следы. Автострада была абсолютно пустынна. Я надел каску, сделал глубокий вдох и съехал с дороги. Ощущения я испытывал жуткие, Карл.

Хаски считал, что в это время в машине Патрика уже был второй человек, живой или мертвый. Однако он решил не уточнять. Может, позже.

— Когда я съехал с дороги, скорость у меня была не больше двадцати километров в час, однако мне она казалась под сто. Машину кидало в стороны, от удара маленького деревца треснуло ветровое стекло. Я пытался лавировать, выворачивал руль и все-таки врезался в сосну. В кабине тут же надулась подушка безопасности, я на какое-то мгновение потерял сознание. Все будто остановилось. Открыв глаза, я ощутил острую боль в левом плече. Крови не видно. Тело мое странно висело, и я понял, что «шевроле» завалился на правый бок. Выбравшись кое-как из машины, я сказал себе, что мне здорово повезло. Плечо было целым, только болело от удара. Я обошел перевернувшийся «шевроле», удивляясь такой удаче. Потолок кабины прямо над моей головой был вдавлен. Еще сантиметров восемь, и я бы, наверное, не смог вылезти.

— Но ведь это чудовищный риск! Ты каким-то чудом не погиб и не искалечился. Почему просто не столкнул машину с дороги?

— Нет, Карл. Все должно было выглядеть по-настоящему. Да и склону не хватало крутизны, вспомни, там же почти плоская местность.

— Можно было придавить педаль газа камнем и выскочить.

— Камни не горят. Его бы нашли, начали размышлять и сомневаться. Я продумал все и решил, что смогу загнать машину в кусты и унести оттуда ноги. В моем распоряжении имелся ремень безопасности, воздушная подушка и каска.

— Это впечатляет.

Подошедшая медсестра принесла кока-колу и присела на минуту поболтать с Патриком. Наконец она оставила их вдвоем.

— На чем я остановился? — спросил Патрик.

— Думаю, на том, как ты собирался поджечь машину.

— Да. Я прислушался. Стояла абсолютная тишина. Автострады было не видно и не слышно. Ни души. Ближайшая постройка находилась примерно в полутора километрах. Я был уверен, что никто ничего не слышал, и все же торопился. Скинул каску, перчатки, швырнул их в машину и побежал туда, где спрятал бензин.

— Когда спрятал?

— Еще днем, нет даже утром. У меня было четыре пластиковые канистры, я быстро перетащил их к «шевроле». Темнота стояла кромешная, а фонариком я пользоваться не мог. Установил три емкости в машине, прислушался. Вокруг ни звука. Сердце стучало. Бензином из последней канистры я щедро полил «шевроле» снаружи и изнутри и бросил ее к тем трем. Отступил метров на десять, достал из кармана сигарету и прикурил. Затем швырнул ее в сторону машины, отошел еще на пару метров и спрятался за дерево. Окурок приземлился на капот, раздался взрыв. Из окон «шевроле» выплеснулось пламя. Я начал подниматься по самому крутому склону холма и наткнулся на укромное местечко метрах в тридцати. Мне хотелось понаблюдать с безопасного расстояния. Огонь ревел, я и предположить не мог, что от него будет такой шум. Загорелись кусты, я подумал: не дай Бог, начнется лесной пожар. К счастью, в пятницу пролил хороший дождь, так что земля еще оставалась влажной. — Патрик сделал глоток колы. — Прости, Карл, совсем забыл спросить о семье. Как Айрис?

— В норме. О семье поговорим потом, а сейчас я хотел бы дослушать твой рассказ.

— Хорошо. Так о чем я? Мозги после наркотиков отказываются работать.

— Ты наблюдал за тем, как горит машина.

— Точно. Становилось все жарче, а потом взорвался бензобак, мне показалось, что и я вместе с ним. Вокруг падали какие-то горящие куски и обломки. И тут в стороне автострады я услышал шум, чьи-то голоса. Кричали люди. Я никого не видел, но чувствовалось движение. Прошло уже достаточно времени, огонь приближался ко мне. Я поднялся, чтобы идти, и тут раздался вой сирены. Я отправился на поиски ручейка, который приметил еще утром метрах в сорока, среди деревьев. Решил, что пойду по нему к своему мотоциклу.

Карл впитывал его слова, переживая вместе с Патриком каждую сцену. Этот маршрут стал предметом долгих и ожесточенных споров в офисе шерифа на протяжении месяцев после исчезновения Лэнигана, однако в то время никто не приблизился к истине.

— Ты пошел к мотоциклу?

— Да, уже не новому. Я купил его за пятьсот долларов наличными у торговца подержанными автомобилями в Геттисберге несколькими месяцами ранее. Разъезжал на нем по лесам. Никто и не подозревал, что он у меня есть.

— Номера на нем не было?

— Конечно, нет. Могу сказать тебе, Карл, что, когда бежал между деревьями к ручейку, слыша, как за спиной стихает рев пламени, а сирена становится все громче, я понимал, что бегу навстречу свободе. Патрик был мертв, вместе с ним ушла на тот свет и его неудавшаяся жизнь. Ему воздадут почести, достойно похоронят, и каждый скажет «прощай». Очень скоро люди начнут забывать о нем. Я со всех ног бежал навстречу новой жизни. Это придавало сил.

«А как насчет того бедняги в горящем автомобиле, Патрик? Пока ты радостно несся в счастливое будущее, кто-то вместо тебя погибал в мучительном огне». Карлу очень хотелось спросить его об этом, но Патрик и виду не подавал, что на его совести смерть человека.

— И вдруг я остановился, поняв, что сбился с пути. Вокруг стоял густой лес. Я достал крошечный фонарик, там уже можно было им воспользоваться. По собственным следам я шел назад до тех пор, пока не услышал вдали звук сирены. Сел на пень и задумался. Состояние было близким к панике. Что же это получается? Пережить такое только для того, чтобы сдохнуть от голода и потери сил? Я поднялся и опять пошел вперед. Мне повезло, я отыскал-таки ручеек, а на поиски мотоцикла у меня не ушло много времени. Метров тридцать я толкал его по склону вдоль едва заметной тропинки и совершенно выбился из сил. На расстоянии по крайней мере километров трех не было ни одного дома, поэтому я сел на мотоцикл и покатил по тропинке. Местность я знал довольно хорошо. Добравшись до грунтовой дороги, увидел первый дом. Почти бесшумно — двигатель был с глушителем — я поехал в округ Стоун, стараясь держаться подальше от больших дорог. Через пару часов я добрался до своей хижины.

— Зачем?

— Мне необходимо было отдохнуть и подумать.

— А ты не боялся, что тебя увидит Пеппер?

Вопрос не застал Патрика врасплох. Карл не спускал с него глаз, ожидая реакции. Его бывший друг оставался невозмутимым. Опустив на пару секунд глаза в пол, Лэниган ответил:

— Пеппера не было.

ГЛАВА 24

Вернулся Андерхилл. Казалось, он ничуть не устал после восьмичасового просмотра в соседнем кабинете видеозаписи и ее сверки со своими заметками. Бодро поприветствовав Стефано и его адвоката, он тут же приступил к работе:

— Не могли бы вы начать с того момента, на котором остановились вчера, мистер Стефано?

— И что же это было?

8*

— Ваше появление в Бразилии.

— Ах да. Ну что ж, Бразилия — большая страна. Сто шестьдесят миллионов жителей, огромная площадь и богатая история. В этом государстве хорошо прятаться, особенно если тебе приходится уносить откуда-то ноги. Нацисты скрывались в ней десятилетиями. Мы подготовили на Лэнигана целое досье и перевели его на португальский. С помощью талантливых компьютерщиков провели тончайшую работу и получили целую серию цветных портретов человека, в которого имел шансы превратиться теперь Лэниган. Долгие часы разговоров с владельцем катера в Ориндж-Бич и банкирами из Нассо дали определенный результат. Отдельные черты его внешности мы уточняли и с партнерами фирмы. Полученные портреты они предъявили своим секретаршам, а мистер Боген показал лучший, на его взгляд, даже вдове покойного.

— Теперь, когда Лэниган пойман, вы можете сказать, что портреты были удачными?

— В целом — да. Мы несколько ошиблись с подбородком и формой носа.

— Продолжайте, пожалуйста.

— Мы поспешили в Бразилию. Нашли там три лучших частных детективных агентства: в Рио, Сан-Паулу и Ресифи, это на северо-востоке. Мы имели возможность нанять на свои деньги самых высококачественных специалистов. Мы создали оперативную группу и целую неделю готовили ее в Сан-Паулу. А потом выслушали всех ее членов. Они представили дело так, будто бежавший из Америки Патрик разыскивается за убийство дочери весьма состоятельных родителей, предложивших хорошую награду за информацию о его местонахождении. Нас это устраивало. Убийца ребенка должен был, безусловно, вызвать больше негодования, нежели человек, обокравший юридическую фирму.

Мы пошли по школам, где преподавали португальский, размахивали фотографиями Лэнигана и предлагали

наличные. В приличных заведениях дверь перед нами за-
хлопывали. Кое-кто с интересом смотрел снимки, но помочь ничем не мог. К этому времени мы уже научились
уважать Лэнигана и не считали, что он будет учить язык
там, где ведут какие-либо записи и отвечают на вопросы
посторонних. Поэтому нам пришлось обратиться и к част-
ным учителям, а их в Бразилии не менее миллиона. Тоск-
ливая работа.

— Вы сразу начинали с того, что предлагали деньги?

— Мы делали то, что рекомендовали наши бразильские
агенты. А они настаивали на том, чтобы показать снимки,
рассказать жуткую историю убийства девочки и посмотреть,
как на это будут реагировать. В случае малейшей заинтере-
сованности мы осторожно намекали на вознаграждение.

— И были заинтересованные?

— Крайне мало. Но денег мы никому не платили, я имею
в виду учителей.

— А другим?

Глядя прямо перед собой на чистый лист бумаги, Стефано кивнул.

— В апреле девяносто четвертого мы нашли в Рио хирурга, занимавшегося пластическими операциями, который попросил оставить ему фотографии. Он продержал их у себя
около месяца и в конце концов убедил нас в том, что работал над лицом Лэнигана. Были у него и собственные снимки
до и после операции. Расписал все как по нотам, и мы согласились заплатить четверть миллиона долларов за всю его
папку.

— Что вы нашли в ней?

— Снимки нашего приятеля до и после операции. Это
было странно, поскольку Лэниган отказывался фотографи-
роваться. Он не желал оставлять следов и платил наличными. Имени своего не назвал, представился бизнесменом из
Канады и сказал, что просто хочет выглядеть моложе. Хирург только это от него и слышал. Естественно, у него воз-

никли кое-какие подозрения, и он установил скрытую камеру. Вот как появились фотографии.

— Мы сможем их увидеть?

— Конечно.

Адвокат сделал движение — и на стол перед Андерхиллом лег конверт. Тот вскрыл его и бросил взгляд на снимки.

— Как вы нашли хирурга?

— Проверяя школы и частных преподавателей, мы не забывали и о других профессионалах: изготовителях поддельных документов, хирургах, импортерах.

— Импортерах?

— Да, по-португальски они называются иначе, импортеры — это весьма условный перевод. Есть некие мастера, которые могут ввезти вас в Бразилию и попросту растворить в стране: новые имена, новые документы, предоставить лучшие убежища, где можно комфортно жить. Это узкий и замкнутый круг лиц. Нам не повезло с изготовителями документов: они наотрез отказывались говорить о своих клиентах. Это не шло на пользу их делу.

— С докторами было иначе?

— Они тоже молчали, но одного хирурга мы наняли в качестве консультанта, он-то и дал нам фамилии коллег, работавших с теми, кто предпочитал не называть имен. Вот так мы и вышли на этого парня в Рио.

— Через два с лишним года после того, как пропал Лэниган.

— Это правда.

— Что еще вы сделали за это время?

— Потратили уйму денег. Постучали в сотни дверей. Отследили десятки никуда не ведших нитей. Я уже говорил: Бразилия — большая страна.

— Сколько человек на вас там работали?

— Помню, что платил шестидесяти агентам. Слава Богу, они не так дороги, как в Штатах.

* * *

Если судья хотел пиццы, то ему приносили ее от Хьюго, из старого бистро, принадлежавшего семейству на Дивижн-стрит и расположенного довольно далеко от разбросанных вдоль побережья ресторанчиков быстрого обслуживания. Едва они с Патриком вернулись в палату, как охранник внес туда коробку. Аромат пиццы Патрик почувствовал, когда парень вышел из лифта. Сидя на кровати, судья раскрыл коробку, и палату наполнил божественный аромат маслин, грибов, итальянских колбасок, зеленого перца и шести сортов сыра. Сколько раз Патрик ел эту пиццу у Хьюго до побега! Не отказался бы и от кусочка сейчас. В жизни дома есть все же и некоторые преимущества.

— Ты выглядишь дьявольски проголодавшимся. Бери, — сказал Карл.

Патрик молча проглотил первый кусочек и протянул руку за вторым.

— Как ты умудрился настолько отощать? — спросил Карл с набитым ртом.

— А пива мы выпить не можем?

— Нет. Извини. Не забывай, ты все-таки в тюрьме.

— Все зависит от мозга. Достаточно принять решение. Неожиданно у меня появилось немало причин, чтобы похудеть.

— Сколько ты весил?

— В пятницу перед исчезновением девяносто восемь килограммов. За первые шесть недель потерял девятнадцать. Сейчас вешу шестьдесят четыре.

— Ты похож на военнопленного. Ешь.

— Спасибо.

— Итак, ты вновь вернулся в хижину.

Патрик вытер губы бумажной салфеткой, положил недоеденный кусок в коробку и сделал глоток кока-колы.

Они вновь вышли в коридор, и только тогда Патрик продолжил:

— Да, я вошел в хижину. Было около половины двенадцатого. Свет зажигать не стал. Метрах в восьмистах от моей стоит еще одна, на склоне холма, ее видно из моих окон. Хозяин живет в Геттисберге. Я предполагал, что его в хижине нет, но должен был соблюдать осторожность. Занавесил небольшое окошко ванной комнаты полотенцем, включил свет и быстро побрился. Затем подстриг волосы и выкрасил их в темно-каштановый, почти черный, цвет.

— Прости?..

— Странно, однако мне это оказалось к лицу. Глядя в зеркало, я ощутил себя совершенно другим человеком. Потом навел порядок, подмел обрезки волос, спрятал краску. Я знал, что вскоре по хижине пройдутся очень частой гребенкой. Затем тепло оделся, сварил крепкого кофе и выпил половину. Вторую налил в термос на дорогу. В час ночи я вышел из хижины. Я знал, что какое-то время уйдет на то, чтобы установить владельца машины и известить о случившемся Труди, а потом уже кому-нибудь могла взбрести в голову мысль проверить заодно и хижину. Помня обо всем этом, я все же в час ночи решил уйти.

— Ты волновался за Труди?

— В общем-то нет. Мне было известно, что переживет она эту историю довольно безболезненно. Я сказал себе: примерно месяц Труди проживет благопристойной вдовой, а потом получит страховку и станет счастливейшей из смертных. Внимание мужчин и деньги — что еще ей нужно?

— И в хижину ты больше не возвращался?

— Нет.

Не задать новый вопрос Карл не мог:

— Под одной из кроватей обнаружили ружье, палатку и спальный мешок Пеппера. Как они там очутились?

На мгновение Патрик поднял на него удивленный взгляд и тут же отвел глаза в сторону. Карл отметил это. В течение нескольких следующих дней он будет вспоминать этот взгляд. Некий толчок, скошенные в сторону глаза и неспособность сказать правду.

В одном из старых фильмов герой говорил: «Решаясь на убийство, человек совершает двадцать пять ошибок. Если вы в состоянии назвать пятнадцать из них, то вы — гений». А не могло ли случиться так, что Патрик просто забыл о вещах Пеппера? Слишком поспешил уйти?

— Не знаю, — сказал он очень тихо, по-прежнему глядя в стену.

Как бы то ни было, ответ Карл получил и спросил вновь:

— Куда ты направился потом?

— Мотоцикл несся с сумасшедшей скоростью, — тут же ответил Патрик, торопясь продолжить рассказ. — Было градусов пять выше нуля, но мне казалось, что стоит тридцатиградусный мороз. Я все так же старался избегать оживленных дорог. Ветер пронизывал насквозь. Я въехал в Алабаму, держась в стороне от основных магистралей. Грязный мотоцикл в три часа ночи мог бы заставить скучавшего полисмена повернуть голову, поэтому я объезжал даже маленькие городки. В конечном итоге добрался до окрестностей Мобила около четырех утра. Месяцем раньше я приметил небольшой мотель, где берут наличные и не задают никаких вопросов. Я спрятал мотоцикл за здание, пробрался на стоянку и с нее вошел через главный вход, будто только что вылез из машины. Номер стоил три бумажки по десять долларов, никаких записей. Примерно час ушел у меня на то, чтобы согреться. Два часа я проспал и встал с восходом солнца. А когда ты обо всем услышал, Карл?

— Видимо, примерно в то время, когда ты мчался по проселочным дорогам, Патрик. Дуг Витрано позвонил мне в самом начале четвертого. Разбудил, собственно говоря, о чем я сейчас очень жалею. Не спать ночь, переживать из-за тебя, пока ты спешил к грядущему счастью!..

— Я тоже не сидел в тепле домашнего очага.

— Но о друзьях своих ты явно не беспокоился.

— Меня до сих пор мучает за это совесть, Карл.

— Нисколько она тебя не мучает.

— Да, пожалуй, ты прав.

Патрик уже расслабился. Выглядел он намного оживленнее, по губам скользнула улыбка.

— Итак, ты проснулся с восходом солнца новым человеком в новом мире. Все твои проблемы остались где-то далеко позади.

— Почти все. Это было восхитительное ощущение, но и пугающее тоже. Спал я так себе. До половины девятого смотрел телевизор, ничего о своей смерти не услышал и пошел в душ, переоделся...

— Подожди. Куда ты дел краску для волос?

— Швырнул в канаву где-то уже в Алабаме, неподалеку от округа Вашингтон. Значит, я переоделся и вызвал по телефону такси, что в Мобиле далеко не просто. Таксист остановил машину прямо у моей двери, так что я вышел, никого не потревожив. Мотоцикл оставил у мотеля. Я отправился в магазины, которые, как я знал, открывались с девяти. Купил темно-синий пиджак, несколько пар брюк и туфли.

— Как ты расплатился за покупки?

— Наличными.

— У тебя не было кредитной карточки?

— Имелась поддельная «Виза», которую я добыл в Майами. Использовать ее можно было всего несколько раз, а потом стоило выбросить. Я берег ее для того, чтобы взять напрокат машину.

— Сколько у тебя было наличных?

— Около двадцати тысяч.

— Откуда?

— Какое-то время откладывал. Зарабатывал я в то время неплохо, несмотря на то что Труди умудрялась тратить денег больше, чем я приносил в дом. Сказал бухгалтеру фирмы, что хочу утаить определенную сумму от собственной жены.

Тот ответил: так делают все юристы. Словом, часть денег пошла на другой счет. Периодически я снимал с него наличные и прятал в ящике стола. Ответ приемлем?

— Да. Ты купил туфли.

— А потом пошел в другой магазин — за белой рубашкой и галстуком. В туалете я переоделся во все новое — и баста! Теперь я походил на любого коммивояжера. Приобрел еще кое-что из одежды, какую-то мелочь, сложил все в дорожную сумку и отправился на такси в аэропорт. Там в ожидании рейса из Атланты позавтракал. Когда самолет приземлился, я с другими пассажирами, занятыми и важными, двинулся к выходу. Рядом с двумя из них, похожими на меня как две капли воды, остановился у стойки, где оформляют прокат автомобилей. Для них машины были уже заказаны. Со мной дело обстояло несколько сложнее. У меня были отличные водительские права из Джорджии вместе с паспортом — так, на всякий случай. Со страхом я протянул в окошко свою «Визу». Номер ее был украден, и меня привела в ужас мысль, что компьютер определит это и выдаст сигнал тревоги. Но все обошлось. Я заполнил бланк и бросился на улицу.

— Под каким именем?

— Рэнди Остин.

— Рэнди, у меня к тебе вопрос. — Карл медленно положил в рот кусочек пиццы, начал жевать. — Ты ведь находился в аэропорту. А почему ты не полетел?

— О, я тоже думал об этом. За завтраком я следил за взлетом двух рейсов, и мне жутко хотелось оказаться на борту. Решение не лететь далось с трудом.

— Что осталось незавершенным?

— Ты, наверное, и сам догадался. Я поехал в сторону пляжей на восток, в Ориндж-Бич, где снимал небольшой домик.

— Из которого к тому времени уже выехал.

— Само собой. Я знал, что там принимают наличные. Стоял февраль, холодно, и желающих пожить на пляже было немного. Я принял слабое успокоительное и проспал шесть часов. Вечером посмотрел новости и увидел то место, где сгорела моя машина. Мои друзья казались вне себя от горя.

— Негодяй.

— Подъехал в овощную лавку и купил пакет яблок. Когда стемнело, отправился в трехчасовую прогулку по пляжу. На следующее утро я приехал в Паскагулу, купил газету, увидел на первой странице свое улыбающееся лицо и прочитал о трагедии. Похороны должны были состояться в этот самый день, в три. Затем я добрался до Ориндж-Бич и взял катер. А потом поехал в Билокси и успел на кладбище.

— В газетах было написано, что ты наблюдал за собственными похоронами.

— Это правда. Я спрятался на дереве неподалеку от кладбищенской ограды и смотрел в бинокль.

— Поразительная глупость.

— Согласен. Полный идиотизм. Но меня тянуло туда. Я хотел убедиться, своими глазами увидеть, что трюк сработал. Тогда-то, видимо, я и поверил: мне все сойдет с рук.

— Ты и дерево присмотрел заранее?

— Нет. Честно говоря, я все же сомневался, стоит ли это делать. Я выехал из Мобила и погнал машину на запад, убеждая себя в том, что не стоит. Не стоит и носа показывать в Билокси.

— И ты смог со своим животом взобраться на дерево?

— Причина-то у меня имелась. А потом, это был старый дуб с толстыми раскидистыми ветвями.

— Поблагодари за это Господа. Жаль, что под тобой не обломился сук и ты не упал, свернув себе шею.

— Неужели жаль?

— Именно так. Мы стояли у могилы и вытирали слезы, пытались утешить вдову, а ты в это время висел на ветке, как жирный филин, и смеялся, глядя на нас.

— Ты только пытаешься злиться, Карл.

Это было правдой. Четыре с половиной года убили в Карле всякую злость. Как было правдой и то, что сейчас, сидя на больничной койке вместе с Патриком и слушая его рассказ, он испытывал радость.

В любом случае с похоронами было покончено. Патрик поведал достаточно, и они вновь вернулись в его палату — место, где рассказчик не очень-то был расположен откровенничать.

— Скажи, Карл, как там Боген, Витрано и ребята? — спросил Патрик, откинувшись на подушку и приготовившись насладиться тем, что вот-вот услышит.

ГЛАВА 25

Последний раз дочь Паоло Миранды звонила два дня назад из номера гостиницы в Новом Орлеане. Она все еще разъезжала по делам своего нового загадочного клиента и снова предупредила отца о возможных визитерах, которые станут наводить о ней справки и следить за ним, поскольку у ее клиента имелись в Бразилии влиятельные недоброжелатели. Говорила она кратко, довольно расплывчато, и в голосе ее звучал всеми силами скрываемый страх. В конце концов отца это разозлило, и он потребовал подробностей, на что дочь ответила, будто беспокоится по поводу его безопасности. Отец попросил ее вернуться домой, а затем не выдержал и признался: впервые в жизни он встретился с ее бывшими партнерами, от которых узнал, что она уволена. Дочь с присущим ей спокойствием объяснила: теперь у нее самостоятельная работа и богатый клиент, занимающийся международной торговлей, так что подобные поездки станут постоянными.

Спорить по телефону отец не захотел, особенно сейчас, когда не находил себе места от тревоги.

Кроме того, Паоло уже устал от загорелых коренастых мужчин, сновавших вокруг дома и следовавших за ним на рынок или по пути в Католический университет святейшего папы. Сеньор Миранда, в свою очередь, тоже наблюдал — они вечно отирались где-то поблизости — и каждому присвоил кличку. Несколько раз Паоло разговаривал с управляющим дома, где жила Ева, и те же увертливые типы окидывали их цепкими взглядами.

Его последняя лекция — обзор немецкой философии — закончилась в час дня. Минут тридцать профессор провел в своем кабинете, споря с каким-то упрямым студентом, а потом ушел. Лил дождь, прихватить же с собой зонт он забыл. Машина Паоло стояла на небольшом квадрате асфальта позади учебного корпуса.

Осмар терпеливо ждал. Из здания Миранда вышел задумчивым, глядя под ноги и прикрывая голову газетой. Когда нога ступила в лужу под деревом, у которого он оставил свою машину, мысли его были далеко. По соседству был припаркован небольшой красный «фиат»-фургон, используемый для доставки мелких грузов. Как из-под земли вырос откуда-то водитель, но и его профессор не заметил. Парень открыл заднюю дверцу фургона, однако Миранда и сейчас не обратил на это никакого внимания. В тот момент когда он сунул руку в карман за ключами, Осмар толкнул его плечом и запихал в фургон. Портфель профессора упал на землю.

Дверца «фиата» захлопнулась. В темноте Паоло почувствовал, как в переносицу уперлось дуло пистолета. Кто-то приказал ему молчать.

Полоса листов бумаги, выпавших из его портфеля, протянулась от сиденья до задних колес.

Фургон резко тронулся с места...

Раздавшийся в отделении звонок уведомил полицию о похищении человека.

Чтобы выехать за город, им потребовалось почти полтора часа. Паоло не имел ни малейшего представления о том, где находится. В фургоне без окон стояла удушающая жара. Рядом сидели двое мужчин, у обоих было оружие.

«Фиат» остановился у приземистого сельского дома, и Паоло провели внутрь. Отведенное ему помещение находилось в задней части: спальня, ванная, крошечная гостиная с телевизором. На столе — хорошая еда. Было сказано, что никто не собирается причинить ему какой-нибудь вред, по крайней мере если он не совершит ошибки, попытавшись бежать. Проживет здесь около недели, а потом его отпустят при условии, что не будет никаких глупостей.

Закрыв дверь, Паоло посмотрел в окно. Под деревом сидели двое мужчин, смеялись и пили чай. Их оружие лежало рядом.

В тот же день были сделаны анонимные звонки сыну профессора в Рио, управляющему домом, где жила Ева, в фирму, где она работала, и ее давней подруге из туристического агентства. Сообщалось в них одно и то же: Паоло Миранда похищен.

Полиция взялась за расследование.

Ева находилась в Нью-Йорке несколько дней. Она выходила из номера отеля «Пьер», чтобы заглянуть в магазины на Пятой авеню или провести пару часов в музее. По их с Патриком договоренности она должна была постоянно находиться в движении. От Лэнигана Ева получила три письма и на два уже ответила. Вся корреспонденция шла через Сэнди. Какие бы методы физического воздействия к Патрику ни применяли, они не заставили его ослабить внимание к мелочам. Письма Лэнигана были весьма специфическими: в них давались планы действий, перечни проверяемых пунктов и предлагались меры на случай непредвиденных обстоятельств.

Она позвонила отцу, но к телефону никто не подошел. Позвонила брату, и от услышанного у нее потемнело в глазах. Необходимо срочно вернуться домой, сказал он. Обычно мягкий и тактичный, сейчас он был настойчив. Это удивило Еву: до сих пор все важные решения, требовавшие ответственных действий, принимались в семье только ею.

В течение получасового телефонного разговора она пыталась успокоить брата и привести в порядок собственные мысли. Нет, выкупа никто не требовал. От похитителей ни слова.

В нарушение всех мыслимых инструкций она позвонила ему. Нервно поправляя волосы, она стояла у телефона-автомата в вашингтонском аэропорту Ла Гуардиа и набирала номер телефона в его палате. Когда трубку сняли, произнесла несколько слов на португальском. Если их и слушают, то пусть поищут переводчика.

— Патрик, это Лиа. — Голос звучал совершенно бесстрастно.

— Что случилось? — также по-португальски спросил Лэниган. Он давно не слышал ее восхитительного голоса, однако сейчас нисколько не обрадовался.

— Мы можем поговорить?

— Да. В чем дело?

Установленный в палате телефон Патрик проверял на наличие «жучков» каждые три или четыре часа. Это утомляло. Кроме того, с помощью детектора, который ему принес Сэнди, он исследовал все вызывавшие подозрения уголки. Круглосуточное присутствие за дверьми охраны отчасти успокаивало, но телефон все же внушал ему беспокойство.

— Проблемы с отцом. — В двух словах она рассказала историю исчезновения Паоло. — Мне необходимо поехать домой.

— Нет, Лиа, — спокойно возразил Патрик. — Это ловушка. Твой отец не миллионер. Им не нужны деньги, им нужна ты.

— Но я не могу бросить отца.

— Найти его ты тоже не сможешь.

— Во всем виновата я.

— Нет. Вина лежит на мне. Будет только хуже, если ты бросишься в их западню.

Тряхнув головой, Лиа посмотрела на снующих вокруг пассажиров.

— Так что же мне делать?

— Отправляйся в Новый Орлеан. Сразу после прилета позвони Сэнди. Мне нужно подумать.

Купив билет, она отыскала местечко в углу, села и спрятала лицо за раскрытым журналом. Ей не давали покоя мысли об отце, о тех ужасных вещах, что с ним в этот момент проделывали. Одни и те же люди поочередно похитили двух мужчин, которых она любила. Патрик до сих пор на больничной койке. А ведь отец старше, и сил у него не так много. Ему причиняют боль из-за нее, а она абсолютно ничем не может ему помочь.

Потратив день на поиски Лэнса, в начале одиннадцатого вечера полисмен заметил, как тот отъехал от казино. Автомобиль остановили и сидевшего за рулем Лэнса без объяснения каких-либо причин задержали до прибытия Суини.

Расположившийся на заднем сиденье патрульной машины шериф взмахом руки предложил задержанному сесть рядом.

— Как идет торговля зельем?

— На бизнес не жалуюсь.

— Что Труди? — Суини лениво покусывал зубочистку.

«Посмотрим, у кого больше выдержки», — подумал Лэнс и надел новенькие безумно дорогие солнечные очки.

— У нее все великолепно. А твоя дама?

— У меня ее нет. Слушай, Лэнс, поступила довольно серьезная информация о том, что ты ищешь киллера.

— Ложь, ложь от начала и до конца.

— Да? А мы так не думаем. Видишь ли, все твои приятели похожи на тебя: либо освобождены условно-досрочно, либо всеми силами зарабатывают выход на волю. Дерьмо, как ты сам понимаешь. Подонки. Шныряют в поисках заработка погрязнее и вечно нарываются на неприятности, а узнав о чем-то, тут же спешат шепнуть новость федам — считают, что это запишется им в актив.

— Все это я уже слышал. Дальше?

— Нам известно, что у тебя есть денежки и есть женщина, которая вот-вот потеряет свое состояние, если только мистер Лэниган не сделается трупом.

— Кто?

— Ты слышал. Так вот что мы вместе с федами сделаем: установим наблюдение за тобой и твоей подружкой, причем и смотреть, и слушать будем очень внимательно. Одно неверное движение — и ты в наших руках. Вместе с Труди вы окажетесь в ситуации похуже той, в которую угодил Лэниган.

— Я должен испугаться?

— Если голова у тебя хоть немного варит, то да.

— А теперь мне можно идти?

— Прошу.

Лэнс вернулся в свою машину.

В это время Каттер нажимал кнопку дверного звонка Труди, надеясь в душе, что та спит. Несколько минут назад он сидел в кафе и ждал, пока ему сообщат о задержании Лэнса.

Труди бодрствовала. Не снимая цепочки, она приоткрыла дверь и спросила:

— Что вам нужно?

— ФБР. — Он показал свой значок. — Я могу войти?

— Нет.

— Лэнс задержан полицией. Думаю, нам необходимо поговорить.

— Как?!

— С ним сейчас беседуют.

Сняв цепочку, она распахнула дверь. Каттер наслаждался действом.

— Что он сделал?

— По-видимому, его скоро отпустят.

— Я позвоню своему адвокату.

— Ради Бога, но сначала вы выслушаете меня. Из очень надежного источника нам стало известно, что Лэнс занялся поисками наемного убийцы, который должен убрать вашего мужа, Патрика Лэнигана.

— Нет! — Труди поднесла руку ко рту. Изумление на ее лице казалось искренним.

— Да. Причем вы тоже можете оказаться замешанной, ведь это ваши деньги Лэнс пытается защитить таким образом. Уверен, вдохновителем готовящегося убийства сочтут именно вас. Если с Лэниганом что-нибудь случится, то сюда мы явимся в первую очередь.

— Я ничего не сделала!

— Пока. Мы очень внимательно наблюдаем за вами, миссис Лэниган.

— Не называйте меня так!

— Извините.

Повернувшись, Каттер вышел.

Оставив машину на стоянке, Сэнди пешком отправился в центр Французского квартала. Клиент очень строго предупредил его относительно мер безопасности, особенно в том, что касалось встречи с Лиа. Сейчас только Сэнди мог привести к ней «хвост», поэтому необходима максимальная осторожность.

— Ей угрожает смертельная опасность, Сэнди, — сказал по телефону Патрик час назад. — Будь начеку.

Сэнди обошел квартал трижды и, уверившись, что за спиной никого нет, заскочил в небольшой бар, где со стаканом содовой устроился за стойкой, посматривая на тротуар. За-

тем вышел, пересек улицу и оказался в вестибюле отеля «Рой-
ал сонеста». Потолкавшись в толпе туристов, поднялся на
третий этаж. Лиа распахнула дверь номера и тут же закрыла
ее за ним на ключ. Сэнди не удивился, увидев ее уставшее,
измученное лицо.

— Очень жаль, что так получилось с отцом, — сказал он. —
Есть какие-нибудь новости?

— Нет. Я все время была в дороге.

На верхней панели телевизора стоял поднос с кофейни-
ком. Сэнди наполнил чашку, размешал сахар.

— Мне сообщил об этом Патрик, — сказал он. — Кто
эти люди?

— Вон лежит папка. — Она кивнула на небольшой столик. — Садитесь. — Жест в сторону постели.

В ожидании разговора Сэнди уселся.

— Мы встретились два года назад, в девяносто четвертом, после того как он сделал в Рио пластическую операцию. Патрик сказал мне, что он — канадский бизнесмен,
которому нужен юрист, опытный в вопросах торговли. На
самом деле ему был нужен друг. Я пробыла его другом целых два дня, а потом... пришла любовь. Он рассказал мне о
своем прошлом все, каждую мелочь. Но ни блестяще орга-
низованное бегство, ни огромные деньги так и не позволили
ему забыть это прошлое. Патрик твердо решил узнать, кто за
ним охотится и насколько близко они уже подкрались к нему.
В августе девяносто четвертого я приехала в Штаты, чтобы
установить контакт с частной охранной фирмой в Атланте.
Странное было у нее название — «Плутон». В ней работали
несколько бывших фэбээровцев, которых Патрик отыскал
перед тем, как исчезнуть. Я представилась, назвав вымыш-
ленное имя, сказала, что приехала из Испании, чтобы найти информацию о некоем Патрике Лэнигане. Заплатила я
им пятьдесят тысяч долларов. Они направили своих людей в
Билокси, и те прежде всего сходили в фирму, где он раньше
работал. Дали там понять, что располагают непроверенны-

ми сведениями о его местонахождении, и юристы совершенно спокойно отправили их в Вашингтон к человеку по имени Джек Стефано. Стефано — частный детектив. Он весьма высоко ценит свои услуги и специализируется на промышленном шпионаже и поиске пропавших людей. Агенты «Плутона» встретились со Стефано в Вашингтоне. Он оказался исключительно скрытным и рассказал очень немного, но и этого хватило, чтобы понять: розыском Патрика занимается именно он. После этого с ним виделись еще несколько раз, поставили вопрос о вознаграждении. Стефано предложили купить имевшуюся информацию, и он согласился заплатить пятьдесят тысяч в том случае, если полученные данные выведут его к Патрику. В ходе переговоров стало ясно: у него есть веские основания полагать, что Лэниган в Бразилии. Естественно, нас с Патриком это привело в ужас.

— Тогда он впервые узнал, что им известно, где он?

— Да. К тому времени он прожил в стране более двух лет, и когда говорил мне о своем прошлом, то не имел ни малейшего представления, насколько много им стало известно. Узнать это было настоящим потрясением для него.

— Почему он не бежал из Бразилии?

— По целому ряду причин. Он размышлял о таком варианте, мы часто обсуждали его. Я была готова поехать вместе с ним, однако в итоге Патрик решил, что сможет спрятаться где-нибудь в глуши. Страну он знал хорошо: язык, людей, множество мест, где его почти невозможно отыскать. К тому же он не хотел, чтобы я покидала свой дом. Но я считала, что нам следует отправиться куда-нибудь в Китай.

— Может, вы просто не могли бежать?

— Может. Я поддерживала связь с «Плутоном». Мы наняли их людей для того, чтобы отслеживать действия Стефано. Агенты «Плутона» встретились с клиентом Стефано, мистером Бенни Арициа, под тем же предлогом. Побывали в обеих страховых компаниях. И опять-таки им посоветовали обратиться к Джеку Стефано. Я прилетала в Штаты каждые три-четыре месяца, всякий раз из Европы, чтобы узнать последние новости.

— Как Стефано удалось найти его?

— Я не могу говорить об этом. Пусть расскажет сам Патрик.

Еще одна черная дыра. Сэнди поставил чашку с недопитым кофе на пол и задумался. Все значительно упростилось бы, если бы эти двое решились посвятить его в детали. Значит, Патрик понимал, что его найдут.

Лиа подала Сэнди толстую папку, лежавшую на столике.

— Вот досье на людей, которые похитили моего отца.

— Стефано?

— Да. Сейчас только мне одной известно, где деньги, Сэнди. Похищение отца — это ловушка.

— Как люди Стефано узнали о вас?

— Им сказал обо мне Патрик.

— Патрик?

— Да. Вы же видели ожоги на его теле.

Сэнди поднялся.

— Почему тогда он ни словом не обмолвился о деньгах?

— Потому что ничего не знал о них.

— Но ведь это он доверил их вам.

— Нечто вроде этого. Я ими распоряжалась. Теперь эти люди идут по моему следу, и отец — просто заложник.

— Чего вы ждете от меня?

Она выдвинула ящик стола и достала другую папку, потоньше.

— Здесь собрана информация о следствии, которое ведет ФБР по делу Патрика. По понятным причинам узнать много нам не удалось. В Билокси ФБР представляет агент Каттер. Получив известие о том, что Патрик захвачен, я тут же позвонила ему. Наверное, это спасло Патрику жизнь.

— Не торопитесь. Я не поспеваю за вами.

— Я сказала Каттеру, что Патрик Лэниган обнаружен и находится в руках людей, работающих на Джека Стефано. Как мы считаем, фэбээровцы сразу отправились к Стефано и стали запугивать его. В Бразилии Патрика несколько часов пытали, едва не убили, а потом передали ФБР.

Закрыв глаза, Сэнди впитывал каждое слово.

— Продолжайте, — негромко попросил он.

— Двумя днями позже Стефано был арестован в Вашингтоне, а его контора закрыта и опечатана.

— Откуда вам это известно?

— Я по-прежнему плачу хорошие деньги людям из «Плутона». Работают они отлично. Мы считаем, что Стефано формально дает показания ФБР, но одновременно он продолжает разыскивать меня. Несомненно, ему известно о похищении моего отца.

— Что я должен сказать Каттеру?

— Во-первых, расскажите обо мне. Пусть я буду весьма тесно связанным с Патриком юристом, принимающим от его имени серьезные решения и знающим абсолютно все. Во-вторых, сообщите ему о моем отце.

— Вы рассчитываете, что ФБР надавит на Стефано?

— Может, да, а может, и нет. В любом случае мы ничего не теряем.

Был уже почти час ночи. Лиа очень устала. Подхватив папки, Сэнди направился к двери.

— Нам еще о многом нужно поговорить, — сказала она.

— Буду рад узнать все.

— Дайте нам время.

— Не стоит слишком тянуть с этим.

ГЛАВА 26

Как и полагалось, утренний обход доктор Хайани начал ровно в семь. Зная, что со сном у Патрика дело обстоит неважно, он только осторожно заглядывал каждое утро в его палату. Лэниган обычно спал, хотя позже, днем, неизбежно начинал жаловаться на кошмары, мучившие его всю ночь. Однако в это утро Патрик уже сидел в кресле у окна. На нем были лишь белые спортивные трусы. Он пристально смотрел на опущенные жалюзи, смотрел и ничего не видел, поскольку и видеть-то ничего не мог. Палата освещалась слабым светом настольной лампы, стоявшей на тумбочке у кровати.

— Как самочувствие, Патрик? — спросил Хайани, подойдя ближе.

Ответа не последовало. Врач бросил взгляд на стол, за которым Лэниган подолгу работал со своими бумагами. На столе царил полный порядок: ни раскрытых книг, ни разложенных папок с документами.

— Все отлично, док, — ответил наконец Патрик.

— Ты спал?

— Нет. Ни минуты.

— Ты в безопасности, Патрик. Солнце уже встало.

Лэниган молчал, даже не пошевелился. Хайани вышел из палаты.

Из коридора до Патрика донеслись чьи-то приятные голоса: док разговаривал со скучавшими охранниками и сестрами. Скоро должны принести завтрак. Еда его нисколько не интересовала. После четырех с половиной лет полуголодного существования он научился обходиться почти без пищи, довольствуясь самой примитивной и заедая ее яблоком или морковью. Сестры и сиделки поначалу, казалось, поставили себе целью раскормить его, и только вмешательство Хайани позволило выдерживать диету, почти лишенную жиров, сахара, жареных овощей и хлеба.

Поднявшись из кресла, Патрик подошел к двери, распахнул ее и негромко поприветствовал двух помощников шерифа, Пита и Эдди, — своих постоянных стражей.

— Как спалось? — соблюдая ежеутренний ритуал, спросил Эдди.

— Отлично, Эдди, благодарю, — такой же привычной фразой ответил Патрик.

В холле, у лифта, он увидел сидевшего в кресле Брента Майерса, агента ФБР, сопровождавшего его домой из Пуэрто-Рико. Патрик кивнул, но Брент даже не поднял головы от утренней газеты.

Войдя в палату, Патрик занялся осторожными приседаниями: мускулы уже окрепли, но места ожогов все еще саднило. Об упражнениях, требовавших большей физической нагрузки, пока не могло быть и речи.

Постучав в дверь, на пороге появилась сестра.

— Доброе утро, Патрик, — прощебетала она, ставя на стол поднос. — Время завтракать. Как прошла ночь?

— Великолепно. А у вас?

— Чудесно. Принести еще что-нибудь?

— Нет. Спасибо.

— Только скажите. — Сестра вышла.

Заведенный в госпитале порядок почти не менялся. Изнемогая от тоски, Патрик тем не менее отдавал себе отчет в том, что ситуация могла быть значительно хуже: завтрак в тюрьме округа Гаррисон просунули бы в камеру на алюминиевом подносе в узкую щель решетчатой двери, и есть его пришлось бы в обществе ежедневно сменявшихся сожителей.

Взяв чашку кофе, Патрик пошел в свой деловой уголок, включил лампу и посмотрел на сложенные в стопку папки.

Он находился в Билокси уже неделю. Та, другая, жизнь закончилась тринадцать дней назад на узкой и пыльной дороге, за тысячи километров отсюда. Ему снова захотелось стать Денило, сеньором Силвой, живущим тихой и спокойной жизнью в простом домике, где приходящая служанка говорила на мелодичном португальском с тягучими индейскими интонациями. Как не хватало ему длительных прогулок по согретым солнцем улочкам Понта-Пору, изнурительных пробежек в окрестностях городка! Не хватало и бесед с сидевшими в тени деревьев за чаем пожилыми мужчинами, с готовностью вступавшими в разговор с каждым, у кого было время остановиться на несколько минут. Он соскучился даже по шумной суете небольшого рынка.

Он тосковал по Бразилии, ставшей для него домом, по ее бескрайним просторам, красоте и удивительным контрастам, по наполненным бурной жизнью городам и забытым Богом крошечным селениям, по ее открытым и радушным людям. У него болела душа из-за Евы, он вспоминал ее нежные прикосновения, добрую улыбку, полное неги тело и удивительно страстную натуру. Жить без Евы он не сможет.

Почему у человека всего одна жизнь? Где записано, что невозможно все начать сначала? И еще раз сначала? Патрик умер, а Денило стал пленником.

Он пережил смерть первого и поимку второго. Разве нет возможности спастись вновь? Ведь должна же быть и третья жизнь — без боли и мрачных теней, сопровождавших его всегда. Это будет действительно идеальная жизнь с Евой. Они поселятся где угодно — там, где можно не расставаться, где они станут недостижимыми для теней прошлого. Поселятся в прекрасном доме и заведут детишек.

Ева — сильная женщина, но и у нее, как у каждого, силы могут иссякнуть. Она любит отца, и дом всегда был для нее магнитом. Все истинные бразильцы боготворят города, в которых живут, считают, что их создал Творец специально для них.

Это из-за него ей сейчас грозит опасность — как же может он не защитить ее?

Получится ли? Или удача отвернулась навсегда?

На предложение встретиться в восемь Каттер ответил согласием лишь потому, что мистер Макдермотт сообщил, что дело не терпит отлагательства. Здание ФБР с трудом пробуждалось к жизни жалкой кучкой чиновников, прибывших в немыслимо ранний час. Обычно это происходило в девять.

Каттер не позволил себе грубости, хотя его поведение вряд ли можно было назвать гостеприимным. Если что-то и могло доставить ему удовольствие в это неурочное время, то никак не разговор с самоуверенным адвокатом. Разлив по пластиковым стаканчикам кофе, он ленивым движением освободил место на небольшом столе.

Сэнди начал с вежливой благодарности за предоставленную возможность встретиться, и Каттер невольно смягчился.

— Вы не помните о телефонном звонке в ваш кабинет тринадцать дней назад? — спросил Сэнди. — Звонила дама из Бразилии.

— Конечно, помню.

— Я виделся с ней несколько раз. Она — юрист Патрика Лэнигана.

— И сейчас находится здесь?

— Неподалеку. — Сэнди подул на горячий кофе и, сделав осторожный глоток, кратко изложил бо́льшую часть того, что ему было известно о Лиа, причем умудрился ни разу не назвать ее имени, а затем поинтересовался ходом дела Стефано.

Каттер посерьезнел. Черкнув дешевой ручкой пару строк в блокноте, он попытался уточнить позиции:

— Откуда вам стало известно о Стефано?

— Моя коллега, дама из Бразилии, знает о нем всё. Ведь это она назвала вам его имя.

— А как она узнала о его существовании?

— Долгая и запутанная история, для меня, к сожалению, почти темная.

— Тогда к чему упоминать о ней?

— Видите ли, Стефано по-прежнему не оставил мысли добраться до моего клиента, и мне хочется положить этому конец.

Ручка Каттера снова заскользила по бумаге, он отхлебнул из дымящейся чашки. Перед глазами медленно вырисовывалась сложная схема: кто — кому — когда — что сказал. То, о чем сообщал в Вашингтоне Стефано, было известно ему почти дословно, однако остались и пробелы. Ясно одно: Стефано обязался прекратить охоту.

— С чего вы это взяли?

— Его люди в Бразилии похитили отца этой дамы.

Каттер невольно приоткрыл рот, взгляд его устремился в потолок. Через несколько секунд он спросил:

— Не может ли эта дама-юрист располагать информацией о деньгах?

— Такая вероятность существует.

Все встало на свои места.

Сэнди между тем продолжал:

— Похищение отца преследует целью заманить ее в Бразилию, где она будет схвачена и подвергнута пыткам так же, как и Патрик. Все упирается в деньги.

— Когда произошло это похищение?

— Вчера.

Ассистент Сэнди выудил сообщение из Интернета всего два часа назад — коротенькую заметку с шестой страницы «О Глобо», ежедневной городской газеты Рио-де-Жанейро. Приводилось и имя жертвы — Паоло Миранда. Сэнди до сих пор не задумывался о настоящем имени той, которую знал как Лиа, так что можно было смело исходить из того, что ФБР очень скоро установит ее личность. Собственно говоря, Сэнди не видел большого греха в том, чтобы назвать ее имя, — беда заключалась в том, что он не знал его сам.

— Но тут мы мало что можем сделать.

— Неужели? За всем этим стоит Стефано. Надавите на него. Скажите, что моя коллега не собирается лезть в расставленные сети, что она обратится к бразильским властям и укажет им на него, Джека Стефано.

— Посмотрю, что в моих силах.

Каттер помнил, что сидевший перед ним Сэнди Макдермотт выдвинул против ФБР иск на несколько миллионов долларов, обвинив в преступлениях, которые Бюро никогда не совершало. Но заводить сейчас разговор об иске не имело никакого смысла. Позже, может быть.

— Единственное, что волнует Стефано, — это деньги, — добавил Сэнди. — Если со стариком что-то случится, Джек не увидит ни цента.

— Вы хотите сказать, что есть возможность вступить в переговоры?

— А как вы думаете? В ожидании смертного приговора или пожизненного заключения вы бы тоже начали их, а?

— Так что мы должны сказать Стефано?

— Прикажите ему отпустить старика, а потом можно будет поговорить и о деньгах.

День начался для Стефано рано. Беседа, уже четвертая, должна была продлиться до вечера и поставить точку в его увлекательном повествовании о розысках Патрика Лэнигана. Адвокат Стефано отсутствовал: он участвовал в слушании дела в суде. Однако адвокат и не был особенно нужен ему, кроме того, необходимость платить четыреста пятьдесят долларов в час угнетала. На этот раз вопросы задавал новый чиновник, Оливер, с фамилией, которую невозможно было запомнить. Но фамилия не интересовала Стефано: все фэбээровцы прошли одну школу.

— Вы говорили о хирурге, делавшем пластические операции, — сказал Оливер, будто возобновляя прерванную телефонным звонком беседу.

Никогда прежде двое мужчин не видели друг друга, а последний раз Джек говорил о Патрике Лэнигане не менее тринадцати часов назад.

— Да.

— И это было в апреле девяносто четвертого года?

— Совершенно верно.

— Продолжайте, пожалуйста.

Стефано шевельнулся, устраиваясь в кресле поудобнее.

— За определенное время след успел остыть. Впрочем, времени прошло немало. Мы работали не покладая рук, но месяц шел за месяцем, не принося абсолютно ничего, ни малейшей зацепки. Затем, в конце девяносто четвертого, с нами связались люди из частного детективного агентства «Плутон», находившегося в Атланте.

— «Плутон»?

— Да. Мы называли их парнями с Плутона. Славные парни. Многие из них были когда-то сотрудниками вашей конторы. Они задавали вопросы о ходе розысков Патрика Лэнигана и говорили, что у них может быть кое-какая о нем информация. Пару раз я встречался с ними здесь, в Вашингтоне. Работали они по заданию некоего таинственного клиента, уверявшего, будто он знает нечто о Лэнигане. Естественно, я заинтересовался. Однако парни вовсе не спешили открыть мне карты, заявив, что у их клиента достаточно времени. Он, что неудивительно, горел желанием получить кучу денег. Вам может показаться странным, но меня это даже вдохновило.

— Каким образом?

— Если их клиенту было известно достаточно для того, чтобы рассчитывать на хорошее вознаграждение, следовательно, он знал и то, что деньги по-прежнему у Лэнигана. В июле девяносто пятого парни с Плутона явились ко мне с предложением. А что, если, спросили они, их клиент сможет привести нас в Бразилии туда, где в последнее время жил Лэниган? Я ответил, что не против. Тогда они поинтересовались: сколько? Мы сошлись на сумме в пятьдесят тысяч долларов. Деваться мне было некуда. Деньги переводом были отосланы в панамский банк, после чего меня направили в крошечный городок Итаджаи, расположенный в штате Санта-Катарина, где-то на самом юге Бразилии. Указанный адрес привел нас в небольшой жилой дом, стоявший в хорошем районе. Управляющий, получив некоторую сумму, оказался очень покладистым человеком. Мы показали ему снимки Лэнигана, сделанные уже после пластической операции, и он сказал: может быть. Еще немного денег, и управляющий сдался. Имя прозвучало как Иен Хорст — он считал Лэнигана немцем, который говорил на хорошем португальском. Хорст в течение двух месяцев снимал в доме трехкомнатную квартиру, расплатился наличными. Снимал лично для себя, но времени в ней проводил мало. Был дружелюбен, с удовольствием заходил к управляющему выпить кофе. Супруга управляющего также узнала его на фотографии. Хорст сказал им, что он писатель, собирающий материалы для книги об иммиграции немцев и итальянцев в Бразилию. Перед тем как съехать, известил о том, что отправляется в город Блуменау изучать баварскую архитектуру.

— Вы посетили Блуменау?

— Безусловно. И очень быстро. Два месяца мы тщательно проверяли город, но в конце концов сдались. Нахлынувшее возбуждение спало, и мы вернулись к старому и испытанному методу: шатались около отелей и рынков, показывали наши снимки, предлагая небольшое возмещение за причиненные хлопоты.

— А что насчет парней с Плутона, как вы их прозвали?

— Довольно скоро умерили свой пыл и они. Я пытался говорить с ними, но сообщить что-нибудь толковое они не смогли. Думаю, их клиент либо испугался чего-нибудь, либо был просто удовлетворен полученными пятьюдесятью тысячами. Словом, шесть месяцев прошли без всяких вестей от парней с Плутона. Затем, уже в конце января этого года, они вдруг нагрянули опять. Их клиент нуждался в деньгах и окончательно созрел для того, чтобы расстаться со своей информацией. Несколько дней мы играли втемную, а потом они как бомбу взорвали над нашими головами, заявив, что за миллион долларов мы сможем узнать точный адрес того, кто нам необходим. Я ответил отказом. И не потому, что у меня не было денег. Просто не хотел идти на такой риск. Клиент их не желал говорить до того момента, как получит деньги, у меня же отсутствовало всякое желание платить до того, как он сообщит нам хоть что-то. Увериться в том, что их клиенту вообще что-либо известно, мы не могли. У меня появилось ощущение, будто загадочный клиент пропал. В общем, переговоры закончились ничем.

— Но общаться вы с ними продолжали?

— Да, время от времени. Мы были вынуждены делать это. Их клиенту требовались деньги, нам — Лэниган. Встал вопрос о новой сделке, по которой нам за те же пятьдесят тысяч предлагалось назвать место, где Лэниган жил после того, как покинул Итаджаи. Мы согласились: сумма представлялась невысокой, и всегда оставался шанс зацепиться за что-нибудь, пусть придется еще платить. С их точки зрения, сделка была весьма выгодной — она укрепляла доверие к их клиенту. К тому же это был очередной шаг к миллиону. За парнями с Плутона стоял кто-то очень неглупый, настоящий профи, и я хотел бы сыграть с ним. Я с радостью заплатил бы миллион, но мне нужно было знать, что деньги истрачены не зря.

— Где находился второй город?

— Сан-Маттео, в штате Эспириту-Санту, это к северу от Рио, на берегу моря. Небольшой городок с населением в шестьдесят тысяч, приятное местечко, добродушные жители. Мы провели там месяц, бродя по улочкам с нашими фотографиями. Соглашение о найме квартиры было таким же, как и в Итаджаи, — за два месяца проживания наличными расплатился некий Деррик Бун, британец. Без всякого вознаграждения хозяин дома опознал в нем нашего человека. Похоже было, что Бун прожил лишнюю неделю, не заплатив, и владелец на него немного обиделся. Но в отличие от Итаджаи Бун в основном сидел дома, и, чем он занимался, хозяину неизвестно. Больше ничего узнать нам не удалось, и в начале марта мои люди покинули Сан-Маттео. Мы сидели в Сан-Паулу и Рио, вырабатывая новые планы.

— В чем они заключались?

— Уйдя с севера страны, мы сконцентрировали внимание на городках, находившихся в штатах, которые окружают Рио и Сан-Паулу. Здесь, в Вашингтоне, я стал скептически относиться к парням с Плутона. Их клиент вбил себе в голову, что должен получить миллион. Мой же не хотел платить неизвестно за что. Обе стороны зашли в тупик, отказываясь подыграть друг другу, но были полны желания продолжить матч.

— Вам удалось узнать что-нибудь о том, откуда их клиенту становилось известно о передвижениях Лэнигана?

— Нет. Об этом мы думали часами. По одной из гипотез, их клиент тоже по непонятной для нас причине преследовал Лэнигана. Возможно, это был кто-нибудь из ФБР — человеку потребовались деньги. Вторая версия, наиболее вероятная, заключалась в том, что их клиента знал Лэниган, доверял ему, но он почему-то решил предать, вернее, продать Лэнигана. Как бы то ни было, я вместе с собственным клиентом пришел к выводу, что мы не можем предоставить Лэнигану новой возможности скрыться. На поиски ушло почти четыре года, но они ни к чему не привели. Мы уже знали, что в Бразилии полно мест, где есть возможность спокойно пересидеть любую опасность, а Лэниган умел прятаться.

— Вы выбрались из тупика?

— Они. В августе этого года они внезапно решились на новую инициативу — самые последние снимки Лэнигана в обмен на те же пятьдесят тысяч. Мы сказали «да». Деньги ушли переводом. Снимки они вручили мне в Вашингтоне, в моем собственном офисе. Три штуки, черно-белые, восемнадцать на двадцать четыре.

— Могу я на них посмотреть?

— Пожалуйста. — Вытащив из кейса фотографии, Стефано бросил их на стол.

На первой Лэниган стоял в рыночной толпе — снимок, очевидно, был сделан с большого расстояния с помощью телеобъектива. Глаза скрыты солнечными очками, в руке —

нечто напоминающее помидор. На другой фотографии его запечатлели мгновением раньше или позже: он шел по тротуару с полным бумажным пакетом. Одетый в джинсы, Патрик Лэниган ничем не отличался от окружавших его бразильцев. Самым выразительным был третий снимок: в шортах и спортивной майке беглец мыл капот своего «фольксвагена». Номерного знака камера не захватила, да и дом едва вошел в кадр. Очки сняты, отчетливо видно лицо.

— Ни названий улиц, ни номерных знаков, — заметил Оливер.

— Ничего. Мы долго изучали снимки, но не нашли абсолютно ничего. Как я уже сказал, тут работал настоящий профи.

— И что же вы сделали?

— Согласились заплатить миллион долларов.

— Когда?

— В сентябре. Деньги были доставлены доверенному лицу в Женеве, которое должно было хранить их до тех пор, пока обе стороны не известят его о том, что сумму можно переводить. В соответствии с условиями сделки их клиент в течение пятнадцати дней обязывался предоставить нам название города и адрес, по которому проживал в то время Лэниган. Все эти пятнадцать дней мы изнывали от нетерпения, а на шестнадцатый, после настоящей словесной битвы, получили то, за что платили. Город назывался Понта-Пору, улица — Тирадентис. Мои люди кинулись туда. К тому времени мы испытывали к Лэнигану настоящее уважение за способность продвигаться вперед, постоянно контролируя тылы. Мы нашли его и еще неделю потратили на наблюдение, чтобы полностью увериться. Звали его Денило Силва.

— Неделю?

— Да. Понта-Пору он выбрал не случайно. Это лучшее место, чтобы скрыться от кого бы то ни было. Местные власти всегда пойдут навстречу, если не обмануть их ожиданий. Городок открыли после войны немцы. Один неверный шаг — и полиция, получив мзду, становится на защиту беглеца. Поэтому мы ждали, строили планы и в конце концов схватили его за городом, на небольшой дороге, без единого свидетеля. Работа была проделана очень чисто. Затем его мгновенно перебросили в надежное укрытие в Парагвае.

— Где и проводились пытки?

Стефано помедлил, сделал глоток кофе и взглянул на Оливера.

— Что-то вроде того, — сказал он.

ГЛАВА 27

Патрик, энергично взмахивая руками, расхаживал у стены небольшого конференц-зала госпиталя, а Сэнди сидел, слушал и время от времени что-то писал в блокноте. Принесенные сестрой на подносе пирожные остались нетронутыми. Сэнди восхищенно подумал: «Многим ли убийцам приносят пирожные? У многих ли существует личная охрана? К кому из них заходит судья, чтобы вместе полакомиться пиццей?»

— Все меняется, Сэнди, — проговорил Патрик, глядя в сторону. — Нам нужно двигаться быстрее.

— Двигаться куда?

— Она здесь надолго не останется.

— Как обычно, я ничего не понимаю. Мы удаляемся друг от друга. Вы с ней общаетесь на каком-то странном языке. Ну да, ведь я — адвокат, на кой черт мне что-то знать?

— У нее папки с бумагами и записи, у нее все. Тебе необходимо увидеться с ней.

— Я сделал это вчера вечером.

— Она ждет тебя.

— Да ну? Где?

— В коттедже, в Пердидо-Бич. Она там.

— Значит, я должен все бросить и мчаться туда.

— Это важно, Сэнди.

— Другие клиенты мне тоже важны, — раздраженно сказал Сэнди. — Неужели нельзя было предупредить заранее?

— Извини.

— После обеда у меня дело в суде. Дочь идет на футбол. Или я требую слишком многого?

— Но ведь я не мог знать, что ее отца похитят, Сэнди. Согласись, обстоятельства сейчас не совсем обычные. Постарайся понять меня.

Сэнди глубоко вздохнул и опять черкнул что-то в блокноте. Патрик присел на край стоявшего рядом стола.

— Прости меня, Сэнди.

— О чем пойдет разговор в коттедже?

— О Бенни Арициа.

— Арициа... — задумчиво повторил Сэнди. Кое-что о нем он уже прочел.

— На это потребуется некоторое время. Я бы на твоем месте взял с собой сумку с самым необходимым.

— Хочешь сказать, мне придется остаться в коттедже на ночь?

— Да.

— С Лиа?

— Да. Места там хватит.

— А что я скажу жене? Что заночую в коттедже вместе с обольстительной бразильянкой?

— Я бы сказал, что у меня деловая встреча.

— Великолепно!

— Спасибо, Сэнди.

После небольшого перерыва на кофе к Оливеру присоединился Андерхилл. Они уселись рядом, за их спинами высилась на штативе направленная на Стефано видеокамера.

— Кто допрашивал Патрика? — спросил Андерхилл.

— Я не могу назвать имен моих сотрудников.

— Этот человек обладал каким-нибудь опытом проведения допросов с методами физического воздействия?

— Некоторым.

— Объясните, что там происходило.

— Я не уверен...

— На снимках мы видели ожоги, мистер Стефано. И ФБР предъявили иск за то, что здоровью Лэнигана нанесен урон. Рассказывайте, что вы с ним там делали.

— Меня там не было. Схему проведения допроса строил не я: в этой области у меня совсем незначительный опыт. В самых общих чертах я знал, что отдельные участки тела мистера Лэнигана подвергнутся воздействию электрического тока. Это и произошло. Но я и подумать не мог о таких серьезных ожогах.

Оливер и Андерхилл обменялись недоверчивыми взглядами. Стефано не обратил на это никакого внимания.

— Как долго это продолжалось?

— От пяти до шести часов.

Сверившись с документом в папке, фэбээровцы пошептались, после чего Андерхилл спросил про идентификацию личности Лэнигана. Стефано описал процедуру снятия отпечатков пальцев. Оливера больше интересовала последовательность действий: он почти час дотошно выспрашивал, когда именно захватили Лэнигана, как далеко отвезли и сколько времени допрашивали. Затем Стефано пришлось подробно рассказать о дороге из джунглей до аэропорта в Консепсьоне. Когда вопрос был исчерпан, они около минуты молчали, затем перешли к сути дела:

— Что в ходе допроса мистера Лэнигана вы узнали о деньгах?

— Очень немногое. Он сказал нам, где хранились деньги и что там их больше нет.

— Предполагаю, это было результатом пытки?

— Разумное предположение.

— А вы сами уверены в том, что он не знал, где в тот момент находились деньги?

— Меня там не было. Однако человек, который вел допрос, сказал мне, что, по его твердому убеждению, мистер Лэниган действительно не знал этого.

— Ход допроса не записывался на видео- или аудиотехнику?

— Конечно, нет.

— Не говорил ли мистер Лэниган, что у него есть помощник?

— Мне об этом неизвестно.

— Что это означает?

— То, что я не знаю.

— А как насчет человека, который вел допрос? Может, он слышал имя помощника?

— Мне об этом неизвестно.

— То есть, насколько вы знаете, мистер Лэниган ни разу не упомянул, что у него был помощник?

— Это так.

Новое перешептывание. Наступившая пауза была настолько долгой, что Стефано ощутил некоторую тревогу. Только что он соврал дважды — относительно записи допроса и о помощнике. Особенно беспокоиться по этому поводу не стоило: откуда им знать, что́ именно говорилось в джунглях Парагвая? И все-таки — это ФБР. Стефано настороженно ждал.

Внезапно открылась дверь, и в кабинет вошел Гамильтон Джейнс в сопровождении Уоррена.

— Привет, Джек, — громко бросил Джейнс, усаживаясь у противоположного конца стола.

Уоррен опустился рядом со своими коллегами.

— Привет, Гамильтон. — Стефано еще больше встревожился.

— Слушал твой рассказ в соседней комнате, — улыбнулся Джейнс, — и вдруг подумал: да искренен ли ты с нами?

— Конечно, полностью.

— Конечно... Слушай, Джек, ты когда-нибудь слышал такое имя — Ева Миранда?

Стефано медленно повторил, делая вид, что совершенно сбит с толку:

— Ева Миранда... Не думаю.

— Она — юрист из Рио. Друг Патрика.

— Нет.

— Вот это меня и волнует, Джек. Думаю, ты отлично знаешь, кто она.

— Никогда в жизни не слышал об этой женщине.

— Тогда зачем ты пытаешься разыскать ее?

— Не понимаю, о чем это вы, — растерянно отозвался Стефано.

Заговорил Андерхилл. Слова его предназначались Джейнсу, но смотрел он прямо на Стефано:

— Он лжет.

— Несомненно, — подал голос Оливер.

— Ясно как день, — добавил Уоррен.

Глаза Стефано перебегали с одного на другого. Он открыл было рот, однако Джейнс жестом остановил его. Дверь вновь раскрылась, в кабинет вошел еще один выпускник того же учебного заведения, которое окончили Андерхилл, Оливер и Уоррен.

— Акустический анализ явно свидетельствует о лжи. — Произнеся эту единственную фразу, вошедший скрылся за дверью.

Джейнс достал из кожаной папки лист бумаги.

— Это газетная заметка, опубликованная сегодня в Рио. В ней сообщается о похищении мистера Паоло Миранды. Его дочь — друг Патрика, Джек. Мы связались с властями в Рио. Выкупа за Миранду не потребовали. Похитители никак не дали о себе знать. — Он подтолкнул листок в сторону Стефано, но бумажка остановилась на полпути. — Так где же мистер Миранда?

— Не знаю. Не знаю, о чем вы говорите.

Джейнс бросил взгляд на противоположный конец стола.

— Еще одна ложь, — сказал Андерхилл, а Оливер и Уоррен кивнули.

— Мы же договаривались, Джек. Ты рассказываешь нам правду, а мы снимаем с тебя все обвинения. И как я помню, еще мы согласились не трогать твоих клиентов. Что мне теперь делать, Джек?

Стефано посмотрел на Андерхилла и Оливера, готовых, казалось, наброситься на него. Они, в свою очередь, не сводили с него своих цепких холодных глаз.

— Она знает, где деньги, — сдаваясь, выдавил Стефано.

— Вам известно, где она сейчас?

— Нет. Когда мы нашли Патрика, она покинула Рио.

— И ни следа?

— Нет.

Джейнс кивнул. Похоже, Стефано прекратил врать.

— Я согласился все рассказать, — проговорил Джек. — Согласия на что-либо другое я не давал. Мы имеем право искать ее.

— Да, но вас уже поймали на лжи.

— Прошу извинить. Больше это не повторится.

— Оставь девчонку в покое, Джек. И отпусти ее отца.

— Я подумаю об этом.

— Нет. Ты сделаешь это сейчас же.

Новенький трехэтажный коттедж стоял в ряду себе подобных, тянувшихся вдоль недавно застроенного участка побережья. Октябрь не лучшая пора для отпусков, и большинство домов опустело. Сэнди остановил машину позади сверкающего «крайслера» с номером Луизианы — видно, взят напрокат, решил он. Солнце медленно опускалось к горизонту, его оранжевый диск находился над самой водой. Залив был абсолютно пуст — ни яхты, ни лодочки. Поднявшись по ступеням, Сэнди постучал в дверь.

Лиа распахнула ее и улыбнулась.

— Входите, — мягко сказала она и закрыла за Сэнди дверь.

В трех стенах просторной сводчатой гостиной были огромные окна, в углу — большой камин.

— Вы неплохо устроились, — заметил Сэнди и почувствовал доносившийся из кухни тонкий аромат — от обеда из-за поручения Патрика пришлось отказаться.

— Есть хотите?

— Умираю от голода.

— Что-нибудь найдется.

— Замечательно.

Доски пола чуть слышно поскрипывали, когда следом за ней Сэнди пошел в столовую. На столе стояла картонная коробка, рядом — аккуратно сложенные бумаги. До прихода гостя Лиа работала. Замерев на мгновение у стола, она сказала:

— Это документы на Арициа.

— Кем они собраны?

— Патриком, конечно.

— Где хранились бумаги последние четыре года?

— В камере хранения. В Мобиле.

Ответы были короткими. У Сэнди они вызывали массу вопросов, которые он с удовольствием задал бы Лиа.

— Мы займемся ими позже, — сказала она, сделав легкое движение рукой.

В кухне на разделочной доске у раковины лежал жареный цыпленок. В духовом шкафу доходило блюдо темно-коричневого риса, перемешанного с овощами.

— Еда самая простая. Как-то непривычно готовить в чужой кухне.

— Выглядит все в высшей степени аппетитно. А чья это кухня?

— Домик сдавался в аренду. Я сняла его на месяц.

Она разрезала цыпленка и предложила Сэнди налить вина, великолепного «Пино-Нуар» из Калифорнии. Оба сидели за маленьким столиком у окна, откуда открывался вид на залив и опускающееся в водную гладь солнце.

— Выпьем? — спросила Лиа, поднимая бокал.

— За Патрика, — предложил тост Сэнди.

— Да, за Патрика.

К еде она не прикоснулась, зато Сэнди отправил в рот хороший кусок цыплячьей грудки.

— Как он?

Адвокат старался есть быстро, не желая утомлять сидевшую напротив прекрасную молодую женщину малопривлекательным зрелищем жующего мужчины. Глоток вина. Салфетка.

— С Патриком все в норме. Ожоги заживают. Вчера его осмотрел хирург и сказал, что он достаточно окреп. Шрамы на несколько лет останутся, но будут почти незаметны. Сестры приносят ему пирожные, а судья — пиццу. Его круглосуточно охраняют не менее шести вооруженных стражей, так что он чувствует себя намного увереннее, чем мог бы чувствовать человек, обвиняемый в умышленном убийстве.

— Судья — это Хаски?

— Да, Карл Хаски. Вы знаете его?

— Нет. Но о нем часто говорил Патрик. Они были друзьями. Как-то Патрик сказал, что если его все же схватят, то хорошо бы это произошло, когда Хаски еще будет занимать пост судьи.

— Он скоро уйдет, — сказал Сэнди, подумав о том, как удачно выбрано время.

— Вести дело Патрика он не может, правда?

— Да.

Сэнди взялся за новый кусочек, значительно меньших размеров. По-прежнему он ел один — Лиа, казалось, не замечала лежавших перед ней вилки и ножа. Бокал с вином

она все еще держала в руках, глядя в окно на фиолетово-
оранжевые облака над горизонтом.

— Я не спросил о вашем отце, простите.

— А ничего и не известно. Три часа назад я разговаривала с братом — об отце никаких вестей.

— Мне искренне жаль, Лиа. Я хотел бы чем-то помочь.

— Я тоже. Все это так меня опустошило. Домой поехать
я не могу, а остаться здесь невозможно.

— Мне очень жаль, — повторил Сэнди.

В наступившем молчании он принялся за еду. Лиа взяла
вилку и начала ковырять рис.

— Удивительно вкусно, — сказал Сэнди.

— Спасибо.

— Чем занимается ваш отец?

— Он — профессор университета.

— Где?

— В Рио. Католический университет.

— А живет он?..

— В Ипанеме, в той квартире, где я выросла.

Заговорив о ее отце, Сэнди коснулся деликатной темы,
но сейчас он хотя бы получал ответы на свои вопросы. Прозвучало еще несколько фраз, самых общих, не имевших никакого отношения к похищению.

Остывшего цыпленка Лиа так и не попробовала.

Когда Сэнди покончил с едой, она спросила:

— Не хотите кофе?

— Он понадобится нам наверняка, не так ли?

— Да.

Они вместе убрали со стола пластиковые тарелки. Пока
Сэнди бродил по дому, Лиа приготовила кофе. Усевшись в
столовой за небольшим стеклянным столиком, оба посмот-
рели друг на друга. Ничего не значивший светский разговор
закончился.

— Что вам известно об Арициа? — спросила она.

— Если верить газетам, Бенни — тот самый клиент фирмы, чьи девяносто миллионов похитил Патрик. Он работал в «Платт энд Роклэнд», а потом выложил правительству информацию о том, что его компания завышала счета. Было заведено дело по акту о незаконных требованиях на общую сумму около шестисот миллионов долларов. В соответствии с актом вознаграждение Арициа составляло пятнадцать процентов. Отстаивал интересы Арициа Боген и другие партнеры, с кем наш приятель Патрик работал. В основном это всё.

— Неплохо. То, что собираюсь рассказать вам я, может быть подтверждено этими документами и пленками с записью. Мы обязательно ознакомимся с ними, так как вам необходимо получить максимально полную картину.

— Фактически я уже сделал это. — Сэнди улыбнулся, но она оставалась серьезной.

— Со стороны Арициа это было мошенничеством чистой воды, — медленно выговорила Лиа. — Бенни Арициа — продажный человек, поставивший себе целью надуть не только собственную компанию, но и правительство. В этом ему помогали весьма опытные юристы, бывшие коллеги Патрика, и влиятельные люди в Вашингтоне.

— Должно быть, сенатор Ней, двоюродный брат Богена.

— В общем-то да. Как вы наверняка слышали, сенатор Ней — довольно заметная фигура в Вашингтоне.

— Я слышал это.

— Арициа тщательно продумал свои действия, а затем посвятил в план Богена. Патрик тогда только стал партнером, и об Арициа ему не было известно ровным счетом ничего, в то время как остальные партнеры приняли участие в осуществлении плана. В фирме происходили перемены, и Патрик видел это. Он начал копать и в конце концов выяснил, что существует настоящий заговор, за которым стоит их новый клиент — Арициа. Патрик ничем не проявил свою осведомленность и стал собирать доказательства. Большая их часть здесь. — Лиа коснулась картонной коробки.

— Давайте начнем сначала, — попросил Сэнди. — Объясните, почему это было мошенничеством.

— Арimplicitциа заправлял судостроительными верфями в Паскагуле, это одно из подразделений «Платт энд Роклэнд».

— Знаю. Крупный подрядчик министерства обороны, но с неким темным прошлым. Репутация оказалась подмоченной обманом правительства.

— Совершенно верно. Арициа просто воспользовался масштабностью полученного заказа. На верфях строились атомные подводные лодки, и уже имелся значительный перерасход сметы. Он решил еще более драматизировать ситуацию. Верфи представили дутый подсчет рабочего времени: тысячи часов по профсоюзным расценкам за работу, которую не сделали; деньги шли якобы непосредственным исполнителям. Цена поставлявшихся материалов тоже была немыслимо завышена: осветительные лампы по шестнадцать долларов за штуку, чашки по тридцать и так далее. Список можно продолжать до бесконечности.

— Он здесь, в коробке?

— Здесь данные только по наиболее важным закупкам: системам обнаружения, ракетам, оружию и так далее. Лампочки — мелочь. Арициа проработал в компании достаточно долго и знал, как действовать, чтобы его не схватили за руку. Он подготовил целые тонны бумаг, но в них редко упоминалось его имя. Оборонными контрактами в «Платт энд Роклэнд» занимались шесть подразделений, так что штаб-квартира компании напоминала настоящий зоопарк. И это Арициа тоже использовал в своих интересах. На каждом счете, представляемом военным, имелась виза какой-нибудь шишки из штаб-квартиры. Арициа выписывал дополнительные счета на материалы и подсовывал их на подпись своему начальству. Примитивная, но хорошо отлаженная система, которую он великолепно знал. Позже он передал своим юристам самые подробные записи обо всем.

— Патрик раздобыл и их?

— Некоторые.

Сэнди взглянул на коробку.

— И все это он прятал с момента исчезновения?

— Да.

— Он хотя бы раз проверял, все ли на месте?

— Нет.

— А вы?

— Когда два года назад я приехала, чтобы продлить договор аренды ячейки в камере хранения, я заглянула в коробку, но времени проверить все как следует у меня не было. Чувствовала себя не в своей тарелке, нервничала, даже не хотела ехать. Я верила, что эти бумаги никогда не понадобятся, поскольку его не поймают. Но Патрик, видимо, знал все лучше меня.

Как профессионал, Сэнди испытывал острое желание засыпать ее градом вопросов, не имевших ни малейшего отношения к Арициа, но все же сдержал себя. «Успокойся, — подумал он, — не выдавай своего интереса, и ответы всплывут сами».

— Значит, план Арициа сработал. В какой-то момент он подошел к Чарлзу Богену, чей двоюродный брат лижет кому-то задницу в Вашингтоне и чей бывший босс является в настоящее время федеральным судьей. А Боген знал, что перерасходы допустил сам Арициа?

Лиа поднялась, раскрыла коробку, достала из нее диктофон и несколько аккуратно надписанных мини-кассет, выбрала одну и поставила.

— Послушайте. Одиннадцатое апреля девяносто первого года. Первый голос принадлежит Богену, второй — Арициа. Арициа позвонил ему, когда тот находился в расположенном на втором этаже конференц-зале фирмы.

Сэнди оперся на локти и обратился в слух.

* * *

БОГЕН. Мне позвонил сегодня один из нью-йоркских юристов «Платта», некий Кресни.

АРИЦИА. Знаю его. Типичный нью-йоркский выскочка.

БОГЕН. Да, вежливым его не назовешь. Сказал, что у них есть свидетельства, будто ты знал о двойном завышении счетов на экранирующие плоскости, которые верфи приобрели у «Рэмтека». Я спросил, нельзя ли с ними ознакомиться, и он ответил, что можно будет примерно через неделю.

АРИЦИА. Успокойся, Чарли. Доказать что-либо нереально, ведь я ничего не подписывал.

БОГЕН. Но ты знал об этом?

АРИЦИА. Естественно. Я сам все спланировал, заставил шестеренки крутиться. Это было одной из моих блестящих идей. Их проблема, Чарли, заключается в том, что они никогда не смогут доказать этого. Документов нет, свидетелей тоже.

В наступившей паузе Лиа сказала:
— Через десять минут разговор продолжается.

АРИЦИА. Как сенатор?

БОГЕН. У него все отлично. Вчера встречался с секретарем по военно-морским силам.

АРИЦИА. И как прошла встреча?

БОГЕН. Она была на редкость плодотворной. Они же старые друзья. Сенатор выразил желание сурово покарать «Платт энд Роклэнд» за неуемную жадность, но так, чтобы это не нанесло вреда программе строительства подводных лодок. Секретарь придерживался того же мнения и сказал, что будет настаивать на принятии жестких штрафных санкций по отношению к компании.

АРИЦИА. А поторопиться он не может?

БОГЕН. Зачем?

АРИЦИА. Черт побери, я хочу денег, Чарли! Я уже ощущаю их запах, чувствую их вкус.

Нажав кнопку, Лиа остановила пленку. Затем она вытащила кассету и положила к остальным.

— Записывать Патрик стал в самом начале девяносто первого. Партнеры намеревались вышвырнуть его с работы в конце февраля под тем предлогом, что он не приносит фирме прибыли.

— Много в коробке таких кассет?

— Около шестидесяти. Все записаны Патриком. Часа через три вы сможете прослушать то, что захотите.

Сэнди взглянул на часы.

— Нам еще многое предстоит сделать, — пояснила Лиа.

ГЛАВА 28

На просьбу Паоло Миранды предоставить ему радиоприемник последовал отказ, но когда люди Гая поняли, что речь шла всего лишь о музыке, то принесли старенький плейер и две кассеты с записью концертов филармонического оркестра Рио-де-Жанейро. Он предпочитал слушать классику.

Сделав звук потише, Паоло углубился в подшивку старых журналов. Вопрос о том, чтобы дать ему книги, рассматривался. Кормили очень хорошо: по-видимому, похитители желали сделать его пребывание здесь сколь возможно приятным.

Медленно тянулся второй день. Ева оказалась слишком умной для того, чтобы попасть в поставленный капкан, а это, безусловно, самое важное. Ничего, терпения у Паоло не меньше, чем у них.

На следующий вечер его честь принес пиццу с собой. Предыдущий визит доставил судье такое удовольствие, что во второй половине дня он позвонил Патрику узнать, не смогут ли они увидеться вновь. Изнывавший от скуки, тот с радостью пригласил Карла к себе.

Достав из портфеля толстую пачку конвертов, Хаски положил ее на стол.

— Тебя приветствуют множество людей, в основном судейские чиновники. Я сказал, тебе можно написать.

— Не знал, что у меня столько друзей.

— Это не дружба. Они целые дни сидят в кабинетах и мучаются бездельем. Черкнуть несколько строк — какое ни есть, а развлечение.

— Огромное спасибо.

Хаски подвинул кресло поближе к кровати и уперся ногой в выдвинутый ящик тумбочки. Съев два куска пиццы, Патрик насытился.

— Мне скоро придется отойти в сторону, — сообщил судья почти извиняющимся голосом.

— Знаю.

— Утром у меня был долгий разговор с Трасселом. Ты от него не в восторге, но он — хороший судья. Он будет рад взять твое дело.

— Я предпочел бы Лэнкса.

— Да, но, к сожалению, выбор не за тобой. У Лэнкса проблемы с давлением, и на крупные дела мы стараемся его не ставить. К тому же Трассел более опытен, чем я и Лэнкс, вместе взятые, особенно там, где речь может зайти о смертном приговоре.

Услышав эту фразу, Патрик едва заметно вздрогнул. Смертный приговор. Лэниган был неприятно поражен, как бывало, когда приходилось внимательно рассматривать себя в зеркало. Хаски не сводил с него взгляда.

Говорят, совершить убийство способен каждый, и судье не раз за двенадцать лет работы выпадала возможность общаться с настоящими монстрами. А Патрик был первым из его друзей, кому грозила смертная казнь.

— Почему ты уходишь? — спросил Лэниган.

— Причина самая обычная. Надоело. Если я не уйду сейчас, то потом просто не смогу этого сделать. Детям пора в колледж, а для этого нужны деньги. — На мгновение Хаски смолк. — Интересно, а как ты узнал, что я ухожу? Мне и в голову не приходило кричать об этом на каждом углу.

— Поговаривали.

— В Бразилии?

— У меня был осведомитель, Карл.

— Кто-нибудь из местных?

— Нет, конечно же. Я не мог рисковать, общаясь с местными.

— Значит, кто-то там?

— Да, юрист, с которым я познакомился.

— И ты рассказал ему все?

— Ей. Да, я рассказал ей все.

— Думаю, — Хаски сцепил пальцы, — в этом есть некий смысл. А где она сейчас, этот твой юрист?

— Полагаю, не очень далеко.

— Ага, понимаю. И у нее все деньги?

Патрик улыбнулся. Лед был наконец сломан.

— Что бы ты хотел узнать о деньгах, Карл?

— Все. Как ты их украл? Где они? Сколько осталось?

— А что насчет этого говорят в суде?

— Море слухов. Мне больше всего нравится, когда уверяют, будто ты удвоил состояние и спрятал его в швейцарских банках, а в Бразилию приехал лишь отдохнуть, желая набраться сил.

— Неплохо.

— Помнишь Бобби Доука, маленького хорька, оформлявшего разводы за девяносто девять долларов и презиравшего каждого, кто брал больше?

— Еще бы. Он рекламировал себя в церковных газетенках.

— Да, это он. Вчера Бобби сидел и пил кофе с клерками и хвастался, что получил из надежнейшего источника сведения, будто ты потратил все деньги на наркотики и несовершеннолетних проституток, поэтому-то и жил в Бразилии как нищий крестьянин.

— Очень похоже на Доука.

Воспользовавшись тем, что улыбка с лица Патрика исчезла, судья попробовал еще раз:

— Так где же деньги?

— Я не могу сказать, Карл.

— Сколько их?

— Тонна.

— Больше, чем ты украл?

— Больше, чем я взял. Да.

— Как тебе это удалось?

Патрик опустил ноги с кровати, а затем подошел к двери. Она была закрыта. Потянувшись, он сделал глоток из бутылки с минеральной водой и, сев на постель, взглянул на Карла.

— Мне повезло, — почти шепотом сказал он. — Я решил уехать, Карл, с деньгами или без них. Я знал, что они вот-вот поступят, и у меня был план, как их перехватить. Но если бы ничего с этим не получилось, я все равно бы уехал. Прожить с Труди еще один день стало невмоготу. Я ненавидел свою работу, и на работе меня не ждало ничего хорошего. Боген со своими парнями затеял грандиозную аферу, а я оказался единственным, кто о ней знал.

— Какую аферу?

— Иск Арициа. Поговорим об этом позже. Словом, я тщательно спланировал свое исчезновение, и мне повезло, все прошло отлично. Удача сопутствовала мне все эти годы. Немыслимая удача.

— Прошлый раз мы остановились на похоронах.

— Да. Я вернулся в коттедж, который снял в Ориндж-Бич, и оставался там пару дней, слушая кассеты на португальском и зубря слова. Несколько часов потратил на то, чтобы привести в порядок те разговоры, что записал на пленку, работая в фирме. Еще нужно было разобрать уйму документов. По ночам я ходил по берегу, весь в поту, пытаясь как можно быстрее сбросить вес. На еду вообще перестал смотреть.

— О каких документах ты говоришь?

— Я собрал на Арициа целую папку. Выходил в море на катере. Основы управления были мне известны, а тут появилась возможность превратиться в настоящего морского волка. Катер достаточно велик, и очень скоро я стал прятаться на воде.

— Здесь?

— Да. Я бросал якорь у острова Шип и любовался набережной Билокси.

— С чего бы это?

— Я натыкал микрофонов по всей фирме, Карл, в каждый телефон, каждый стол, за исключением стола Богена. Поставил «жучок» даже в мужском туалете на первом этаже, между кабинетами Богена и Витрано. С микрофонов все передавалось на устройство, которое я спрятал на чердаке. Старая фирма в старом здании, так что на чердаке было полно хлама. Туда не поднимался никто, зато на крыше у дымовой трубы имелась телевизионная антенна, через которую я и пропустил свои провода. Сигнал улавливала двадцатисантиметровая тарелка, установленная на катере. Технику я использовал только новейшую, Карл, это было настоящее чудо. Купил ее на черном рынке в Риме за бешеные деньги. В бинокль я видел дымовую трубу, так что с приемом сигналов все обстояло нормально. Любой записанный с помощью микрофона разговор становился известен мне. Я знал, где компаньоны собираются поужинать и в каком настроении их жены. Мне было известно абсолютно все.

— Немыслимо.

— Послушал бы ты, что они говорили после моих похорон! Принимая по телефону соболезнования, изображали печаль, а потом отпускали шуточки по поводу моей смерти.

Боген, оказывается, был уполномочен остальными партнерами сообщить мне, что фирма более не нуждается в моих услугах. На следующий день после похорон он пил вместе с Хавареком виски в комнате для переговоров, говоря, что мне удивительно повезло со столь своевременной смертью.

— И у тебя есть эти записи?

— Конечно! У меня есть пленка с разговором Труди и Дуга Витрано: они сидят в моем бывшем кабинете за несколько часов до похорон и внезапно находят в ящике стола страховой полис на два миллиона. Умереть можно со смеху! Труди потребовалось не менее двадцати секунд, чтобы спросить, скоро ли она получит деньги.

— Когда я смогу прослушать эту пленку?

— Не знаю. Скоро. Там их сотни. Приведение записей в порядок заняло несколько недель. Я работал по двенадцать часов в день. Представь себе: все их телефонные разговоры!

— У них появились какие-нибудь подозрения?

— В общем-то нет. Рэпли однажды бросил Витрано, что поражен, как точно я рассчитал время, приобретя страховой полис на два миллиона долларов всего за восемь месяцев до смерти. Были еще отдельные высказывания относительно моих странностей, но ничего серьезного. Партнеры ликовали, что я больше не стою у них на пути.

— А телефон Труди ты тоже прослушивал?

— Я подумывал об этом, но потом решил: для чего? Ее поведение было абсолютно предсказуемо. Помочь мне она не могла.

— Зато Арициа мог.

— Безусловно. Мне становился известен каждый шаг, который партнеры фирмы делали ради него. Я знал, что деньги уйдут за границу, знал, в какой банк и когда.

— Но как ты умудрился их выкрасть?

— Мне снова повезло. Хотя руководил всем Боген, бо́льшую часть переговоров с банкирами вел Витрано. Я вылетел в Майами с документами, выписанными на имя Дуга Витрано, у меня был даже номер его карточки социального страхования и прочие детали. Тот парень в Майами имел в своем компьютере целый каталог, наверное, с миллионом разных лиц, и стоило указать на понравившееся, как — пожалуйста, получите ваши водительские права с новой фотографией. Я выбрал нечто среднее между нашими с Витрано физиономиями и из Майами полетел в Нассо, где явился в Объединенный банк Уэльса. Витрано общался там с неким Грэмом Данлэпом. Мне оставалось предъявить ему все свои бумаги, включая и подделанное решение исполнительного комитета, как и положено, на фирменном бланке. По этому решению мне поручалось перевести деньги в новое место сразу, как только они придут в банк. Мистера Витрано Данлэп не ожидал увидеть и был удивлен, даже польщен, что к нему направили партнера фирмы. Он налил мне кофе, а секретаршу попросил принести пирожные. Пока я наслаждался ими в его кабинете, в банк поступили деньги.

— И ему не пришло в голову позвонить в фирму?

— Нет. Но я был готов к самому худшему, Карл. Если бы у Данлэпа возникли малейшие подозрения, я свалил бы его кулаком на пол, рванул из банка, сел в такси и помчался в аэропорт. В бумажнике у меня лежали билеты на три различных рейса.

— И куда бы ты отправился?

— Не забывай, в тот момент я еще считался трупом. Наверное, в Бразилию. Устроился бы куда-нибудь барменом и провел остаток дней на пляже. Оглядываясь назад, могу сказать, что без денег мне было бы даже лучше. Но раз они стали моими, значит, за ними должна была начаться охота. Поэтому я сейчас здесь. Но все сложилось, как я планировал. Данлэп задал вполне разумные вопросы, и мои ответы полностью удовлетворили его. Он подтвердил получение денег, и я тут же распорядился перевести их на Мальту.

— Всю сумму?

— Почти. Узнав, что деньги вот-вот уйдут из-под его власти, Данлэп на мгновение заколебался, а я едва не проглотил язык от волнения. Он начал мямлить что-то о полагающемся гонораре за услуги, и я заставил себя спросить, о какой сумме идет речь. Залившись румянцем и опустив глаза, Данлэп сказал, что пятидесяти тысяч будет достаточно. Я тут же согласился. Пятьдесят тысяч долларов остались на счете и были позже переведены Данлэпу. Банк находится в деловой части Нассо...

— Находился. Через шесть месяцев после твоего ограбления он рухнул.

— Да-да. Я что-то слышал об этом. Очень жаль. Выйдя из дверей, я почувствовал бешеное желание пуститься через улицу вприпрыжку. Мне хотелось орать и размахивать руками, но я каким-то чудом сдержался. Остановив первое же такси, сказал водителю, что опаздываю в аэропорт. Он газанул. Самолет в Атланту вылетал через час, в Майами — через полтора. На нью-йоркский рейс как раз шла посадка, поэтому я прилетел в Ла Гуардиа.

— С девяноста миллионами долларов.

— Минус пятьдесят тысяч для старины Данлэпа. Это был самый долгий полет в моей жизни, Карл. Я выпил на борту три мартини, но все равно представлял собой клубок нервов. Закрывал глаза и видел встречающих меня копов с автоматами наперевес. Я прямо-таки чувствовал, что Данлэп заподозрил что-то, позвонил в фирму и моим партнерам удалось вычислить мой рейс. Ужасно хотелось сорваться с места и броситься из самолета вон. Мы приземлились, подрулили к зданию аэровокзала, и я спустился по трапу. Вхожу в терминал, и мне в глаза бьет фотовспышка. Ну, думаю, вот оно! Взяли. Оказалось, какой-то ребенок забавлялся своим «Кодаком». Я опрометью побежал в туалет и просидел там целых двадцать минут. Дорожная сумка со всеми пожитками стояла на кафельном полу.

— И с девяноста миллионами.

— О да.

— Как деньги очутились в Панаме?

— Откуда ты знаешь про Панаму?

— Я — судья, Патрик. Иногда обмениваюсь фразой-другой с полисменами, город ведь у нас небольшой.

— Из Нассо я передал инструкцию на Мальту, и оттуда деньги быстренько перевели в Панаму.

— Ты стал настоящим волшебником по части прятать свои сокровища.

— Для этого потребовалась небольшая исследовательская работа. Я готовился целый год. Скажи, Карл, а когда ты услышал о том, что деньги пропали?

Хаски расхохотался и, подняв руки, сцепил их за головой.

— Видишь ли, твои приятели в фирме не приложили никаких усилий, чтобы все прошло тихо.

— Я поражен.

— В действительности же весь город знал, что они вот-вот превратятся в крезов. Так секретничать и так бешено кидаться деньгами! Хаварек приобрел самый большой и самый черный из «мерседесов», какой я когда-либо видел. Личный архитектор Витрано заканчивал проект его нового дома — тысяча триста квадратных метров. Рэпли подписал контракт на покупку двадцатипятиметровой яхты — сказал, что подумывает о выходе на пенсию. Несколько раз до меня доносились обрывки их разговоров. Гонорар в тридцать миллионов довольно трудно спрятать в наших местах, но твои бывшие партнеры даже не пытались этого сделать. Им хотелось, чтобы люди знали об их успехе.

— Спесивые недоумки.

— Ты нанес свой удар в четверг, так?

— Да, двадцать шестого марта.

— На следующий день у меня было назначено рассмотрение гражданского иска, и тут позвонили из твоей фирмы.

Сообщили, что у партнеров возникли проблемы: исчезли деньги. Все сразу. Кто-то за океаном наложил на них лапу.

— А мое имя упоминалось?

— Не сразу, хотя много времени для этого тоже не потребовалось. Прошел слух, что камеры наблюдения в банке засекли кого-то, отдаленно похожего на тебя. Припомнили сомнительные моменты твоей гибели, и слух распространился по всему городу.

— Ты поверил, что это сделал я?

— Сначала я был слишком изумлен, чтобы чему-то верить, как, собственно, и все остальные. Мы же похоронили тебя, отправили на вечный покой, прочитали молитвы. Но с течением времени из разрозненных фрагментов головоломки начала складываться целая картина. Новое завещание, страховой полис, тело, которое кремировали, — люди стали что-то подозревать. Потом выяснилось, что все кабинеты фирмы напичканы «жучками». Повсюду шныряли агенты ФБР, задавали вопросы. Через неделю уже почти никто не сомневался в том, чьих рук это дело.

— Ты не испытывал чувство гордости за меня?

— Я бы не сказал, что гордился тобой. Удивлялся — да. Был ошеломлен. В конце концов, ведь чье-то мертвое тело мы же похоронили. А потом все это меня заинтриговало.

— И ни намека на восхищение?

— Такого я не припомню, Патрик. Нет. Для того чтобы ты смог украсть деньги, понадобилась смерть невинного человека. К тому же ты оставил здесь свою жену и дочь.

— Жена была только рада, а дочь не моя.

— Тогда я этого не знал. Да и никто не знал. Нет, не думаю, чтобы тобой у нас восхищались.

— А что мои коллеги в фирме?

— Их не видели месяцами. Арициа предъявил им иск, а потом так же поступили и многие другие. Фирма допустила значительный перерасход средств и оказалась банкротом.

Начались разводы, спиртное — словом, что-то ужасное. Классический пример самоуничтожения.

Патрик забрался под одеяло и осторожно подогнул колени. Услышанное вызвало у него злорадную усмешку. Судья встал, подошел к окну.

— Долго ты оставался в Нью-Йорке? — спросил он, глядя сквозь щелку жалюзи.

— Около недели. Мне не хотелось держать в Штатах ни цента, поэтому я перевел деньги в Торонто. В Панаме они находились в филиале банка Онтарио, так что проблем с перемещением всей суммы у меня не возникло.

— И ты начал тратить их?

— Очень осторожно. Я уже был канадцем с отличными документами, жителем Ванкувера, а имевшиеся средства позволили мне купить небольшую квартирку и обзавестись кредитными карточками. Я нашел преподавателя португальского и шесть часов в день тратил на изучение языка. Несколько раз летал в Европу, паспорт мой приобрел потрепанный вид и был хорошо изучен чиновниками. Все шло великолепно. Через три месяца я выставил квартиру на продажу и отправился в Лиссабон. Девять недель шлифовал язык там, а пятого августа девяносто второго вылетел в Сан-Паулу.

— День твоей независимости.

— Полной свободы, Карл. Приземлился я там с двумя маленькими чемоданами. Взял такси и растворился в потоке транспорта. Было темно, шел дождь, улицы забиты машинами. Я сидел позади водителя и думал о том, что ни одна душа в мире не знает, где я сейчас нахожусь, и никто не сможет разыскать меня. Я чуть не расплакался, Карл. Абсолютная, ничем не ограниченная свобода! Я смотрел на лица шедших по улицам людей и чувствовал себя одним из них. Я стал бразильцем по имени Денило. И никогда больше не сделаюсь кем-то другим.

ГЛАВА 29

Проспав часа три на жестком матрасе, брошенном на пол чердака подальше от Лиа, Сэнди проснулся с первыми лучами солнца. Часы показывали половину седьмого. Оба пожелали друг другу спокойной ночи в три — после семи часов изнурительного изучения документов и прослушивания записанных Патриком разговоров.

Сэнди принял душ, оделся, спустился в кухню и увидел там, к своему удивлению, сидевшую за столом свежую и бодрую Лиа. Восхитительно пахло кофе. На столе лежали газеты. Лиа приготовила ему сандвичи — слой джема на кусочках поджаренного белого хлеба. Сэнди был готов вернуться в офис и приступить там к работе с документами на Арициа.

— Об отце слышали что-нибудь? — спросил он.

— Нет. Отсюда нельзя звонить. Чуть позже пойду в магазин и позвоню из телефона-автомата.

— Я помолюсь за него.

— Спасибо.

Они положили коробку с бумагами и пленками в багажник его машины и попрощались. Лиа обещала в течение суток сообщить о себе — пока она никуда не собиралась. Проблемы их общего знакомого из серьезных становились безотлагательными.

Утренний воздух был прохладным: дыхание осени чувствовалось даже на побережье.

Набросив теплую куртку, Лиа отправилась прогуляться вдоль берега, без всякой обуви, босиком, сунув левую руку в карман, а в правой держа чашку с кофе. Она по-прежнему была в раздражавших ее солнечных очках. От кого на пустынном берегу прятать лицо?

Лиа родилась у моря и привыкла гулять по полосе прибоя. Домом для девочки была квартира отца в Ипанеме, одном из лучших районов Рио, — там все дети росли на берегу.

Расхаживать у самой кромки воды и не быть при этом окруженной миллионами загорающих или просто веселящихся людей — казалось ей удивительным. Отец ее стал одним из первых, кто подал голос против неконтролируемого, спонтанного развития Ипанемы. Паоло Миранда негодовал по поводу угрожающего роста населения и бессистемной застройки, его поддержали многие соседи. Такое поведение шло вразрез с обычным принципом: живи и давай жить другим, — однако довольно скоро он снискал не только всеобщее уважение, но и приобрел множество последователей. Ева, профессиональный юрист, неоднократно жертвовала временем ради того, чтобы помочь защитить права жителей Ипанемы и Леблона.

Из-за облаков проглядывало солнце, поднялся легкий ветерок. Под клекот круживших над головой чаек она вернулась в коттедж, проверила, хорошо ли закрыты двери и окна, а потом отправилась на машине в огромный супермаркет, расположенный в паре километров, — купить шампунь и фрукты. Кроме того, ей нужно было позвонить.

Оказавшегося рядом мужчину она сначала и не заметила, а когда наконец обратила на него внимание, то подумала, что он стоял чуть ли не вплотную к ней уже целую вечность. В ее руке был флакон с ополаскивателем для волос. Мужчина оглушительно чихнул, как если бы подхватил простуду. Обернувшись, она бросила на него взгляд из-под очков и от пристального взора незнакомца едва заметно вздрогнула. Был он белым, небритым, лет тридцати — сорока — рассмотреть что-либо еще у Евы не хватило времени.

Он смотрел на нее широко расставленными горящими зелеными глазами. С независимым видом Ева прошла к кассе. Кто-нибудь из местных, подумала она, какой-нибудь извращенец, любящий потереться в магазине и поглазеть на привлекательных покупательниц. Вполне может быть, что здесь даже знают его имя и просто не хотят поднимать лишнего шума, потому что он и мухи не обидит.

Несколькими минутами позже она увидела его вновь — он прятался у стойки с выпечкой: голову мужчина склонил, но проницательные глаза следили за каждым ее движением. Для чего прятаться, зачем скрывать лицо? Ева успела заметить его шорты и легкие плетеные сандалеты.

От внезапно подступившего панического страха по телу прошла дрожь. Первой мыслью было бежать, и все же она нашла в себе силы сложить покупки в небольшую корзину. Да, за ней следят, но почему бы и ей не проследить за незнакомым мужчиной, кто бы он ни был? Когда она увидит его в следующий раз? Ева чуть помедлила в отделе мясных деликатесов и перешла к сырам. Что-то долго его не видно. Ага, вот он, стоит спиной к ней и держит пакет молока.

Еще две-три минуты, и она увидела незнакомца в окно, он шел по стоянке, склонив голову, и говорил что-то в трубку мобильного телефона — ни сумки, ни пакета у него не было. А как же молоко? Можно попробовать выйти через заднюю дверь, однако ее машина находится у главного входа. Пытаясь сохранить спокойствие, Ева расплатилась у кассы, но рука ее при этом заметно дрожала.

На стоянке было автомобилей тридцать, включая и взятый напрокат «крайслер», — понятно, что рассмотреть их все ей не удастся. Да и смысла нет: так или иначе, незнакомец в одной из машин. Единственное, что она хотела сделать, — это покинуть магазин незаметно. Ева быстро села за руль, выехала со стоянки и свернула в сторону коттеджа, зная, что может и не добраться до него. Отъехав с полкилометра, сделала резкий разворот и тотчас увидела его: в новенькой «тойоте» он двигался через три машины от нее и взгляд успел отвести только в самый последний момент. Странно, подумала Ева, почему бы ему не прикрыть глаза очками?

Странным казалось все. Странно то, что она едет по незнакомому шоссе в чужой стране, с паспортом, выписанным на имя другой женщины, которой она себя нисколько не ощущает, да и едет-то сейчас неизвестно куда. Да, странным было все. Странным, неясным и пугающим. Ева умирала от желания увидеть Патрика и накричать на него. Ни о чем подобном они не договаривались. Пусть за Патриком охотятся тени из его прошлого, но она не совершила ничего дурного. А Паоло — тем более.

Чувствуя себя не очень уверенно в этой стране, Ева заставляла себя ездить, держа одну ногу на педали газа, другую — на тормозе, но сейчас ситуация требовала решительности. Однако прежде всего спокойствие. Когда приходится спасаться бегством, не до паники, как много раз говорил Патрик. Думай, замечай все и действуй.

Ева следила за двигавшимися позади нее автомобилями и педантично соблюдала все правила.

«Всегда знай, где именно ты находишься», — сказал как-то Патрик.

Атлас автомобильных дорог Ева изучала часами. Свернув на север, она притормозила у заправочной станции посмотреть, кто плетется сзади. Там не оказалось никого: зеленоглазый преследователь пропал, однако это не принесло успокоения — наверное, он понял, что его заметили. Засекли. Мужчина просто укатил вперед вместе со своим мобильным телефоном, а теперь за ней следят другие.

Через час Ева въехала на стоянку аэропорта в Пенсаколе и еще с час двадцать дожидалась рейса на Майами. В принципе ее устраивало любое направление, просто вылет в Майами был ближайшим. Это оказалось ошибкой.

Сидя в баре с чашкой кофе, она прятала лицо за обложкой раскрытого журнала и не спускала настороженного взгляда с немногочисленных людей в зале ожидания. Расхаживавший мимо охранник уже начал пялиться на нее, и она невольно подумала, что он на редкость привлекательный — смотреть все равно больше было не на кого.

Лайнер, совершавший рейс в Майами, был маленьким турбовинтовым самолетиком, и полет, казалось, не кончится никогда. Из двадцати четырех мест восемнадцать были свободными, а внешний вид оставшихся пяти пассажиров не внушал никаких опасений. Ева даже решилась вздремнуть.

В Майами она пряталась в баре аэропорта около часа: медленно пила удивительно дорогую воду и внимательно наблюдала за сновавшими людьми. Затем, подойдя к кассе, купила билет до Сан-Паулу, в один конец. Она и сама не знала почему. Может, стоит несколько дней прожить там, в приличном отеле? Все равно она окажется ближе к отцу, где бы его ни держали.

Самолеты разлетались по всему земному шару. Почему бы не побывать дома?

Как это обычно происходит, всем таможенным и иммиграционным пунктам ФБР разослало ориентировку, в том числе и в аэропорты. В описании предлагалось обращать внимание на молодых женщин тридцати — тридцати одного года, имеющих бразильский паспорт. Настоящее имя — Ева Миранда, однако в документах вполне может быть и иное. Узнав об отце, ФБР быстро установило и ее личность.

Когда Лиа Перес подходила к стойке паспортного контроля в международном аэропорту Майами, она не испытывала и тени беспокойства в отношении тех, кто стоял перед ней. Опасность могла грозить только из-за спины. За последние две недели ее паспорт неоднократно доказал свою надежность.

Однако час назад, во время краткого перерыва, чиновник за чашкой кофе прочитал только что полученную ориентировку. Всматриваясь в документ Евы, он нажал на скрытую под стойкой кнопку. Поначалу его нерасторопность лишь удивила ее, но очень скоро ей стало ясно: что-то не так. Пассажиры в соседних кабинках едва замедляли шаг, раскрывая свои паспорта и получая в ответ утвердительный кивок, означавший разрешение на проход. Неизвестно откуда появившийся мужчина в форменном темно-синем кителе шепотом обменялся с иммиграционным чиновником несколькими словами.

— Не могли бы вы пройти со мной вон туда, мисс Перес? — вежливым, но непререкаемым тоном спросил он, указав на двери в длинном просторном коридоре.

— Что-нибудь не так? — спросила Ева.

— Нет, ничего страшного. Всего несколько вопросов.

Он ждал. Рядом переминался служащий охраны аэропорта: одна рука на кобуре, другая — на баллончике со слезоточивым газом. Мужчина в кителе держал в руках ее паспорт. Со стороны за ними с интересом наблюдали десятки пассажиров.

— На какую тему ваши вопросы? — потребовала ответа Ева, идя с ними к комнате под номером два.

— Их будет немного, — еще раз заверил мужчина, распахивая дверь в небольшое помещение, где не было ни одного окна. Склад какой-то. На лацкане кителя Ева рассмотрела значок с именем: Ривьера. Однако чиновник ничуть не походил на испанца.

— Верните мой паспорт, — сказала Ева, как только дверь закрылась и они остались вдвоем.

— Не спешите, мисс Перес. Я должен задать вам несколько вопросов.

— Я не обязана отвечать на них.

— Прошу вас, успокойтесь. Садитесь, пожалуйста. Может, вы хотите кофе или воды?

— Нет.

— Вы проживаете по этому адресу в Рио?

— Безусловно.

— Откуда вы прибыли?

— Из Пенсаколы.

— А ваш рейс?

— Компания «Эр линк», рейс восемьсот пятьдесят пять.

— Куда летите?

— В Сан-Паулу.

— А потом?

— Это мое личное дело.

— Бизнес или на отдых?

— Почему это так важно?

— Это важно. В паспорте указано, что вы живете в Рио. Так где вы собираетесь остановиться в Сан-Паулу?

— В отеле.

— В каком именно?

Она замялась, вспоминая название отеля, а задержка ответа была совершенно нежелательной.

— М-м... «Интерконтинентал», — наконец сказала Ева.

Он записал.

— И номер, как я полагаю, зарезервирован на имя Лиа Перес?

— Естественно. — Она фыркнула.

Телефонный звонок туда мгновенно разоблачил бы ее ложь.

— А где ваш багаж?

Еще одна ошибка, и куда более серьезная. Поколебавшись, Ева отвела взгляд.

— Я путешествую налегке.

Раздался стук в дверь. Ривьера слегка приоткрыл ее, взял протянутый лист бумаги и прошептал что-то невидимому коллеге. Лиа села и попыталась успокоиться. Закрыв дверь, Ривьера быстро пробежал глазами несколько строк.

— Согласно нашим данным, вы прибыли в Штаты восемь дней назад, сюда же, в Майами, самолетом из Лондона, который взлетел в Цюрихе. Восемь дней, и никакого багажа. Вам не кажется это странным?

— Неужели отсутствие багажа может быть приравнено к преступлению?

— Нет. Преступление — это пользоваться фальшивым паспортом. Во всяком случае, у нас, в США.

10-7753

Ева посмотрела на лежавший перед ним паспорт, безусловную фальшивку.

— Мой паспорт подлинный! — с негодованием воскликнула она.

— Вы не знакомы с женщиной по имени Ева Миранда? Она не нашла сил поднять голову. Сердце замерло. Гонка подошла к концу. Ривьера понял это.

— Мне придется связаться с ФБР, а на это потребуется некоторое время.

— Я арестована?

— Пока нет.

— Я — юрист, я...

— Мы знаем. В соответствии с правилами мы можем задержать вас для более подробной беседы. Наши служащие находятся этажом ниже. Пройдемте туда.

Подхватив сумочку, она направилась за ним.

Длинный стол был завален бумагами, папками, скомканными листами из блокнотов и мятыми салфетками. Стояли пустые пластиковые стаканчики, кое-где виднелись остатки сандвичей, принесенных из кафетерия госпиталя. Перекусив пять часов назад, ни один из них не думал об ужине. Время остановило свой бег.

Оба были босиком. На Патрике — шорты и спортивная майка, Сэнди в измятой рубашке и брюках цвета хаки, без носков — так же он был одет в коттедже на берегу.

Пустая коробка с материалами на Арициа покоилась в углу — из нее все вывалили на стол.

Постучав в дверь и не дожидаясь приглашения войти, на пороге появился Джошуа Каттер, специальный агент ФБР.

— У меня важный разговор с клиентом, — встрепенулся Сэнди.

Разбросанные по столу документы не предназначались для посторонних глаз. Патрик направился к двери.

— Вам следовало бы дождаться разрешения войти, — раздраженно заметил он.

— Извините, — спокойно отозвался Каттер. — Я на минутку. Подумал, вам интересно будет узнать, что мы задержали Еву Миранду. Это произошло в аэропорту Майами, откуда она собиралась вылететь в Бразилию по фальшивому паспорту.

Патрик замер, не зная, что сказать.

— Еву? — спросил Сэнди.

— Да, известную также под именем Лиа Перес. Так, во всяком случае, написано в ее поддельном паспорте. — Говоря, Каттер не сводил глаз с Патрика.

— Где она? — не удержался от вопроса он.

— В Майами, в камере.

Развернувшись, Патрик вернулся к столу. Тюрьма отвратительна везде, но в Майами — это уже слишком.

— Вам известен номер, по которому мы можем позвонить ей? — поинтересовался Сэнди.

— Нет.

— Но у нее есть право пользоваться телефоном.

— Наши люди работают над этим.

— Достаньте мне ее номер.

— Посмотрим. — Каттер обращался исключительно к Патрику, игнорируя присутствие Сэнди. — Она очень торопилась. Никакого багажа, даже сумки. Бросила вас и быстрее назад, в Бразилию.

— Заткнитесь, — сказал Патрик.

— Теперь вы можете покинуть нас, — бросил Сэнди.

— Мне показалось, вас это заинтересует, — улыбнулся Каттер и вышел.

Усевшись, Патрик осторожными движениями помассировал виски. Голова начала болеть еще до прихода Каттера, теперь же она просто раскалывалась. Сколько раз вместе с Евой они отрабатывали три возможных варианта развития событий на тот случай, если его поймают. По первому она

10*

должна была держаться в стороне, оказывая помощь Сэнди и переезжая с места на место по собственному усмотрению. По второму ее могли схватить люди Стефано и Арициа — это было бы самое страшное. Третий вариант предусматривал возможность того, что Ева окажется в руках ФБР — не так ужасно, как во втором, однако здесь вставали весьма трудные проблемы. Слава Богу, она хотя бы в безопасности.

Четвертый вариант — ее самостоятельное возвращение в Бразилию — они даже не обсуждали. Патрик и представить не мог, что она его бросит.

Сэнди собрал бумаги, расчистив стол.

— Во сколько ты ушел от нее? — спросил Патрик.

— Около восьми утра. С ней все было в порядке, я тебе уже говорил.

— И ни слова о Майами или Бразилии?

— Нет. Ни намека. Я уходил уверенный в том, что какое-то время она останется на прежнем месте. Она сказала, что сняла коттедж на месяц.

— Значит, она испугалась. С чего бы еще ей бежать?

— Не знаю.

— Найди в Майами адвоката, Сэнди, и побыстрее.

— У меня есть там несколько знакомых.

— Она наверняка до смерти напугана.

ГЛАВА 30

Шел седьмой час, так что Хаварек скорее всего должен был сидеть за карточным столом в казино, накачиваясь бесплатным виски и присматриваясь к хорошеньким женщинам. По городу давно ходили слухи о его долгах, вызванных пристрастием к азартным играм. Рэпли, без сомнения, опять на чердаке — там, откуда, по мнению большинства, ему было лучше и вовсе не спускаться.

Секретарши и ассистенты уже разошлись по домам. Дуг Витрано закрыл на ключ входную дверь и зашагал по дорожке к роскошному особняку, стоявшему позади здания. Там, сидя за столом с закатанными рукавами, его ждал Чарли Боген.

Патрик умудрился поставить «жучки» в каждом кабинете, за исключением офиса старшего партнера. На это Боген неоднократно указывал во время скандалов, вспыхивавших после пропажи денег. Уходя, он всегда запирал кабинет на хитроумный замок, так что посторонний попасть туда никак не мог. Много раз Боген упрекал партнеров в непростительной беспечности, особенно Витрано, по телефону которого и велись разговоры с Грэмом Данлэпом, позволившие Патрику узнать о переводе денег. Споры на эту тему едва не заканчивались дракой.

В то же время Боген не мог заявить, что у него существовали хоть какие-то подозрения относительно шпионажа в собственной фирме. В противном случае почему он не предупредил своих легкомысленных коллег? Нет, Боген всего-навсего проявлял осторожность, а потом ему просто повезло. Самые серьезные разговоры всегда велись именно в его кабинете. Замок запирался в течение нескольких секунд, а ключ от него был только у самого хозяина. В отсутствие Богена туда не могли войти даже уборщицы.

Плотно прикрыв за собой дверь, Витрано опустился в мягкое кожаное кресло напротив стола.

— Сегодня утром я виделся с сенатором, — сообщил Боген. — Он пригласил меня к себе домой.

Отец сенатора и мать Богена были братом и сестрой, а сам сенатор старше своего двоюродного брата на десять лет.

— Как у него настроение? — спросил Витрано.

— Не сказал бы, что хорошее. Он хотел узнать последние новости о Лэнигане, и я поделился тем, что знаю. Насчет денег по-прежнему ничего не известно. Он очень нервничал по поводу имеющейся у Лэнигана информации. Я уверил сенатора, как делал и ранее, в том, что связывался с ним только из этого кабинета, единственного, где не было «жучков», поэтому у него нет оснований для беспокойства.

— Но он все-таки встревожен?

— Конечно. Спросил, существуют ли какие-либо документы, свидетельствующие о его контактах с Арициа. Я опять ответил — нет.

— Что, безусловно, является правдой.

— Да. Документов, где упоминалось бы имя сенатора, не существует. Все наши договоренности были устными, причем о делах мы говорили чаще всего на поле для гольфа. Я напоминал ему об этом тысячу раз, однако он хочет слышать это снова и снова, особенно теперь, когда Патрик вернулся.

— А о кладовке ты ему не говорил?

Глядя на покрывавший стол тонкий слой пыли, оба еще раз переживали случай, происшедший в январе девяносто второго года. Месяцем раньше министерство юстиции приняло решение в пользу Арициа, а еще через шестьдесят дней должны были поступить деньги. Неожиданно появился сам Арициа без всякого предупреждения и в отвратительном настроении. Патрик был еще здесь, до его исчезновения оставалось чуть более трех недель. Фирма уже начала дорогостоящий ремонт офисов, и по этой причине Боген не мог принять гостя в своем кабинете: там работали маляры, а мебель была покрыта мешковиной. Арициа провели в небольшую комнату для переговоров напротив кабинета. Из-за царившей там тесноты комнату прозвали кладовкой. Окна отсутствовали, а потолок был скошен: находилась она под лестницей.

Считавшийся вторым в иерархии фирмы Витрано нервничал. Начался разговор. Арициа выходил из себя: как же, юристы готовились заработать тридцать миллионов долларов. Теперь, убедив министерство юстиции в своей правоте, он считал, что отдавать такие деньги в качестве гонорара —

абсурд. Боген и Витрано стояли на своем, и атмосфера быстро накалилась. Они предложили обратиться к подписанному сторонами контракту на предоставление юридических услуг, однако Арициа было на все наплевать.

В самый разгар перепалки Арициа вдруг спросил: какую часть тридцати миллионов получит сенатор? Ожесточившийся Боген ответил, что это не имеет никакого отношения к теме разговора. Арициа настаивал: его это касалось напрямую, потому что речь шла о его деньгах. Он с ходу начал проклинать сенатора и всех политиков, вместе взятых, забыв о том, как родственнику Богена пришлось попотеть в Вашингтоне, оказывая давление на военных моряков, на Пентагон и министерство юстиции, чтобы те благосклонно отнеслись к предоставленной Арициа информации.

«Сколько он получит?» — продолжал кричать Арициа.

Боген придерживался избранной тактики и говорил, что о сенаторе не забудут. Он напомнил собеседнику: тот выбрал их фирму именно из-за надежных политических связей — и с жаром добавил, что положить в карман шестьдесят миллионов далеко не так плохо, особенно если помнить о высосанной из пальца информации.

Сказано сторонами было слишком много.

Арициа предложил гонорар в десять миллионов. Боген и Витрано отвергли эту смешную цифру без всяких раздумий. Изрыгая проклятия, Арициа в гневе покинул кладовку.

Телефонов там не было, и все же специалисты обнаружили два микрофона: один — под столом, там, где сходились углом две деревянные планки, второй — на единственной в кладовке книжной полке, между древними, покрытыми пылью справочниками. Предполагалось, что книги украсят спартанскую обстановку комнаты для переговоров.

Вне себя от горя после потери целого состояния и обнаружения людьми Стефано «жучков», Боген и Витрано о встрече в кладовке долго не вспоминали: к чему? Арициа не было сказано ни слова: этот негодяй с сумасшедшей скоростью выставил фирме иск и слышать не мог их имен без содрогания. Через какое-то время разговор тот стерся из памяти. Да и был ли он вообще?

С возвращением Патрика приходилось признать, что был. Оставался, правда, шанс: а вдруг микрофоны не сработали или Патрик в спешке не обратил внимания на говорившееся в кладовке? В здании и без того хватало «жучков». Словом, оба считали, что Патрик остался в неведении относительно беседы с Арициа.

— Да и вряд ли бы он стал хранить пленки столько лет, — заметил Витрано.

Боген промолчал. Он сидел со сложенными на животе руками и наблюдал за тем, как в воздухе над столом кружатся пылинки. Господи, а ведь как все могло бы получиться! Он получил бы пять миллионов, столько же, сколько и сенатор. И никакого банкротства, никакого развода. Все так же жил бы с женой дома, в семье. Из пяти миллионов сделал бы сначала десять, а сейчас, наверное, уже и двадцать — настоящие большие деньги, означавшие абсолютную свободу. Они уже почти лежали на этом столе, а Патрик украл их!

Яростное желание разыскать Лэнигана мучило его пару дней, а потом медленно исчезло, когда стало ясно, что деньги не прибыли вместе с ним в Билокси. Наоборот, с каждым новым днем они, казалось, уплывали все дальше.

— Как ты думаешь, получим мы деньги или нет, Чарли? — едва слышно спросил Витрано, изучая пол.

Так он не называл Богена уже долгие годы. В фирме, где все пылало ненавистью, о подобной фамильярности забыли.

— Нет. — Последовала пауза. — И нам здорово повезет, если не предъявят обвинений в суде.

Зная, что телефонные звонки отнимут не менее часа, Сэнди решил начать с самого деликатного. Из машины, оставленной на стоянке у госпиталя, он позвонил жене и сказал: вернусь поздно, так поздно, что придется, может быть, остаться в Билокси. Сын его играл в юношеской сборной по футболу. Извинившись, Сэнди взвалил всю вину на Патрика, обещая объяснить детали по возвращении. Остававшаяся дома жена восприняла его слова значительно спокойнее, чем он ожидал.

Застав свою секретаршу на рабочем месте, Сэнди узнал у нее кое-какие номера телефонов. У него были в Майами двое знакомых юристов, хотя нечего и думать о том, чтобы в семь пятнадцать вечера кто-нибудь из них сидел в офисе. Домашний телефон одного молчал, по другому сказали, что глава семьи разговаривает с клиентом.

Пришлось тревожить коллег в Новом Орлеане, и в конечном итоге Сэнди получил номер Марка Берка, считавшегося в Майами отличным специалистом по уголовным делам. Оторванный звонком от ужина, Берк не выказал особого восторга, однако слушал внимательно. Около десяти минут Сэнди вкратце излагал историю Патрика Лэнигана, не забыв и о последних новостях относительно Евы. Этим и вызван неожиданный звонок, пояснил он. Рассказ заинтересовал Берка, не упустившего случая похвастаться не только знанием уголовного законодательства, но и инструкций иммиграционного кодекса. Сразу после ужина он обещал проконсультироваться со знакомыми, и Сэнди сказал, что через час перезвонит.

Чтобы отыскать Каттера, потребовалось набрать три номера. После двадцати минут бессмысленной болтовни он наконец согласился прийти на встречу в кафе. Подъехав туда, в ожидании прихода Каттера Сэнди еще раз связался с Берком.

Берк сообщил, что Ева Миранда действительно в Майами, в федеральном центре для временно задержанных лиц. Пока ей не предъявлено никакого обвинения. Увидеться с ней сегодня невозможно, и будет очень трудно сделать это завтра: в соответствии с законом ФБР и таможенная служба имеют право держать человека с фальшивым паспортом под стражей до четырех дней, прежде чем можно будет подать просьбу об освобождении под залог. В данных обстоятельствах это оправданно, сказал Берк. Подобные люди привыкли быстро уносить ноги. Было несколько клиентов, которых ему приходилось навещать в этом центре. Далеко не худшее из возможных мест. Ева находится там в отдельной камере, и жизни ее ничто не угрожает. При благоприятном стечении обстоятельств утром ей позволят воспользоваться телефоном.

Сэнди заметил, что особой спешки хлопотать об освобождении нет, поскольку кое-кто на свободе сгорает от желания как можно быстрее найти ее. Берк сказал, что попытается утром увидеться с подопечной. Гонорар его составит десять тысяч долларов.

На последнее Сэнди согласился сразу же.

Кладя трубку, он заметил, как в кафе вошел Каттер и уселся за пустующий у окна столик.

Сэнди выбрался из машины и направился внутрь.

Ужин представлял собой стандартный готовый набор в бумажном пакете, разогретый в микроволновой печи и уложенный на покрытый множеством царапин старый пластиковый поднос. Несмотря на голод, Ева почувствовала нечто вроде отвращения. Доставили ужин в ее камеру со стенами из шлакоблочных кирпичей две одетые в форму тучные женщины; у их поясов болтались связки ключей. Одна спросила, как идут дела. Ева пробормотала что-то на португальском, и обе вышли. В толстой металлической двери имелся небольшой квадратный глазок, сквозь который время от времени доносились голоса других заключенных женщин. В целом же здесь было тихо.

Ей не приходилось прежде бывать в тюрьме даже в качестве адвоката. За исключением Патрика она не могла припомнить из числа своих друзей ни одного, кого бы лишили свободы. Изначальное потрясение сменилось страхом, уступившим место унижению: сидеть в клетке, подобно пойманному животному! В течение нескольких первых часов сил придавали только мысли об отце — ему сейчас, без всяких сомнений, намного хуже, чем ей. Господи, только бы его там не мучили!

Общаться с Богом в камере оказалось даже легче. Ева молилась за отца и за Патрика, подавляя в себе искушение обвинить во всех бедах Лэнигана. Давалось это с трудом. Большая часть ответственности лежала, как ни крути, и на ней. Слишком уж быстро поддалась она панике и ударилась в бега. Патрик ведь учил, как действовать, не оставляя следов, учил растворяться в воздухе. Ошибка была ее виной, а не его.

Подложный паспорт — в общем-то чепуха, подумала она, и проблема решится довольно просто. В стране, где такой уровень насилия и ощущается явная нехватка тюремных камер, столь незначительное нарушение закона далекой от всяких преступных помыслов женщиной закончится штрафом и быстрой депортацией.

Мысль о деньгах успокаивала. Завтра она потребует адвоката, и хорошего. В кабинетах ответственных бразильских чиновников раздадутся звонки: имена и номера телефонов ей известны. Денег хватит на то, чтобы купить кого угодно. Очень скоро она выйдет отсюда и отправится домой на помощь отцу. Спрячется в Рио — это несложно.

В камере тепло, дверь заперта на ключ и охраняется множеством вооруженных мужчин — здесь безопасно. Люди, пытавшие Патрика и захватившие ее отца, сюда не проникнут.

Ева выключила забранную на потолке металлической сеткой лампочку и вытянулась на узкой койке. ФБР непременно сообщит Патрику о ее задержании, может, он уже знает об этом. Он наверняка мысленно перебрал не менее десятка способов ее освобождения и не заснет до тех пор, пока не сведет свой список к трем наиболее перспективным.

«Удовольствие заключается в том, чтобы все спланировать», — много раз повторял он.

Каттер заказал стакан содовой и небольшой жареный пирожок. Поскольку рабочий день уже закончился, темный костюм и белоснежную сорочку он сменил на джинсы и рубашку с короткими рукавами. Самодовольная улыбка казалась на его лице совершенно естественной. Сейчас, когда девчонка найдена и заперта в камере, чувство превосходства вполне закономерно.

Сэнди моментально уничтожил сандвич с ветчиной. Часы показывали почти девять вечера, а обедал он с Патриком уже давно.

— Нам необходимо серьезно поговорить. — Посетителей вокруг хватало, поэтому сказано это было негромко.

— Я слушаю вас, — ответил Каттер.

Сэнди вытер губы и склонился над столиком.

— Не поймите меня превратно, но мы должны подключить к делу новых людей.

— Например?

— Например, тех, кто стоит над вами. Людей в Вашингтоне.

Глядя на проезжавшие за окном машины, Каттер некоторое время размышлял.

— Пожалуй, — согласился он. — Но я должен им что-то сказать.

Сэнди оглянулся по сторонам: ни одна живая душа не смотрела в их сторону.

— А если я смогу доказать, что иск Арициа к «Платт энд Роклэнд» — чистейшей воды фикция, что Арициа сговорился с фирмой Богена надуть правительство... и в заговор входил двоюродный брат Богена, сенатор, который за свою помощь должен был получить несколько миллионов долларов?

— Дивная история.

— Я в состоянии доказать все это.

— И, поверив вам, мы должны будем восстановить мистера Лэнигана в правах и позволить ему с достоинством удалиться?

— Может быть.

— Не так быстро. Остается еще проблема того мертвеца. — Каттер положил в рот кусочек пирожка и принялся задумчиво жевать. — Какого рода ваши доказательства?

— Документы, записи телефонных разговоров и прочее.

— И суд примет их?

— Бо́льшую часть.

— Этого будет достаточно для вынесения обвинительного заключения?

— Безусловно. В моем распоряжении целая коробка бумаг и кассет.

— Где она?

— В багажнике.

Каттер непроизвольно повернул голову к окну, через которое можно было видеть автостоянку, затем перевел взгляд на Сэнди.

— Это то, что собрал Патрик до своего побега?

— Совершенно верно. Он узнал о сделке с Арициа. Партнеры намеревались выставить его за дверь, поэтому он скрупулезно и очень терпеливо собирал материалы.

— Неудавшаяся семейная жизнь и прочее, прочее... В общем, Лэниган схватил деньги и сбежал.

— Нет. Сначала он сбежал, а потом уже схватил деньги.

— Какая разница? Значит, сейчас он готов пойти на сделку, так?

— Да. А вы?

— Что скажете насчет убийства?

— Это дело штата, вас оно не касается. Займемся им позже.

— Можно повернуть так, что оно коснется и нас.

— Боюсь, ничего не выйдет. Вы уже подготовили его обвинение в краже девяноста миллионов долларов. С обвинением в убийстве выступил штат Миссисипи. К вашему глубокому сожалению, ФБР опоздало и не может теперь заняться еще и убийством.

Вот за что Каттер ненавидел юристов — блефовать с ними было трудно. Сэнди между тем продолжал:

— Послушайте, этот разговор не более чем формальность. Я просто решил пройти все ступеньки, не перепрыгивая. Тем не менее я готов завтра с утра позвонить в Вашингтон. Мне просто казалось, что мы с вами тут поболтаем и вы убедитесь в серьезности наших намерений договориться. Если нет — буду завтра звонить.

— С кем вы хотите иметь дело?

— С тем, кто в состоянии принимать решения в ФБР или министерстве юстиции. Сядем в просторной и светлой комнате, и я выложу на стол свои бумаги.

— Мне нужно переговорить с Вашингтоном. Будем надеяться, что сделка состоится.

Они обменялись сдержанным рукопожатием.

Сэнди вышел.

ГЛАВА 31

Миссис Стефано спала. Причинявшие беспокойство молодые люди в одинаковых темных костюмах с улицы исчезли, и соседи перестали изводить ее дотошными вопросами. Муж казался спокойным.

Ее крепкий сон потревожил раздавшийся в половине шестого утра телефонный звонок. Она поднесла к уху трубку:

— Алло?

— Будьте добры, Джека Стефано, — прозвучал низкий решительный голос.

— Кто это? — спросила она, глядя на тревожно шевельнувшегося под одеялом мужа.

— Гамильтон Джейнс, ФБР, — ответил человек.

— О Боже! — сорвалось у миссис Стефано, и, прикрыв трубку рукой, она с ужасом сказала: — Джек, это опять ФБР.

Включив свет, Стефано посмотрел на часы и взял трубку.

— С кем я говорю?

— Доброе утро, Джек. Это Гамильтон Джейнс, извини за столь ранний звонок.

— Могли бы и не звонить.

— Я хотел сообщить, что мы нашли даму, Еву Миранду. Она у нас, в полной безопасности, так что можешь отзывать свою свору.

Сидевший, свесив ноги, на постели Стефано поднялся. Потеряна последняя надежда. Погоня за деньгами закончилась.

— Где она? — Точного ответа он не ожидал.

— У нас, Джек. Она у нас.

— Поздравляю.

— Послушай, Джек, я послал людей в Рио, чтобы они на месте уточнили ситуацию с ее отцом. В твоем распоряжении двадцать четыре часа. Если завтра он не будет освобожден к пяти тридцати утра, я выписываю ордер на арест тебя и мистера Арициа. Черт побери, я еще, может быть, арестую и Аттерсона из «Монарх-Сьерры» вместе с Джиллом из «Нозерн кейс мьючуэл» просто так, чтобы ты не скучал, Джек. Мне давно хотелось поговорить с ними, как, впрочем, и с Арициа.

— Вам нравится поднимать бурю в стакане воды, не правда ли, Гамильтон?

— Обожаю это дело. Мы поможем бразильцам с экстрадицией ваших парней, нам понадобится на это пара месяцев. И никаких освобождений под залог, так что Рождество проведешь со своими ребятами в тюремной камере. Не знаю, что получится с экстрадицией, возможно, и тебе придется слетать в Рио. Говорят, там великолепные пляжи. Эй, Джек, слышишь меня?

— Да, слышу.

— Двадцать четыре часа. — Джейнс положил трубку.

Миссис Стефано заперлась в ванной комнате, слишком расстроенная для того, чтобы хоть что-то сказать мужу. Джек спустился на первый этаж и сварил кофе. Сидя в полутьме у кухонного стола, он ждал восхода солнца и с ненавистью думал о Бенни Арициа.

В конце концов, наняли его для розысков Патрика Лэнигана, а не для того, чтобы искать деньги. Суть взаимоотношений Арициа с «Платт энд Роклэнд» была ему известна только в общих чертах, и Джек всегда подозревал, что дело нечисто. Несколько раз он осторожно попробовал выяснить у Арициа кое-какие детали, однако тот не проявил ни малейшего интереса к разговору о событиях, предшествовавших исчезновению Лэнигана.

С самого начала у Джека было ощущение, что «жучки» в фирме установлены по двум причинам. Первая — собрать компрометирующий материал на партнеров и их клиентов, в особенности на Арициа. Вторая — вывести Патрика к деньгам. Неизвестным для всех, кроме, пожалуй, Арициа и партнеров, оставалось то, сколько секретной информации удалось Патрику записать и сохранить. Стефано считал, что более чем достаточно.

Когда миллионы пропали и Стефано приступил к розыскам Лэнигана, от участия в его консорциуме фирма отказалась. Несмотря на то что дело касалось больших денег, они предпочли забраться в свои норы и зализывать раны. Нежелание присоединиться фирма объяснила отсутствием денег. Партнеры стояли на грани банкротства, ситуация обещала стать еще хуже, и они просто не могли позволить себе сколь-нибудь значительных затрат. В то время подобная позиция имела определенный смысл, однако Стефано чувствовал и скрытое нежелание этих людей заниматься поисками Патрика.

Что-то важное было на его пленках. Видимо, Лэниган сумел поймать их. Находясь в самом жалком состоянии духа, партнеры как огня опасались его поимки.

То же и с Арициа. Но через час Джек непременно позвонит ему.

К половине седьмого в кабинете Гамильтона Джейнса уже толпились люди. Сидя на диване, двое сотрудников просматривали последние сообщения своих агентов из Рио. Третий стоял у стола Джейнса и ждал момента, чтобы вручить ему уточненные данные о местонахождении Арициа — тот пока не покинул снятый в Билокси дом.

Четвертый держался поблизости со справкой о Еве Миранде. Секретарша внесла картонную коробку с папками. Не обращая ни на кого внимания, сбросивший пиджак Джейнс сидел в кресле и разговаривал по телефону.

В кабинет вошел Каттер, усталый и изможденный. До рейса на Вашингтон ему удалось подремать лишь несколько часов в зале ожидания аэропорта Атланты. Подняв голову, Джейнс велел всем выйти.

— Принесите нам кофе, и побольше, — попросил он секретаршу.

Кабинет опустел, и Каттер позволил себе сесть, не дожидаясь приглашения высокого начальства. Падая с ног от недосыпания, он прилагал все силы, чтобы казаться бодрым. До этого ему не приходилось бывать даже рядом с личным кабинетом заместителя директора.

— Слушаю! — рявкнул Джейнс.

— Лэниган предлагает сделку. Говорит, у него есть материалы, изобличающие Арициа, бывших партнеров и не названного по имени сенатора Соединенных Штатов.

— Что за материалы?

— Целый ящик, набитый бумагами и магнитофонными записями. Все собрано до его побега.

— Вы видели этот ящик?

— Нет. Макдермотт сказал, что он в багажнике автомобиля.

— А деньги?

— Про них ни слова. Адвокат хочет встретиться с вами и кем-нибудь из министерства юстиции, чтобы обсудить детали. У меня сложилось впечатление, что он уверен в возможности вытащить своего клиента.

— Такая возможность всегда существует, когда речь идет о краже денег, добытых мошенническим путем. Где он рассчитывает организовать встречу?

— Там, в Билокси.

— Позвоню-ка я Спролингу из министерства юстиции, — негромко сказал Джейнс и снял трубку.

Секретарша принесла кофе.

Постукивая дорогой ручкой по длинному столу в комнате для посетителей центра временно задержанных, Марк Берк терпеливо ждал. Не было еще и девяти — слишком рано для встречи адвоката с клиентом, но Берк объяснил работавшему в администрации приятелю, что этот случай не терпит отлагательства. Невысокие перегородки делили стол на ряд кабинок, а вдоль его оси до самого потолка высилась панель из толстого стекла. Разговор мог вестись через небольшие, забранные частой сеткой отверстия. После тридцатиминутного ожидания Берк начал нервничать. Наконец из-за угла коридора появился охранник, а с ним — молодая женщина в ярко-желтом спортивном костюме с выцветшими черными буквами на груди. Охранник снял наручники, и женщина с наслаждением потерла кисти.

Их оставили вдвоем. Женщина опустилась на стул и изучающе посмотрела на Берка, сунувшего в узкую прорезь под зарешеченным отверстием свою визитную карточку.

— Меня прислал Патрик, — сказал он. — С вами все в порядке?

Опершись на локти, она подалась к отверстию:

— В полном. Спасибо за то, что пришли. Когда меня выпустят?

— Не раньше, чем через несколько дней. У ФБР имеются две возможности. Первая заключается в том, что вас могут обвинить в проникновении в страну по фальшивому паспорту. Однако даст им это весьма немного: вы — иностранка и ничего криминального не совершили. Вторая возможность — высылка из Штатов, и вы еще дадите им обещание никогда больше не въезжать сюда. На принятие того или другого решения потребуется несколько дней. Провести это время здесь вы вынуждены потому, что мы не можем прибегнуть к освобождению под залог.

— Я поняла.

— Патрик очень беспокоится о вас.

— Знаю. Передайте, что у меня все хорошо и я тоже беспокоюсь о нем.

Берк раскрыл блокнот.

— Кроме того, Патрику нужен детальный отчет о том, как вас задержали.

Ева улыбнулась, ее напряжение начало спадать. Она предполагала, что Патрик захочет узнать подробности. Глядя в зеленые глаза Берка, мисс Миранда принялась неторопливо излагать свою историю.

Пляж в Билокси всегда вызывал у Бенни чувство смеха: узенькая полоска песка между автострадой, пересечь которую решились бы немногие, и скучно-коричневой водой, слишком жирной на вид, чтобы вызвать желание окунуться. Летом здесь можно было видеть лишь совсем бедных людей, а по выходным сюда приходили студенты — побросать друг другу пластмассовые тарелки фрисби или прокатиться на водных лыжах. Не помогло и открытие казино: туристов стало больше, однако на пляже они показывались редко, предпочитая проводить время за столами, обтянутыми зеленым сукном.

Остановив машину у пирса, Бенни закурил длинную сигару, разулся и зашагал по пустынному пляжу, ставшему, правда, после появления казино, значительно чище. Вдали от берега качалось несколько рыбачьих лодок.

Утро было испорчено позвонившим около часа назад Стефано. Звонок этот оказался решающим для Арициа. Если феды держат девчонку у себя, о возвращении денег можно забыть. Теперь она не сможет привести его к ним, да и чтобы нажать на Лэнигана, ее тоже не используешь.

Обвинительное заключение на Патрика у федов готово, но он располагает деньгами и весьма ценной информацией. Одно вполне можно обменять на другое, тогда Арициа окажется под перекрестным огнем. Боген и его приятели, эти толстозадые юристы, под давлением улик запоют в унисон. Бенни превосходно сознавал, что является для них абсолютно посторонним человеком, он понял это давно. Его мечтой было найти деньги и испариться с ними так, как до него сделал Лэниган.

Но мечта рассеялась как дым. В распоряжении Арициа оставался последний миллион. За рубежом, правда, еще имелись друзья и связи.

На десятичасовую встречу с Т.Л. Пэрришем в его кабинете Сэнди все же решил пойти, несмотря на то что испытывал сильнейшее желание перенести ее и посвятить утро работе с документами. Покидая в половине девятого офис, Сэнди оставил в нем обоих партнеров и всех сотрудников, которые были заняты копированием и увеличением самых важных страниц.

Настоял на встрече сам окружной прокурор, и Сэнди был уверен, что знает причину. В проведенном силами штата следствии зияли дыры, и теперь, когда вызванное поимкой Лэнигана волнение улеглось, наступило время поговорить всерьез. Прокуроры предпочитают процессы надежные и беспроигрышные. Взяться же за громкое дело и обнаружить, что многое в нем шито белыми нитками, — значит нарваться на серьезные неприятности.

Пэрришу не терпелось уехать на рыбалку, однако он не пожалел времени для того, чтобы попытаться произвести впечатление на Макдермотта. Нигде, заметил прокурор, жюри присяжных не будет симпатизировать юристу, решившемуся на убийство из-за любви к деньгам. Поначалу Сэнди лишь слушал. Пэрриш перешел к излюбленной теме — статистике приведенных в исполнение приговоров. С особым удовлетворением он напомнил, что еще ни разу не проиграл дела об умышленном убийстве и отправил на электрический стул восемь негодяев.

Сэнди ждали дела куда более важные. Разговор с Пэрришем так или иначе должен был состояться, но только не сегодня. Сначала он осведомился, каким образом прокурор рассчитывает доказать, что убийство состоялось на территории округа Гаррисон, затем поинтересовался причиной смерти сгоревшего человека: какими уликами обвинение располагает в этом вопросе? Не надеется ли уважаемый прокурор на помощь Патрика Лэнигана? И самое главное — кто пал жертвой убийства? Согласно поднятым Сэнди архивам, в штате никогда и никому не предъявлялось обвинения в совершении умышленного убийства неизвестной личности.

Пэрриш приложил максимум усилий, чтобы дать самые общие ответы на эти щекотливые вопросы.

— Ваш клиент не рассматривал возможности сделать чистосердечное признание? — спросил он, изобразив на лице глубокое сочувствие.

— Нет.

— И не собирается?

— Нет.

— Почему?

— Это вы опрометью бросились к большому жюри с обвинением в умышленном убийстве. Вы размахивали его постановлением о возбуждении дела перед журналистами. Так доказывайте свою правоту. Ждать или искать каких-либо доказательств вам не захотелось. Ни о каком чистосердечном признании не может быть речи.

— Тогда я буду говорить просто об убийстве! — разъяренно бросил Пэрриш. — Это потянет лет на двадцать.

— Может, и так, — небрежно пожал плечами Сэнди. — Однако обвинение моему клиенту предъявлено другое.

— Новое я оформлю завтра же.

— Валяйте. Переделайте умышленное убийство в простое, тогда и поговорим.

ГЛАВА 32

У номера «люкс» было свое название — «Камилла», и занимал он целую треть верхнего этажа «Самородка Билокси» — недавно выстроенного в стиле Лас-Вегаса самого роскошного и наиболее прибыльного на побережье казино. Владельцы заведения посчитали остроумным назвать банкетные залы и лучшие номера именами ураганов, обрушивавшихся на побережье. Для обыкновенного парня, явившегося с улицы и не желавшего снимать тесную комнатенку, «люкс» стоил семьсот пятьдесят долларов в день. Именно столько согласился выложить и Сэнди. Прилетевшему издалека прожигателю жизни номер пришелся бы по вкусу. Однако не жажда азарта привела Сэнди в город. Его клиент, находившийся менее чем в трех километрах от казино, одобрил подобную трату. В «Камилле» было две спальни, кухня, просторный холл и две гостиные — вполне достаточно места, чтобы принять толпу посетителей. В номере имелись четыре телефонных линии, факс и видеомагнитофон. Вместе с бумагами на Ариция помощник Сэнди привез из Нового Орлеана персональный компьютер и другую оргтехнику.

Первым визитером временной штаб-квартиры мистера Сэнди Макдермотта стал Дж. Мюррей Ридлтон, окончательно побежденный адвокат Труди. С покорным видом он вручил Сэнди проект соглашения об имущественных правах. Документ обсудили во время обеда. Условия были продиктованы Патриком. Чувствуя себя хозяином положения, Сэнди не стеснялся делать замечания.

— Очень неплохой черновик, — приговаривал он, расставляя на полях щедрые красные пометки.

Собрав волю в кулак, Ридлтон из последних сил пытался сохранять достоинство и оспаривал каждую поправку, хотя оба прекрасно понимали: решающее слово принадлежит Лэнигану — анализ ДНК и сцены на фотографиях говорили сами за себя.

Вторым был Тэлбот Мимс, юрист «Нозерн кейс мьючуэл», бодрый и жизнерадостный мужчина, приехавший в комфортабельном автомобиле: кожаная обивка салона и сидений, рабочий стол, два телефона, факс, телевизор, видео, ноутбук, персональный компьютер и небольшая кушетка, хотя Мимс нуждался в отдыхе только после самых ожесточенных баталий в зале суда. Он прихватил с собой секретаршу и помощника, из карманов которых торчали сотовые телефоны, а также своего коллегу — все это компания поставит клиенту в счет.

Четверка вошла в номер, где одетый в джинсы Сэнди предложил им чего-нибудь выпить из мини-бара. Все ответили отказом; секретарша и помощник тут же с озабоченным видом принялись нажимать кнопки своих телефонов. Сэнди провел Мимса и его непредставившегося коллегу в гостиную. Сели у огромного окна, откуда открывался вид на паркинг и первые стальные конструкции возводимого по соседству еще одного казино.

— Я позволю себе перейти непосредственно к сути дела, — заявил Сэнди. — Вам известен человек по имени Джек Стефано?

— Нет, — последовал мгновенный ответ Мимса.

— Сомневаюсь. Это частный детектив из Вашингтона, нанятый Арициа, «Нозерн кейс мьючуэл» и «Монарх-Сьеррой» для розысков Патрика Лэнигана.

— И что же?

— Взгляните. — Сэнди с улыбкой протянул Мимсу пачку цветных снимков, и тот разложил их перед собой.

На каждом были запечатлены производившие тягостное впечатление ожоги Лэнигана.

— Это то, что было в газетах? — спросил Мимс.

— В газетах было не все.

— Понятно. Предъявив иск ФБР, вы разослали фотографии по редакциям.

— Ожоги нанесены моему клиенту не людьми из ФБР, мистер Мимс.

— Ах вот как... — Оставив снимки, он выжидательно посмотрел на Сэнди.

— Не ФБР нашло Патрика.

— Чем в таком случае вызван ваш иск?

— Стремлением вызвать у общественности сочувствие к моему клиенту.

— Это не сработало.

— С вами — да, но ведь вы не входите в жюри присяжных, или я ошибаюсь? Эти раны — результат длительной пытки, осуществленной людьми Джека Стефано. Стефано работал на нескольких клиентов, одним из которых оказалась «Нозерн кейс мьючуэл» — компания с весьма солидной репутацией и активами в шесть миллиардов долларов.

Тэлбот Мимс отличался редкой практичностью — этого требовала его должность. С тремя сотнями незаконченных дел в офисе, с восемнадцатью крупными страховыми компаниями в качестве клиентов у него просто не оставалось времени на примитивные игры.

— Два вопроса, — проронил он. — Первый: вы можете доказать это?

— Да. ФБР подтвердит.

— Второй: чего вы хотите?

— Мне нужно, чтобы высокопоставленный сотрудник «Нозерн кейс мьючуэл» прибыл сюда завтра утром. Кто-нибудь обладающий бесспорными полномочиями.

— У нас работают очень занятые люди.

— Все мы — занятые люди. Не собираясь угрожать судебным иском, я думаю о том, насколько неприятной для компании может стать эта история.

— А по мне — это все-таки угроза.

— Воспринимайте мои слова, как вам будет угодно.

— В какое время дня завтра?

— В четыре после обеда.

— Мы приедем.

Поднявшись, Мимс протянул Сэнди на прощание руку и стремительно вышел, сопровождаемый свитой.

Команда самого Сэнди прибыла во второй половине дня. Секретарша тут же занялась беспрерывно звонившим телефоном. Сэнди связался с Каттером, Т.Л. Пэрришем, шерифом Суини, Марком Берком в Майами, Карлом Хаски, несколькими адвокатами в Билокси и прокурором Морисом Мастом. Дважды он разговаривал с женой о том, как обстоят дела дома, а потом позвонил еще и в школу, где учились дети.

По телефону ему уже приходилось общаться с Холом Лэддом, однако впервые встретились они в «Камилле». Лэдд представлял интересы «Монарх-Сьерры». Явился он в одиночестве, несказанно удивив этим Сэнди, знавшего, что адвокаты страховых компаний всегда разъезжают по двое вне зависимости от характера полученного задания. Оба должны слушать, смотреть, говорить, делать записи, и, что самое главное, оба выставят клиенту счет.

В Новом Орлеане Сэнди были известны две богатые страховые компании, посылавшие на подобные дела не двух юристов, а трех.

Серьезный, ближе к пятидесяти годам, Лэдд пользовался репутацией, избавлявшей его от необходимости иметь напарника. Вежливо приняв от Сэнди банку кока-колы, он уселся в кресло, которое до него занимал Мимс.

— Вы знаете человека по имени Джек Стефано? — спросил Сэнди.

Получив отрицательный ответ, он в двух словах объяснил, о ком идет речь, и выложил на стол те же снимки. Несколько минут оба говорили об ожогах. ФБР не имеет к ним никакого отношения, пояснил Сэнди. Лэдд моментально понял его. Долгие годы проработав со страховыми компаниями, он давно не удивлялся методам их деятельности. И тем не менее скрыть изумление не смог даже он.

— Принимая в расчет то, что вы в состоянии доказать это, — заметил Лэдд, — мой клиент, я уверен, захочет решить дело мирным путем.

— Мы готовы отказаться от предъявленного ФБР иска и назвать в качестве ответчиков вашего клиента, «Нозерн кейс мьючуэл», Арициа, Стефано и людей, проводивших пытки. Речь идет о гражданине США, которого истязали другие граждане США. Это дело стоит многих миллионов. В суд мы обратимся прямо здесь, в Билокси.

Этого можно было избежать при условии, что разрешением проблемы займется Лэдд. Он согласился немедленно созвониться с «Монарх-Сьеррой» и потребовать, чтобы главный юрисконсульт компании бросил все и вылетел в Билокси. Действия клиента, не поставившего его в известность о деньгах, выделенных на розыски Лэнигана, привели Лэдда в ярость.

— Если все это правда, — сказал он, — я больше никогда не стану иметь с ними ничего общего.

— Поверьте мне, это правда.

Уже почти стемнело, когда Паоло с завязанными глазами и в наручниках вывели из дома. Никакого оружия, ни одной угрозы. Сидя на заднем сиденье небольшой машины, он около часа слушал классическую музыку.

Когда автомобиль остановился, дверцы распахнулись, и Паоло помогли выбраться.

— Пойдемте, — прозвучал голос за его спиной, и на локоть легла чья-то большая и крепкая рука.

Под ногами зашуршал гравий. Пройдя метров сто, они остановились.

— Вы стоите на дороге в двадцати километрах от Рио. По левую руку, в трехстах метрах, находится ферма, там есть телефон. Отправляйтесь туда. У меня с собой пистолет, и если вы обернетесь, мне не останется ничего иного, кроме как выстрелить вам в голову, — предупредил профессора по-прежнему невидимый человек.

— Я не буду оборачиваться, — выговорил Паоло, которого сотрясала дрожь.

— Хорошо. Сначала я сниму наручники, а потом повязку.

— Я не повернусь, — повторил Паоло.

Кисти освободились.

— После того как я сниму повязку, вы быстро пойдете вперед.

Тряпка спала, и Паоло, склонив голову, засеменил по дороге. Позади него не раздалось ни звука. Он не решался даже покоситься в сторону.

С фермы Миранда позвонил в полицию, а затем сыну.

ГЛАВА 33

Судебные репортеры приехали ровно в восемь. Протянув Сэнди визитки, молодые женщины — обеих звали Линда — прошли за ним в гостиную, где мебель сдвинули к стенам, а в центре расставили стулья. Одной он предложил сесть спиной к окну с плотно закрытыми шторами, другой —

напротив, в небольшой нише рядом с баром, однако поскольку обе умирали от желания выкурить по последней сигарете, Сэнди отправил их в дальнюю спальню.

Следующим прибыл Джейнс со своими людьми: шофером — стареющим агентом ФБР, выполнявшим также обязанности телохранителя и посыльного, а также юристом, Каттером и его непосредственным начальником. От генерального прокурора появился Спролинг, темноглазый, солидный, весьма сдержанный, чутко анализировавший каждое слово. Шестеро гостей, одетых в черные или темно-синие костюмы, передали помощнику Сэнди свои карточки. Осведомившись, что предпочтут пришедшие — чай или кофе, секретарша удалилась, и мужчины проследовали в холл.

Затем появился Морис Маст, осуществлявший надзор за соблюдением законов в расположенных к западу от Миссисипи штатах. Он приехал налегке, со своим единственным помощником. Следом на порог ступил Т.Л. Пэрриш — в одиночестве. К совещанию все было готово. Шофер Джейнса и ассистент Маста остались в холле, где они увидели блюдо со свежими пирожками и утренние газеты.

Закрыв дверь, Сэнди приветствовал всех и поблагодарил за то, что нашли возможность принять его приглашение. Никто не позволил себе улыбнуться, однако все были явно заинтригованы.

Хозяин представил собравшимся репортеров и объяснил, что сделанные ими записи будут храниться у него как документы в высшей степени конфиденциальные. Объяснение прозвучало вовремя — на лицах мужчин промелькнуло удовлетворение. Ни одного вопроса от них не последовало: никто толком не знал, для чего, собственно, их сюда пригласили.

Сэнди держал блокнот с аккуратными записями, уместив суть дела в десяток страниц, с которыми не стыдно было бы появиться и перед присяжными. Начал он с того, что передал присутствовавшим наилучшие пожелания от Патрика Лэнигана, чьи ожоги уже почти зажили. Затем Сэнди повторил список предъявленных его клиенту обвинений: умышленное убийство — дело возбуждено штатом, мошенничество и кража денег — обвинение выдвигалось федеральными властями. Первое вполне могло повлечь смертный приговор, два других в сумме давали тридцатилетнее заключение.

— Правительство обвиняет Патрика в серьезных преступлениях, — сказал Сэнди, — но и они меркнут, если сравнить их с умышленным убийством. Говоря честно, при всем моем уважении к ФБР мы были бы счастливы выйти из-под его столь пристального внимания, чтобы целиком сосредоточиться на обвинении в убийстве.

— Есть конкретный план, который поможет вам избавиться от нас? — спросил Джейнс.

— Есть предложение.

— В нем говорится о деньгах?

— И о них тоже.

— Деньги нас не интересуют. В конце концов, ведь не у федерального правительства они были украдены.

— В этом вы как раз ошибаетесь.

Спролингу не терпелось вставить слово.

— Вы считаете, что сможете таким образом откупиться? — Вопрос прозвучал как вызов, в ровном голосе слышалась непоколебимая уверенность в собственной правоте.

Сэнди решительно продолжил:

— Минуту терпения. Если вы позволите мне изложить все обстоятельства дела, то мы сможем обсудить имеющиеся возможности. Полагаю, всем известно о заявленной мистером Арициа в девяносто первом году претензии своему бывшему работодателю. Его иск подготовлен и зарегистрирован в суде фирмой Богена здесь, в Билокси. Той самой фирмой, где в то время новым партнером был избран Патрик Лэниган. Иск сфабрикован от начала и до конца. Выяснив это, мой клиент узнал также, что после того, как иск будет одобрен министерством юстиции, но перед получением причитающихся по нему денег, фирма рассчитывала выставить его на улицу. На протяжении долгих месяцев мой клиент, не привлекая к себе внимания, собирал свидетельства, убедительно и четко доказывающие то, что мистер Арициа и его юристы вступили в сговор с целью обобрать правительство страны на девяносто миллионов долларов. Свидетельства представлены в виде документов и записанных на магнитофонную ленту разговоров.

— Где они находятся? — задал вопрос Джейнс.

— В ведении моего клиента.

— В таком случае мы в состоянии получить их. Ордер на обыск — и все свидетельства в нашем распоряжении.

— А что, если мой клиент не посчитается с вашим ордером? Если он уничтожит имеющиеся у него материалы или просто перепрячет их? Как вы тогда поступите? Запрете его под замок? Обвините еще в чем-нибудь? Положа руку на сердце скажу: он не очень-то испугается вас или вашего ордера.

— А вы сами? — спросил Джейнс. — Если свидетельства у вас, в ордере укажут ваше имя.

— Ничего не выйдет. Вы хорошо знаете: то, что мне передано клиентом, по закону считается конфиденциальной информацией. Есть такой термин «рабочие документы адвоката». Не забывайте, мистер Арициа предъявил иск и моему клиенту. Все имеющиеся у меня материалы охраняет закон. Ни при каких обстоятельствах я не передам их никому до тех пор, пока не получу соответствующих инструкций от клиента.

— Даже по постановлению суда? — поинтересовался Спролинг.

— Я откажусь выполнить его и обжалую в высшей инстанции. Вы ничего не выиграете, джентльмены.

Сидевшим в номере оставалось только признать поражение. Это никого не удивило.

— Сколько человек знали об афере? — спросил Джейнс.

— Четверо партнеров фирмы и мистер Арициа. — В наступившей тишине все ожидали, что Сэнди назовет и имя сенатора, но он этого не сделал. Заглянув в блокнот, Сэнди продолжал: — Наше предложение, в сущности, весьма просто. Мы передаем в ваши руки документы и пленки. Патрик возвращает деньги, все до цента. В обмен на это федеральные власти снимают обвинения, и мы имеем дело только с тем, что предъявит нам штат. Налоговая служба дает согласие оставить моего клиента в покое, а его бразильский юрист, мисс Ева Миранда, немедленно выйдет на свободу.

Все это Сэнди выговорил на одном дыхании. Аудитория не пропустила ни слова. Спролинг вел скрупулезную запись. Джейнс уставился в пол, его лицо ничего не выражало. Остальные тоже сидели с невозмутимым видом, хотя вопросов у каждого имелось более чем достаточно.

— Сказанное необходимо сделать сегодня, — добавил Сэнди. — Нам всем имеет смысл поторопиться.

— Почему? — спросил Джейнс.

— Потому что мисс Миранда сейчас за решеткой. Потому что вы обладаете всеми полномочиями для принятия решений. Потому что мой клиент сказал: либо до пяти часов пополудни сделка будет совершена, либо он оставит за собой деньги, уничтожит свидетельства и отсидит свой срок в надежде выйти когда-нибудь на свежий воздух.

Сомневаться в этом было трудно. На сегодняшний день Патрик сидел в отдельной, довольно комфортабельной палате, его обслуживали персонально.

— Несколько слов о сенаторе, — подал голос Спролинг.

— Отличная идея, — отозвался Сэнди и, приоткрыв дверь, прошептал что-то своему помощнику, который через минуту внес в комнату стол с двумя колонками и магнитофоном. Сверившись с записями, Сэнди объявил: — Запись была сделана четырнадцатого января девяносто второго года, то есть около трех недель до исчезновения Патрика. Разговор состоялся в его фирме, в помещении на первом этаже, которое прозвали кладовкой, где время от времени проводились весьма немноголюдные краткие совещания. Первым вы услышите голос Чарли Богена, затем Бенни Арициа и Дуга Витрано. Арициа прибыл, как вы сами убедитесь, в весьма дурном расположении духа.

Подойдя к столу, Сэнди принялся изучать ряды кнопок на панели управления магнитофона. Модель была совершенно новой, колонки — дорогими. Приглашенные с напряженным вниманием следили за его движениями.

— Итак, первым будет Боген, за ним Арициа и Витрано, — напомнил Сэнди и нажал кнопку.

Секунд десять в комнате стояла полная тишина, а затем из колонок отчетливо раздались резкие голоса.

БОГЕН. Мы договорились о гонораре в одну треть, как у нас и принято. Контракт подписан. Об этой трети ты знаешь уже полтора года.

АРИЦИА. Тридцати миллионов долларов ты не заслужил.

ВИТРАНО. А ты — шестидесяти.

АРИЦИА. Мне нужно знать, как вы разделите деньги.

БОГЕН. Две трети и одна треть. Шестьдесят и тридцать.

АРИЦИА. Нет. Я говорю о тех тридцати миллионах, которые достанутся вам. Кто сколько получит?

ВИТРАНО. Это не твое дело.

АРИЦИА. Черта с два! Гонорар плачу я, значит, имею право знать, сколько и кому.

БОГЕН. Такого права у тебя нет.

АРИЦИА. А что вы дадите сенатору?

БОГЕН. Тебя это не касается.

АРИЦИА (кричит). Касается! Он целый год занимался в Вашингтоне выкручиванием рук, давил на моряков, Пентагон и министерство юстиции. Да он больше проработал над моим делом, чем над своими собственными!

ВИТРАНО. Не кричи, Бенни, о'кей?

АРИЦИА. Мне интересно, сколько он положит в карман. У меня все-таки есть право узнать, какими суммами вы ворочаете втихаря, — ведь это мои деньги.

ВИТРАНО. Оставь, Бенни.

АРИЦИА. Так сколько?

БОГЕН. О нем позаботятся, Бенни, не волнуйся. Почему ты принимаешь это так близко к сердцу? Здесь нет ничего нового.

ВИТРАНО. Думаю, ты выбрал нашу фирму именно из-за связей в Вашингтоне.

АРИЦИА. Пять миллионов? Десять? Дорого он вам обошелся?

БОГЕН. Этого ты не узнаешь.

АРИЦИА. Посмотрим! Я позвоню сукину сыну и спрошу его прямо в лицо.

БОГЕН. Звони.

ВИТРАНО. Что с тобой, Бенни? Ты вот-вот получишь свои шестьдесят миллионов, откуда такая жадность?

АРИЦИА. Избавь меня от нравоучений, особенно по поводу жадности. Когда я пришел сюда, вы корпели над бумажками за двести долларов в час, а теперь пытаетесь убедить меня, что по́том и кровью заработали тридцать миллионов. Уже и ремонтом занялись, и машины новые заказали. Теперь настал черед, наверное, яхт и самолетов — игрушек для действительно богатых мужчин. Но все это мои деньги!

БОГЕН. Твои деньги? Мы ничего не перепутали, Бенни? Помоги мне, пожалуйста, разобраться. Ведь твой иск — такая же фальшивка, как трехдолларовая банкнота.

АРИЦИА. Да, но он сработал. Это не вы, а я расставил сети на «Платт энд Роклэнд».

БОГЕН. Зачем же было нас нанимать?

АРИЦИА. Идиотский вопрос.

ВИТРАНО. У тебя плохая память, Бенни. Ты пришел сюда потому, что нуждался в нашей помощи. Это мы оформили твои претензии в иск, потратив на него четыре тысячи часов рабочего времени, это мы нашли, за какие ниточки нужно было потянуть в Вашингтоне. И ты знаешь об этом, могу заметить.

АРИЦИА. Сенатора необходимо выбросить вон. Это даст десять миллионов. Еще десять спишите на накладные расходы, и вам, парни, все равно на двоих останется десять. По-моему, это вполне справедливый гонорар.

ВИТРАНО (смеется). Великолепно, Бенни! Ты получаешь восемьдесят, мы — десять.

АРИЦИА. Да, а политиков мы пошлем к дьяволу.

БОГЕН. Не выйдет, Бенни. Ты забываешь об одной очень важной детали: если бы не мы и эти политики, ты не увидел бы ни цента.

Сэнди нажал на кнопку «стоп». Пленка остановилась, но голоса в номере, казалось, звучали еще по меньшей мере минуту. Собравшиеся молчали, пытаясь поточнее запечатлеть в памяти услышанное.

— Это лишь небольшой эпизод, — усмехнулся Сэнди.

— Когда можно будет получить остальное? — спросил Джейнс.

— При хорошем раскладе — через несколько часов.

— Ваш клиент согласится дать показания федеральному большому жюри? — встрепенулся Спролинг.

— Да. Однако он не может обещать выступить в суде.

— Почему?

— А тут и объяснять нечего. Такова его позиция. — Сэнди распахнул дверь и попросил помощника убрать стол и технику, а затем вновь повернулся к гостям: — Вам, видимо, хочется поговорить. Я выйду. Чувствуйте себя как дома.

— Здесь мы говорить не будем. — Джейнс вскочил. Он отлично знал, особенно после истории с Патриком, что любое помещение не так трудно опутать проводами. — Давайте пройдем в наш номер.

— Решать вам, — сказал Сэнди.

Взяв портфели, мужчины потянулись к двери. Обе Линды кинулись в спальню — покурить.

Сэнди сварил кофе и уселся ждать.

Они собрались в номере двумя этажами ниже. Сброшенные пиджаки полетели на аккуратно застеленные кровати. Шофера вместе с ассистентом Маста Джейнс попросил подождать в коридоре: предстояло обсуждение слишком важных вопросов.

Больше всех терял от предложенной сделки Морис Маст. Если обвинения, выдвигаемые федеральными властями, будут сняты, его роль сведется к нулю. Грандиозный процесс лопнет как мыльный пузырь. Опередив всех, Маст посчитал своим долгом высказать свое мнение.

— Мы будем выглядеть полными идиотами, если позволим ему откупиться так дешево, — заявил прокурор, поворачиваясь в сторону Спролинга, тщетно пытавшегося устроиться поудобнее в неуклюжем деревянном кресле.

На служебной лестнице Спролинг стоял ступенькой ниже генерального прокурора, но куда выше самого Маста. Господь с ним, несколько минут можно из вежливости послушать подчиненных, а затем, уединившись с Джейнсом, принять окончательное решение.

Глядя на Т.Л. Пэрриша, Джейнс спросил:

— Вы уверены, что обвинение Лэнигана в умышленном убийстве не провалится?

Человек весьма осторожный, Пэрриш прекрасно понимал, что любое его слово запомнится этой компанией надолго.

— Подобная формулировка может вызвать ряд осложнений. Скорее, это будет убийство по неосторожности.

— Что за него полагается?

— Двадцать лет.

— Сколько он отсидит?

— Около пяти.

Странно, но ответ, казалось, удовлетворил Джейнса — человека, всю жизнь привыкшего считать, что преступник должен получить справедливое наказание.

— Ты согласен, Каттер? — спросил он.

— Не хватает фактов, — отозвался агент. — В том, что касается умышленного убийства, мы не в состоянии доказать, кто, как, когда и где стал жертвой. Мы думаем, нам известно почему, но на суде все это превратится в кошмар. Убийство по неосторожности выглядит намного проще.

— А судья? — повернулся Джейнс к Пэрришу. — Он приговорит Лэнигана к максимальному сроку?

— Если судья будет убежден в факте убийства, думаю, он даст ему двадцать лет. Вопрос досрочного освобождения решается администрацией тюрьмы.

— Можем ли мы со спокойной совестью исходить из того, что следующие пять лет Лэниган проведет за решеткой? — Джейнс огляделся по сторонам.

— Да, безусловно. Но никто не собирается снимать с повестки дня и умышленное убийство. Мы рассчитываем на поддержку нашего аргумента о том, что Лэниган убил человека, чтобы получить возможность украсть деньги. Здесь уже речь будет идти о смертной казни, но даже если его признают виновным просто в убийстве, остаток дней он может провести в тюремной камере.

— А какая нам разница, будет ли он отбывать срок в Парчмэне или в федеральной тюрьме? — Для самого Джейнса разницы не было.

— Уверен, у Лэнигана свое мнение по данному вопросу, — усмехнулся Пэрриш.

Оставаясь самой значимой фигурой будущего суда, он приветствовал сделку. Фэбээровцы и Маст унесут ноги. Пэрришу внезапно захотелось подвести Маста еще ближе к краю пропасти.

— Нисколько не сомневаюсь, — бодро сказал он, — что Патрик будет отбывать свой срок в Парчмэне.

Масту с трудом удалось сдержать негодование. Покачав головой, он нахмурился:

— Не знаю. Думаю, все мы станем походить на глупцов, если допустим такое. Нельзя ограбить банк, оказаться пойманным и обещать вернуть деньги в обмен на свободу. Справедливостью не торгуют.

— Дело обстоит несколько сложнее, — сказал Спролинг. — В водоеме оказалась крупная рыба, а Лэниган поможет ее поймать. Украденные им деньги тоже украдены. Мы просто вернем их налогоплательщикам.

Спорить со Спролингом Маст не решился.

Джейнс повернулся к Т.Л. Пэрришу:

— Прошу у вас прощения, мистер Пэрриш, но не могли бы вы на пару минут оставить нас одних? Федералам необходимо кое-что обсудить.

— Конечно. — Прокурор вышел в коридор.

«Хватит болтовни, — сказал себе Спролинг. — Пора заканчивать».

— Все очень просто, джентльмены. В Белом доме есть в высшей степени значимые фигуры, которые внимательно следят за ходом дела. Сенатор Ней никогда не был другом президента, и, честно говоря, небольшой скандал администрацию только порадует. Через два года Нея ждет переизбрание, а эта возня добавит ему хлопот. Если услышанное нами подтвердится, он — политический труп.

— Мы проведем следствие, — сказал Джейнс Масту, — а ты подготовь обвинение.

Внезапно до Маста дошло, что встреча была в его интересах. Решение пойти на сделку с Лэниганом принималось людьми, более могущественными, чем Спролинг и Джейнс. Вышло же в конце концов так, что все они поставили своей целью не дать в обиду его — федерального прокурора огромной территории.

Перспектива обвинения и привлечения к суду сенатора таила в себе такой потенциал возможностей, что на душе Маста мгновенно потеплело. Он уже видел, как в переполненном зале суда прокручивает магнитофонные записи Лэнигана, каждое слово ловят присяжные и публика.

— Так мы заключаем сделку? — спросил Маст и пожал плечами, будто ему не было до этого никакого дела.

— Да, — ответил Спролинг. — Думать тут не о чем. Мы правы, потому что деньги вернутся в казну, Патрик надолго сядет за решетку, а в наших руках останется дичь покрупнее.

— И президент хочет того же, — заметил Маст и улыбнулся, оказавшись в одиночестве.

— Этого я не говорил, — возразил Спролинг. — С президентом данную тему я не обсуждал. Мой босс беседовал с кем-то из его людей — вот все, что мне известно.

Приоткрыв дверь, Джейнс пригласил из коридора Пэрриша. На то, чтобы со всех сторон рассмотреть предложенную Лэниганом сделку и каждый ее аспект в отдельности, ушло не менее часа. Женщина-юрист могла выйти на свободу немедленно. Патрик должен был выплатить и проценты по всей сумме, решили они. А что насчет предъявленного ФБР иска? Джейнс пометил несколько пунктов, которые требовали уточнения с Сэнди.

В Майами Марк Берк лично доставил Еве долгожданное известие о том, что ее отец выпущен на свободу. Никакого вреда ему не причинили. Относились, скорее, хорошо.

Еще Берк сказал, что при удачном стечении обстоятельств через день-другой отпустят и Еву.

ГЛАВА 34

С невозмутимо-строгими лицами они вернулись в «Камиллу» и расселись на прежних местах. Большинство оставили свои пиджаки двумя этажами ниже. Им предстояло закатать рукава и ослабить узлы галстуков, как принято в тех случаях, когда впереди большой и тяжкий труд. Сэнди засек время — отсутствовали они более полутора часов. Слово взял Спролинг.

— Что касается денег... — начал он, и Сэнди понял: сделка будет заключена, необходимо только уточнить детали. — Какую сумму намерен вернуть ваш клиент?

— Всю.

— Целиком?

— Все девяносто миллионов.

— А как насчет процентов?

— Кого интересуют проценты?

— Нас.

— С чего это вдруг?

— Это было бы справедливо.

— По отношению к кому?

— М-м... к налогоплательщикам.

— Бросьте. — Сэнди едва не расхохотался. — Вы, парни, работаете на федеральное правительство. С каких пор вас стали тревожить проблемы налогоплательщиков?

— Обычное явление для дел, связанных с кражами и мошенничеством, — подал голос Морис Маст.

— И сколько же составляет ваш процент? — поинтересовался Сэнди.

— В таких случаях, как правило, назначают девять процентов. Думаю, это будет честно.

— Вы так думаете? А сколько платит налоговая служба, когда устанавливает, что я внес бо́льшую, чем полагается, сумму, и хочет вернуть мне мои деньги? — Все молчали. — Шесть процентов. Государство отдает мне шесть паршивых процентов!

Для Сэнди в происходящем не было никаких неожиданностей. Такие вопросы он предвидел и ответы на них подготовил заранее. Ему доставляло наслаждение смотреть, как его гости пытаются сохранить лицо.

— То есть вы предлагаете нам шесть процентов? — медленно спросил Спролинг, тщательно подбирая слова.

— Нет, конечно. Деньги — у нас, нам и определять, сколько мы будем платить. Этому же принципу следует и правительство. Полагаю, деньги все равно уплывут в черную дыру Пентагона.

— Диктовать условия их расходования мы не можем... — сказал Джейнс, уставший от препирательств.

— Вот какой представляется проблема нам, — перебил его Сэнди. — Деньги были бы потеряны. Они предназначались мошеннику, который бы тут же с ними и сгинул. Мой клиент предотвратил это. Он сохранил всю сумму и хочет вернуть ее.

— А мы должны выдать ему награду? — спросил Джейнс.

— Нет. Всего лишь отказаться от процентов.

— Нам требуется согласовать это с Вашингтоном, — заметил Спролинг. — Дайте нам что-нибудь конкретное, над чем можно работать.

— Мы заплатим половину того, что возвращает назад налоговая служба, и ни цента больше.

— Обсужу это с генеральным прокурором. Остается надеяться, что у него хорошее настроение.

— Передайте ему привет, — бросил Сэнди.

— Три процента, так? — приподнял голову от блокнота Джейнс.

— Так. С двадцать шестого марта девяносто второго года по первое ноября девяносто шестого. Всего выходит сто тринадцать миллионов с какой-то мелочью, на которую можно не обращать внимания. Ровным счетом сто тринадцать миллионов.

Цифра ласкала слух правительственных чиновников. Каждый записал ее в свой блокнот. Выглядела она грандиозной. У кого повернется язык оспаривать сделку, вернувшую налогоплательщикам такие деньги?

Подобная щедрость могла означать лишь одно: украденные девяносто миллионов долларов Патрик успешно куда-то вложил. Люди Спролинга уже занимались предварительными подсчетами. Если Лэниган поместил деньги в банк под, к примеру, восемь процентов годовых, то сумма выросла до ста тридцати одного миллиона. Десять процентов — это сто сорок четыре миллиона. Свободных от налогообложения, естественно. Много потратить Патрик не мог, так что в конечном итоге он останется весьма состоятельным человеком.

— Нам внушает некоторое беспокойство также и судебный иск, который вы предъявили ФБР от имени мистера Лэнигана, — сказал Спролинг.

— В ответ на небольшую услугу со стороны мистера Джейнса он будет аннулирован. Эту не слишком важную деталь можно обсудить позже.

— Отлично. Пойдем дальше. Когда ваш клиент будет готов дать показания большому жюри?

— Когда потребуется. Физически он в состоянии сделать это в любое время.

— Мы не намерены откладывать дело в долгий ящик.

— В таком случае чем быстрее, тем для него лучше.

Разрешенные вопросы Спролинг обводил в своем блокноте кружками.

— Мы настаиваем на полной конфиденциальности. Никакого общения с прессой, иначе вокруг сделки поднимется ужасный шум.

— От нас газетчики не узнают ни слова, — пообещал Сэнди.

— Когда вы хотите, чтобы мисс Миранда вышла на свободу?

— Завтра. Ее необходимо доставить в аэропорт Майами. Было бы неплохо, если бы кто-нибудь из ФБР проследил, как она поднимется по трапу самолета.

— С этим не возникнет проблем. — Джейнс пожал плечами с видом человека, удивленного подобной просьбой.

— Что еще? — Сэнди потер руки как бы в предвкушении самого интересного.

— Со стороны правительства больше ничего, — ответил Спролинг.

— Тогда я предлагаю вам следующее: у меня здесь два секретаря с компьютерами. Мы уже подготовили проект соглашения и решение суда о снятии с мистера Лэнигана обвинений федеральных властей. Чтобы уточнить необходимые мелочи, много времени не потребуется, бумаги вы сможете подписать тут же. Я отвезу их своему клиенту, и при удачном раскладе через два часа все будет закончено. Мистер Маст, я рекомендовал бы вам как можно скорее связаться с федеральным судьей. Решение о снятии обвинений мы перешлем ему по факсу.

— Когда мы получим документы и магнитофонные записи? — спросил Джейнс.

— Если в течение ближайших нескольких часов все пройдет, как предполагается, они станут вашими сегодня в пять часов дня.

— Мне нужно позвонить. — Спролинг поднялся.

Телефон потребовался и Джейнсу с Мастом. Все трое разошлись по комнатам огромного номера.

Обычным заключенным полагалась ежедневная часовая прогулка. Стоял конец октября, день был пасмурный и прохладный. Патрик решил потребовать дарованного ему конституцией права, однако охранники ответили отказом: никаких распоряжений относительно прогулок они не получали.

Патрик позвонил судье Хаски, и все было мгновенно улажено. Он также спросил Карла, не сможет ли тот зайти в магазинчик на Дивижн-стрит, купить крабов и пирожков с сыром, чтобы пообедать вместе на свежем воздухе. Судья ответил, что сделает это с удовольствием.

Они сидели на деревянной скамье неподалеку от фонтана, под маленьким печальным кленом во внутреннем дворе госпиталя. Принесенных Карлом пирожков хватило и на охрану, устроившуюся чуть в стороне.

О проходивших в «Камилле» переговорах Хаски ничего не знал, и Патрик не стал затрагивать эту тему. Там был Пэрриш, который в самое ближайшее время поставит его честь в известность о принятых решениях.

— Что обо мне говорят? — спросил Патрик, покончив с пирожком.

— Сплетен больше не слышно. Жизнь возвращается в нормальное русло. Твои друзья так и остались твоими друзьями.

— Кое-кому из них я написал. Ты не согласишься передать письма?

— Передам, конечно.

— Благодарю.

— Я слышал, в Майами задержали твою знакомую.

— Да. Но ее скоро выпустят. Небольшая неувязка с паспортом.

Хаски молча жевал. Он уже привык к длинным паузам во время бесед с Патриком. Собственно говоря, это ему приходилось думать над тем, что сказать, — у Патрика такой проблемы не возникало.

— Хорошо посидеть на свежем воздухе, — заметил Лэниган. — Спасибо тебе.

— У тебя есть право на прогулку.

— Ты бывал когда-нибудь в Бразилии?

— Нет.

— А стоит.

— Убежать так же, как и ты? Или вместе с семьей?

— Нет, просто съезди и посмотри.

— Пляжи?

— Забудь о пляжах и городах. Отправляйся в сердце страны, где чистое синее небо, исключительный воздух, где живут простые и добрые люди. Там мой дом, Карл. Как мне хочется вернуться туда!

— Быстро это не получится.

— Наверное, но я могу и подождать. Я — уже не Патрик, Карл. Загнанный и несчастный Патрик умер. Он был толстым, вызывал жалость, и слава Богу, что его не стало. Теперь я — Денило, Денило Силва, человек более удачливый, живущий спокойной жизнью в совсем другой стране. Денило подождет.

«К тому же у Денило есть замечательная женщина и целое состояние», — хотелось добавить Карлу, но он не стал об этом говорить.

— И каким образом Денило попадет в Бразилию? — спросил судья.

— Я как раз работаю над этим.

— Послушай, Патрик, ничего, если я буду звать тебя Патриком, а не Денило?

— Пожалуйста.

— Мне, кажется, пора отойти в сторону и передать дело Трасселу. Скоро начнутся слушания. Я сделал все, что было в моих силах, чтобы помочь тебе.

— Тебе намекнули?

— Так, вскользь, словно между прочим. Не хочу причинять тебе боль, но боюсь, если медлить с передачей дела, то это могут неправильно понять. О наших отношениях все знают. Черт возьми, я даже нес урну с твоим прахом!

— Думаешь, я все это спланировал?

— Нет. Ты был мертв тогда, так что и говорить не о чем. Но получилось весело.

— Согласен.

— В общем, я пообщался с Трасселом, он готов. Я рассказал ему о твоих ожогах и о том, насколько важно для тебя подольше остаться в госпитале. Он понял это.

— Спасибо.

— Но ты должен считаться с реальностью. Придет день, когда тебя все же перевезут в тюрьму. Ты можешь остаться там на долгое время.

— По-твоему, я убил того парня, Карл?

Положив недоеденный пирожок в бумажный пакет, Карл сделал глоток чаю со льдом. Врать ему не хотелось.

— Выглядит это довольно подозрительно. В машине нашли останки человека, значит, кто-то все же погиб. ФБР провело детальный компьютерный анализ людей, пропавших без вести девятого февраля девяносто второго года или чуть ранее. В радиусе трехсот километров Пеппер оказался единственным, о ком никто ничего не слышал.

— Неужели этого достаточно, чтобы выстроить обвинение в убийстве?

— Ты спрашивал не об обвинении.

— Отлично. Ты думаешь, я убил его?

— Я не знаю, что думать, Патрик. Я двенадцать лет проработал судьей, и передо мной стояли люди, признававшиеся в преступлениях, в которые сами не могли поверить. При определенных обстоятельствах человек в состоянии совершить абсолютно все.

— Значит, ты веришь этому?

— Мне не хочется этому верить. Не знаю, во что я сейчас верю.

— Думаешь, я мог пойти на убийство?

— Нет. Но я не думал также, что ты сможешь инсценировать собственную смерть и скрыться с девяноста миллионами долларов. Твоя жизнь полна удивительных неожиданностей.

Еще одна долгая-долгая пауза. Карл бросил взгляд на часы.

Неторопливо поднявшись со скамьи, Патрик медленно двинулся через двор.

Обед в «Камилле» состоял из принесенной на пластиковых подносах горы сандвичей. Прервал его телефонный звонок федерального судьи, четыре года назад занимавшегося делом Патрика. Поглощенный процессом в Джексоне, судья с трудом выкроил время для разговора. Маст кратко обрисовал складывавшуюся ситуацию и перечислил участников переговоров, судья посетовал, что вынужден общаться лишь по телефону. Затем он поинтересовался предложенным Сэнди вариантом соглашения, и Маст сжато передал его суть. Несколько вопросов судья задал и Спролингу. Краткий телефонный разговор превратился в настоящую конференцию. В какой-то момент Спролинг вышел с телефонной трубкой из номера, чтобы поговорить с судьей без свидетелей. Он сообщил о настоятельном стремлении высокопоставленных вашингтонских чиновников заключить сделку с Лэниганом и поймать в сети настоящую большую рыбу. Затем, также приватно, судья побеседовал с Т.Л. Пэрришем, заверявшим, что уйти от ответственности мистеру Лэнигану не удастся. Ему придется опровергнуть весьма серьезные обвинения или значительную часть жизни провести за решеткой.

Судья был против спешки, однако, подчинившись давлению заинтересованных в деле влиятельных фигур и приняв во внимание статус собравшихся в Билокси, он согласился все же подписать документ, снимающий с Патрика обвинения федеральных властей. Лист тут же вложили в факс, и через пару минут он вернулся уже подписанным.

После обеда Сэнди ненадолго оставил своих гостей, чтобы съездить в госпиталь. Патрик писал письмо матери, когда дверь палаты внезапно распахнулась.

— Получилось! — пришлепнул к поверхности стола текст соглашения Сэнди. — Мы добились всего, что хотели.

— Снятия федеральных обвинений?

— Да. Судья только что подписал бумагу.

— За какую сумму?

— Девяносто плюс три процента.

Прикрыв глаза, Патрик сжал кулаки. Судьба нанесла ему ощутимый удар, и все же оставалось еще достаточно, чего вполне хватит на то, чтобы устроиться вместе с Евой где-нибудь в спокойном, безопасном месте и завести полный дом детей. Большой дом с кучей ребятишек.

Он просмотрел текст и подписал его. Сэнди бросился к машине.

К двум часам дня в номере опять было полно народу. Сэнди приветствовал появившегося на пороге Тэлбота Мимса и его клиента, мистера Шенолта — вице-президента «Нозерн кейс мьючуэл», который приехал в сопровождении двух сотрудников, чьих имен хозяин «Камиллы» не расслышал. Руководствуясь собственными соображениями, Мимс притащил с собой своего партнера и его ассистента. Сэнди собрал визитки и провел мужчин в гостиную, где проходила утренняя встреча. Журналистки уже сидели там.

Расположившиеся в соседней комнате Джейнс и Спролинг разговаривали по телефону с Вашингтоном. Своих подчиненных они отправили на час отдохнуть в казино — никакого алкоголя!

Представителей «Монарх-Сьерры» было меньше: Хол Лэдд, его помощник и главный юрисконсульт компании, невзрачный коротышка по имени Коэн. Обменявшись сдержанными приветствиями, гости расселись, готовые внимать Сэнди. Тот раздал всем довольно тонкие папки и попросил ознакомиться с документами: судебным иском Патрика Лэнигана к ФБР за причинение физических страданий, нанесение ран и набором цветных фотоснимков. Юристы уже, видимо, подготовили своих клиентов, так что обошлось без неожиданностей.

Сэнди подвел итог: к ранам, полученным его клиентом, ФБР не имеет никакого отношения, поскольку не агенты ФБР задержали мистера Лэнигана. Это сделал Стефано. Стефано работал на трех клиентов сразу: на Бенни Арициа, «Нозерн кейс мьючуэл» и «Монарх-Сьерру». Каждой из сторон грозил судебный иск.

— Как вы собираетесь доказать, что ожоги — дело рук мистера Стефано? — спросил Тэлбот Мимс.

— Минуту. — Сэнди приоткрыл дверь в соседнюю комнату и попросил Джейнса ненадолго присоединиться к ним.

Вошедший назвал свое имя и должность, после чего с видимым удовольствием в деталях описал то, что Стефано рассказал ФБР о розысках Патрика Лэнигана: финансирование консорциума, вознаграждения за информацию, охота, развернувшаяся в Бразилии, пластические операции, парни с Плутона, захват Лэнигана и пытка электрическим током. И все это сделано на деньги, которые были предоставлены Арициа, «Нозерн кейс мьючуэл» и «Монарх-Сьеррой» для защиты их интересов, подчеркнул Джейнс.

Рассказ производил ошеломляющее впечатление. Джейнс наслаждался.

— Не будет ли у кого-либо вопросов к представителю ФБР? — с довольным видом поинтересовался Сэнди.

Вопросов ни у кого не оказалось. За прошедшие восемнадцать часов ни Шенолту, ни Коэну не удалось выяснить, кто именно в их компаниях принял решение нанять Джека Стефано для розыска Лэнигана. Они уже и не рассчитывали узнать это теперь, когда стирались последние следы случившегося.

Оба представляли крупные и богатые компании с многочисленными держателями акций и значительными средствами. Кого обрадуют излишние проблемы?

— Благодарю вас, мистер Джейнс, — сказал Сэнди.

— Я буду рядом, — ответил тот — он явно радовался возможности загнать в крышку их гроба очередной гвоздь.

Присутствие Джейнса сбивало с толку и настораживало. Для чего заместитель директора ФБР приехал в Билокси? Почему с таким энтузиазмом он валил все на плечи страховых компаний?

— Вот вам условия нашей сделки, господа, — продолжил Сэнди, когда Джейнс закрыл за собой дверь. — Они просты и не подлежат изменениям. Прежде всего, мистер Шенолт, что касается «Нозерн кейс мьючуэл». Ваш клиент пытался в этой маленькой войне вернуть выплаченные Труди Лэниган два с половиной миллиона долларов. Будет лучше всего, если вы просто вернетесь домой. Заберите из суда свой иск, забудьте о Труди — пусть живет. У нее маленький ребенок, а бо́льшая часть денег все равно уже истрачена. Заберите иск, и мой клиент не предъявит вам собственный — на предмет ожогов.

— Это все? — с недоверием спросил Тэлбот Мимс.

— Да. Это все.

— Договорились.

— Нам нужно проконсультироваться, — с суровым выражением лица проговорил Шенолт.

— Нет, — возразил Мимс. — Отличная сделка. Мы согласны, и это точка.

— Но я хотел бы проанализировать... — начал было Шенолт.

— Нет, — отрезал Мимс. — Мы согласны. В противном случае найдите себе другого юриста. Но пока я здесь, мы подпишем бумаги.

Шенолт молчал.

— Возражений не имеем, — подтвердил Мимс.

— Мистер Шенолт? — повернулся к нему Сэнди.

— М-да. Думаю, мы согласны.

— Великолепно. Проект соглашения ждет вас в соседней комнате. Теперь, джентльмены, я хотел бы, с вашего разрешения, переговорить с мистером Лэддом и его клиентом без свидетелей.

Представители «Нозерн кейс мьючуэл» вышли. Закрыв дверь, Сэнди приблизился к Коэну, Холу Лэдду и его помощнику:

— С вами вопрос, боюсь, обстоит несколько иначе. Ваши коллеги так легко отделались лишь потому, что там предстоит еще развод — процесс довольно сложный и неприятный. Предполагавшийся иск к «Нозерн кейс мьючуэл» мой клиент мог бы активно использовать в свою пользу, ведя речь о разводе. Вы в другой ситуации, джентльмены. Они поставили на Стефано полмиллиона, вы же — в два раза больше. Следовательно, и ответственность ваша вдвое выше. Кроме того, всем известно, что вы намного богаче «Нозерн кейс мьючуэл».

— На какую сумму вы рассчитываете? — спросил Коэн.

— Патрик очень обеспокоен судьбой ребенка. Девочке шесть лет, и ее мать с удивительным проворством бросает деньги на ветер. Вот почему «Нозерн кейс мьючуэл» так быстро сдалась: они превосходно знают, что от миссис Лэниган ничего не получат. Патрик хотел бы, чтобы на имя ребенка вне пределов досягаемости для матери была положена некая скромная сумма.

— Какая именно?

— Четверть миллиона долларов. И столько же в качестве гонорара ему — как адвокату. В общей сложности пятьсот тысяч, и ваш клиент не будет иметь никакой головной боли из-за этих фотоснимков.

В истории побережья имелись громкие судебные дела, в ходе которых присяжные выказывали потрясающую щедрость в отношении жертв физических увечий или насильственной смерти. Хол Лэдд уже говорил Коэну о возможности вынесения многомиллионного вердикта Арициа и страховым компаниям за то, что они проделали с Патриком Лэниганом. Выходец из Калифорнии, Коэн отлично понимал, в какую сложную ситуацию они попали. Его компания не имела ничего против того, чтобы решить дело миром.

— Значит, в обмен на полмиллиона долларов вы откажетесь от иска? — спросил он.

— Совершенно верно.

— Мы идем на это.

Сунув руку в папку, Сэнди достал несколько листов.

— Вот проект нашего соглашения. — Он вручил каждому по копии и вышел.

ГЛАВА 35

Психоаналитик был личным другом доктора Хай-ани. Его второй разговор с Патриком длился два часа и оказался столь же безрезультатным, как и первый. Всякая необходимость в продолжении общения отпала.

Извинившись, Патрик вернулся в палату, когда принесли ужин. Еду он оставил почти нетронутой и сидел перед экраном телевизора, пока шел выпуск вечерних новостей. Его имя с экрана не прозвучало. Расхаживая по палате, Патрик переговаривался через дверь с охраной. Несколько раз звонил Сэнди и сообщал последние новости, но Патрику хотелось видеть документы. Чтобы как-то убить время, он рассеянно смотрел телесериал, время от времени начинал читать книгу.

Было почти восемь, когда он услышал в коридоре голос Сэнди, интересовавшегося у охраны самочувствием заключенного. Называя своего клиента «заключенным», Сэнди испытывал острое наслаждение.

Патрик встретил адвоката на пороге. Несмотря на нечеловеческую усталость, тот широко улыбался.

— Готово. — Сэнди протянул ему пачку бумаг.

— А что насчет моих материалов и пленок?

— Я передал их около часа назад. Там крутилось не меньше десятка федов. Джейнс сказал, что они будут работать всю ночь.

Патрик взял соглашения и уселся за рабочий стол в углу, чтобы проверить каждый документ. Стоя у кровати, Сэнди торопливо поглощал захваченные с собой сандвичи и не сводил глаз с экрана: транслировался матч по регби из Австралии, но Патрик отключил звук буквально за минуту до его прихода.

— А они не бросились в драку из-за полумиллиона долларов? — спросил Патрик.

— Не издали ни звука.

— Уверен, можно было потребовать и больше.

— По-моему, тебе и так хватит.

Перевернув страницу, Патрик поставил на ней свою подпись.

— Отличная работа, Сэнди. Ты — мастер!

— День был удачный. Все обвинения федеральных властей сняты, никакого судопроизводства. Гонорары юристам предусмотрены. Будущее девочки обеспечено. Завтра мы закончим с Труди. Ты — на финишной прямой, Патрик. Жаль, что остается еще вопрос с мертвым телом в твоей машине.

Оставив бумаги на столе, Патрик подошел к окну. Сквозь шторки жалюзи на стекле виднелась длинная трещина. Продолжая жевать, Сэнди следил за Патриком взглядом.

— Ты должен сказать мне кое-что, Патрик.

— Что именно?

— Хорошо, можем начать с Пеппера.

— О'кей. Я не убивал Пеппера.

— Это сделал кто-то другой?

— Не знаю.

— Может, он убил себя сам?

— Понятия не имею.

— Но он был жив, когда ты исчез?

— Думаю, да.

— Черт возьми, Патрик! День у меня сегодня выдался длинный, и сейчас я не в настроении играть в игры.

Повернувшись к Сэнди лицом, Патрик очень вежливо сказал:

— Прошу тебя, не ори. За дверью копы, они ловят каждый звук. Сядь.

— Я не хочу сидеть.

— Пожалуйста.

— Стоя, я лучше слышу тебя. Говори.

Патрик опустил жалюзи, прошел к двери, подергал ручку, а затем выключил телевизор. Устроившись в обычной позе на постели, набросил на согнутые в коленях ноги одеяло и негромко проговорил:

— Я знал Пеппера. Однажды он зашел в хижину и попросил поесть. Это было перед самым Рождеством в девяносто первом. Он сказал, что живет главным образом в лесу. Я приготовил яичницу с беконом, на которую он с жадностью набросился. Чувствовал себя очень неловко в моем присутствии. Естественно, я заинтересовался. Передо мной сидел ребенок. Пеппер сказал, что ему семнадцать, хотя по внешнему виду я дал бы меньше. Чистый, прилично одет. Его семья жила километрах в двадцати от хижины. В лесу ему нравилось почему-то больше. Мы все же разговорились, и я спросил про семью. Печальная история. Доев яичницу, парень был готов идти дальше. Я предложил ему остаться в хижине на ночь, однако он решил вернуться в свою палатку.

На следующий день я отправился на оленя, и Пеппер выследил меня. Подошел, позвал за собой, показал палатку и спальник. У него имелась кое-какая кухонная утварь, закопанный в землю дубовый ларь со льдом, лампа и охотничье ружье. Парнишка сказал, что домой не наведывался уже две недели, потому что мать завела нового дружка, самого мерзкого из всех, что были у нее за последние годы. Я прошел вместе с ним в чащу, где он обнаружил олений солончак. Часом позже мне удалось подстрелить там огромного самца, своего самого крупного. Пеппер сказал, что знает эти леса как собственную ладонь, и вызвался показать мне лучшие охотничьи угодья.

Через две недели я вновь побывал в хижине. Жизнь с Труди была невыносимой, и выходных мы оба ждали с нетерпением. Очень скоро подошел Пеппер. Я приготовил какой-то суп, который тут же исчез, — тогда у меня еще был аппетит. Пеппер рассказал, что провел три дня дома и ушел после шумной ссоры с матерью. Чем дольше он говорил, тем раскованнее и естественнее становился. Узнав, что я юрист, парень тут же выложил мне свои проблемы. Последним местом его работы была заправка в Льюсдейле. Как-то хозяин обнаружил, что в кассе не хватает денег. Поскольку мальчишку считали немного тронутым, решили, что виноват он. Разумеется, Пеппер и пальцем не коснулся этих денег. Так появился еще один повод держаться подальше от людей. Я пообещал ему поговорить с хозяином.

— И с этого все началось, — вставил Сэнди.

— Что-то вроде того. Потом мы еще несколько раз встречались в лесу.

— Уже ближе к девятому февраля.

— Да. Я сказал Пепперу, что полиция намеревается арестовать его, но это было ложью. Никуда я не ходил и ни с кем не разговаривал, просто не мог себе позволить. Но из бесед с парнем у меня складывалось убеждение: о пропавших на заправке деньгах ему что-то известно. Перепуганный, он во всем полагался только на меня. Мы разбирали с ним возможные варианты, одним из которых и было исчезнуть.

— Мне слышится в этом нечто знакомое.

— Мать свою он ненавидел. Его разыскивала полиция. Но ведь даже напуганный мальчишка не сможет остаток жизни провести в лесах. Пепперу понравилась идея отправиться на запад и стать егерем в горах. Мы выработали план. Я листал газеты до тех пор, пока не наткнулся на жуткую заметку о первокурснике, погибшем во время железнодорожной катастрофы в Новом Орлеане. Звали его Джей Палмер. Я позвонил своему знакомому, занимавшемуся в Майами изготовлением документов, тот выяснил личный номер Джея по коду социального страхования, и через четыре дня у меня на руках был полный комплект бумаг для Пеппера: выданные в Луизиане водительские права с весьма подходящей фотографией, номер карточки социального страхования, свидетельство о рождении и даже паспорт.

— Судя по твоему рассказу, все это оказалось довольно просто сделать.

— На самом деле еще проще. Потребовалась лишь некоторая сумма наличными и примитивная работа воображения. Пеппер пришел в восторг от новеньких документов и предстоящей поездки в горы на автобусе. Честное слово, Сэнди, парень ни секунды не сомневался в том, стоит ли ему бросить здесь мать, ни намека на какое-либо беспокойство.

— Это похоже и на тебя.

— Да. Так вот, в воскресенье, девятого февраля...

— В день твоей смерти?

— Да. Я отвез Пеппера в Джексон, на автобусную станцию, причем напомнил, что он еще может отказаться от этой затеи и вернуться. Но он уже принял решение. Был даже возбужден. Бедняга ни разу в жизни не покидал пределов штата Миссисипи. Путешествие до Джексона было для него настоящим приключением. Я четко дал ему понять: вполне вероятно, что он больше никогда не переступит порог родного дома. О матери он не проронил ни слова, за всю трехчасовую дорогу — ни звука.

— Куда он намеревался податься?

— Я узнал о небольшом лагере рубщиков леса в Орегоне, уточнил маршруты и расписание автобусов, выписал все это для него и передал по дороге. Вручив две тысячи долларов наличными, я высадил его из машины за два квартала до автобусной станции. Был почти час дня, и мне не хотелось, чтобы меня кто-то заметил. Последний раз, когда я видел Пеппера, он со счастливой улыбкой быстро шел вдоль дороги. За плечами у него болтался набитый рюкзак.

— В твоей хижине нашли его ружье, палатку и спальный мешок.

— А куда ему еще было их девать?

— Вот и встал на место очередной кусочек головоломки.

— А как ты думал? Я предполагал: все решат, что Пеппер сгорел в машине.

— Где он сейчас?

— Не знаю, да и значения это не имеет.

— Я спрашивал не об этом, Патрик.

— Но это и в самом деле не важно.

— Черт возьми, прекрати играть со мной! Если я задаю тебе вопрос, значит, рассчитываю получить ответ.

— А я отвечаю, когда мне хочется.

— Почему ты так уклончив?! — Голос Сэнди повысился почти до крика, и Патрик мгновение помедлил, дав ему возможность успокоиться.

Оба перевели дух.

— Я вовсе не уклончив, Сэнди.

— Как же! Бьюсь из последних сил над одной загадкой, разрешаю ее, и у меня тут же появляется десяток других. Почему ты не хочешь рассказать мне все?

— Потому что тебе нет нужды знать все.

— А было бы здорово.

— Да ну? Когда в последний раз обвиняемый в уголовном преступлении рассказывал тебе все?

— Смешно, но я не могу представить тебя преступником.

— Кто же я?

— Наверное, мой друг.

— Тебе будет легче справиться со своей работой, если начнешь воспринимать меня как преступника.

Собрав бумаги со стола, Сэнди направился к двери.

— Я устал. Нужно отдохнуть. Зайду к тебе завтра утром, и тогда уж ты расскажешь мне все.

Он аккуратно прикрыл за собой дверь.

Первым заметил слежку Гай — двумя днями раньше, в тот момент когда они выходили из казино. Человек, которого он где-то уже видел, отвернулся слишком поспешно. И машина, катившая за ними, была чересчур назойливой. Опыт в подобных делах у Гая имелся, и он поделился своими подозрениями с сидевшим за рулем Бенни Арициа.

— Должно быть, феды, — добавил он. — Кому еще это нужно?

Они решили покинуть Билокси. Телефоны в снятом коттедже немедленно отключили, а подельников отослали из города.

Оставалось дождаться наступления темноты. Гай в одиночестве уселся в машину и погнал ее на восток, в Мобил, где предстояло провести ночь. Утром он собирался подняться на борт самолета. Бенни отправился на запад: вдоль побережья по автостраде номер девяносто в сторону хорошо ему знакомого Нового Орлеана. Поглядывая в зеркало заднего вида, он не заметил за собой ни одной машины. Добравшись до Французского квартала, полакомился там устрицами, а затем на такси поехал в аэропорт, откуда вылетел в Мемфис. Рейс из Мемфиса перенес его в Чикаго, где ночь пришлось провести в баре аэровокзала. Рассвет Бенни Арициа встретил на борту лайнера, летевшего в Нью-Йорк.

Агенты ФБР ждали Арициа возле его особняка в Бока-Ратоне. Любовница-шведка пребывала там в одиночестве. Скоро она пустится в бега, решили феды. Следить за ней не составит никакого труда.

ГЛАВА 36

Выход на свободу оказался на редкость будничным. В восемь тридцать утра Ева, в том же спортивном костюме, что был на ней в камере, из заключенной превратилась в обычную женщину. Вежливые охранники, почтительные клерки, надзиратель даже пожелал ей всего доброго. Сидевший в стареньком «ягуаре» Марк Берк махнул ей рукой. Ева приблизилась.

— Там, позади, — он кивнул, указывая на стоявшую неподалеку машину, — агенты ФБР.

— А мне казалось, что с ними все уже закончено.

— Не совсем.

— Может, я должна поздороваться с ними?

— Не стоит. Садитесь. — Берк открыл ей дверцу. — Вот что передал мне по факсу Сэнди Макдермотт. Вскрывайте. — Он протянул Еве конверт и тронул «ягуар» с места.

— Куда мы сейчас? — спросила Ева.

— В аэропорт. Там вас уже ждет небольшой реактивный самолет.

— Чтобы доставить в...

— Нью-Йорк.

— А потом?

— Пересядете на «конкорд» и полетите в Лондон.

Берк спокойно вел машину по весьма оживленной улице. Автомобиль с сотрудниками ФБР двигался следом.

— Зачем они здесь? — Ева была удивлена.

— Это охрана.

Прикрыв глаза, она подумала о находившемся в госпитале Патрике. Наверняка он размышлял, куда бы еще ее послать. Через несколько минут Ева заметила мобильный телефон.

— Вы позволите?

— Конечно. — Берк держал руль так, будто вез коронованную особу.

Она позвонила в Бразилию и, перейдя на родной язык, заговорила с отцом. Оба чувствовали себя хорошо, оба наслаждались наконец свободой, хотя Ева не сказала Паоло, где именно провела три последних дня. Похищение, пошутил отец, оказалось не таким уж тяжким испытанием. Относились к нему превосходно, он не получил даже царапины. В самое ближайшее время, пообещала Ева, она вернется. Работа в Штатах почти закончена, и ее ужасно тянет домой.

Не понимая ни слова, Берк молча слушал чужую речь. Когда Ева положила трубку и вытерла повлажневшие глаза, он сказал:

— Вы найдете в конверте несколько телефонных номеров — на тот случай, если вас вновь остановят. ФБР сняло всякие ограничения и согласилось разрешить вам в течение семи дней пользоваться прежним паспортом. Там же есть и один лондонский телефон, он поможет преодолеть сложности, если они появятся в Хитроу.

Ева молча раскрыла конверт. Там было письмо от Сэнди на его фирменном бланке. Дела в Билокси шли очень неплохо и довольно быстро. По прибытии в аэропорт имени Кеннеди ей следовало позвонить Сэнди в гостиничный номер и выслушать новые инструкции.

Другими словами, Сэнди сообщит нечто такое, о чем мистеру Берку знать не обязательно.

Они подъехали к расположенной в северной части аэропорта Майами стоянке личных самолетов. Пока Берк вел Еву к небольшому ангару, фэбээровцы оставались в машине.

Ожидавшие Еву пилоты указали ей на крошечный самолетик, готовый по ее приказу лететь куда угодно. «В Рио! — хотелось закричать ей. — В Рио!»

Она пожала Берку руку, поблагодарила его за заботу и поднялась на борт. Багажа у нее не было. Ни одной тряпки! Патрик дорого заплатит за это. Ничего, добравшись до Лондона, она проведет целый день в магазинах на Бонд- и Оксфорд-стрит и купит там столько платьев, что у этой игрушечной птички отвалятся крылья.

В этот ранний час Дж. Мюррей казался особенно взъерошенным и усталым. Буркнув приветствие открывшей дверь секретарше, он согласился выпить чашку горячего крепкого кофе. Сэнди предложил ему пройти в гостиную, где они и устроились, чтобы выверить соглашение об имущественных правах.

— Это намного лучше, — заметил Сэнди, прочитав текст документа.

Труди уже подписала бумагу. Еще одной встречи с ней и ее сожителем Мюррей не выдержал бы. Вчера в его кабинете произошла отвратительная ссора между миссис Лэниган и Лэнсом. Дж. Мюррей долгие годы занимался сложными бракоразводными процессами и сейчас мог бы об заклад побиться, что дни Лэнса сочтены. Над Труди нависла угроза тяжкого финансового бремени.

— Мы согласны поставить на бумаге свое имя, — сказал Сэнди.

— Еще бы! Здесь все, чего вы так хотели.

— При данных обстоятельствах это единственно справедливое разрешение проблемы.

— Да, пожалуй.

— Послушайте, Мюррей, удалось достичь определенного прогресса по вопросу тяжбы между вашей клиенткой и «Нозерн кейс мьючуэл».

— Ну-ну?

— Так вот, опуская малоинтересные для вашей клиентки детали, могу сказать: «Нозерн кейс мьючуэл» согласилась не предъявлять иска Труди.

Несколько мгновений Дж. Мюррей просидел в остолбенении, затем у него от удивления вытянулось лицо. Это что, шутка?

Сэнди нашел на столе копию соглашения со страховой компанией. Пару-тройку самых щепетильных абзацев он старательно затушевал черным фломастером, но и оставшегося было для Мюррея более чем достаточно.

— Вы смеетесь... — пробрюзжал Мюррей, беря в руки лист бумаги.

Не обратив ни малейшего внимания на черные прямоугольники вымаранного текста, он вчитался в не тронутые цензором параграфы документа. Точными и совершенно недвусмысленными словами в нем говорилось о полном отказе компании «Нозерн кейс мьючуэл» от всяких попыток

предъявить миссис Труди Лэниган иск по поводу получен-
ных ею страховых сумм.

Причины такого великодушия Дж. Мюррея не интересовали. Патрика вообще окружал непроницаемый ореол та-
инственности. Какой смысл задавать вопросы?

— Очень приятный сюрприз.

— Я был уверен, что он вам понравится.

— Все остается у нее?

— Абсолютно все, что она имела.

Мюррей во второй раз медленно прочитал строки.

— Могу я получить копию?

— Нет. Документ конфиденциален. А вот бумага из суда
с констатацией отказа от иска будет сегодня же. Ее копию я
могу переслать вам по факсу.

— Спасибо.

— И еще один момент. — Сэнди протянул Мюррею копию соглашения с «Монарх-Сьеррой», тоже слегка подправ-
ленную. — Посмотрите четвертый абзац на странице три.

Безукоризненным юридическим языком там говорилось
об учреждении фонда в двести пятьдесят тысяч долларов для
защиты интересов Эшли Николь Лэниган. Распорядителем
фонда являлся Сэнди Макдермотт. Деньги предназначались
исключительно для получения ребенком образования и охраны его здоровья. Средства, оставшиеся неиспользованны-
ми, будут выплачены девочке наличными по достижении ею
тринадцати лет.

— Не знаю, что и сказать.

Мюррей размышлял о том, какой эффект произведет эта
информация в его офисе.

Сэнди махнул рукой — мелочи.

— Что-нибудь еще? — широко улыбнулся Мюррей.

— Все. С разводом покончено. Приятно было поработать с вами.

Мужчины пожали друг другу руки, и Мюррей, окрылен-
ный, вышел. Мысли его витали в облаках, когда он в одино-

честве спускался в лифте. О, он расскажет Труди о своей бескомпромиссной борьбе с этими подонками, о том, как загнал их в угол вместе с их наглыми требованиями и грозил им судом. Сколько подобных дел прошло через его руки! Вот почему у него репутация неутомимого поборника справедливости.

К черту супружескую неверность! К черту порнографические картинки! Да, его клиентка виновна, и все же она имеет право на беспристрастное отношение. В конце концов, ведь у нее на руках невинный ребенок. Кто защитит его?

Да, он разбил их наголову. Он потребовал учредить для девочки фонд, и под чудовищным грузом собственной вины Патрик был вынужден согласиться отдать Эшли Николь четверть миллиона долларов.

Он не знал пощады в борьбе за права своей клиентки, получившей от страховой компании два с половиной миллиона. Перепуганные, Патрик и его адвокат перебирали все возможные способы сэкономить на Труди. Детали разговора с ними предстояло уточнить, но в распоряжении Мюррея оставалось еще не менее часа.

Пока он доберется до офиса, в голове его созреет удивительное и подробнейшее изложение случившегося.

В аэропорту имени Кеннеди девушка за стойкой регистрации на «конкорд» удивленно вскинула брови: у пассажирки не было багажа. Пришлось вызвать старшего смены, и вокруг пытавшейся сохранить спокойствие Евы поднялась идиотская суета. Она не могла позволить, чтобы ее арестовали вторично. Она любила Патрика, но сложившаяся ситуация никак не вписывалась в сценарий романтической истории. Совсем недавно Ева успешно поднималась по ступенькам служебной лестницы, делая карьеру в лучшем городе мира, но внезапно в ее жизни появился Патрик, и все изменилось...

К счастью, на этот раз обошлось без неприятностей — лица окружавших Еву людей светились доброжелательными улыбками. Служительница провела Еву в зал ожидания и предложила чашку кофе. Из кабинки телефона-автомата Ева связалась с находившимся в Билокси Сэнди.

— У вас все нормально? — услышала она в трубке его голос.

— Да, Сэнди. Я в аэропорту, готова лететь в Лондон. Как Патрик?

— Великолепно. С федеральными чиновниками мы уже договорились.

— Во что это обошлось?

— В сто тринадцать миллионов. — Сэнди подождал ее реакции.

Патрик, услышав эту сумму, остался совершенно невозмутимым. Ева тоже.

— Что дальше? — спросила она.

— Мы свяжемся с вами, когда вы доберетесь до Лондона. В отеле «Времена года» забронирован номер на имя Лиа Перес.

— Это опять-таки я. Передайте Патрику, что я все еще люблю его, даже после того как побывала в тюрьме.

— Я увижусь с ним сегодня вечером. Будьте осторожны.

— Чао.

Маста переполняло сознание собственной значительности. Накануне вечером, после того как Сэнди передал документы и пленки, он посадил всех своих сотрудников на телефоны, заставив известить членов большого жюри о срочной сессии, а сам с пятью помощниками и фэбээровцами просидел до трех ночи, разбирая полученные бумаги. В восемь утра Маст уже был за своим рабочим столом.

Заседание большого жюри было назначено на полдень. Предполагался и перерыв на ужин. Гамильтон Джейнс решил присутствовать и дождаться окончания заседания, как, впрочем, и Спролинг. Единственным, кого должно было заслушать жюри, являлся Патрик Лэниган.

В соответствии с соглашением перевозили Патрика без наручников. Выбравшись с заднего сиденья не имевшей номерных знаков машины ФБР, через боковую дверь он, никем не замеченный, вошел в здание федерального суда Билокси. Рядом шагал Сэнди. На Патрике были брюки цвета хаки, кроссовки и рубашка из плотной ткани. Он выглядел довольно худым и бледным, однако нисколько не болезненным и чувствовал себя великолепно.

Шестнадцать членов большого жюри расселись за длинным столом таким образом, что, когда в зале с улыбкой на лице появился Патрик, по меньшей мере половина присяжных оказались спиной к нему и вынуждены были повернуть головы. С интересом смотрели на него из своего угла Джейнс и Спролинг.

Патрик опустился в кресло, стоявшее у торца стола. На оживленном лице ни следа напряжения — теперь его ничуть не беспокоила необходимость отвечать на вопросы этого высокого собрания. Он умудрился выбраться из цепкой паутины федеральных законов.

Патрик начал рассказ с описания фирмы, ее партнеров, клиентуры и неторопливо довел его до первого упоминания о Бенни, когда Маст протянул ему бумагу — контракт, заключенный фирмой и мистером Арициа. Суть четырехстраничного документа сводилась к тому, что юристам в качестве гонорара обещали третью часть суммы, которую может получить по иску Бенни Арициа. Иск же предъявлялся им компании «Платт энд Роклэнд индастриз».

— Каким образом контракт попал к вам? — спросил Маст.

— Печатала его секретарша мистера Богена, а все сотрудники имеют доступ к сети. Я просто снял копию, и все.

— Вот почему она не подписана?

— Совершенно верно. Оригинал, по-видимому, в папке Богена.

— Вы могли входить в его кабинет?

— Не всегда.

Патрик напомнил о стремлении Богена спрятать свою работу за завесой секретности. Потом возник вопрос о доступе в другие помещения, а затем разговор перешел на захватывающие дух приключения Патрика в мире безумно сложных приспособлений для подслушивания. Испытывая серьезные подозрения в отношении Арициа, Патрик поставил себе целью разузнать о его деятельности как можно больше и начал повышать свой образовательный уровень в деле электронного шпионажа. По сети он входил в чужие компьютеры. Он прислушивался к каждому слову, засыпал вопросами секретарш и ассистентов, обследовал корзины для мусора в комнате, где стояла множительная техника. В надежде обнаружить незапертую дверь долго сидел в офисе после работы.

После двухчасовой беседы у Патрика пересохло во рту, и Маст объявил пятнадцатиминутный перерыв. Для заинтригованных слушателей время пролетело совершенно незаметно.

Когда перерыв закончился, все быстро заняли места: не терпелось узнать новые подробности. Маст задал несколько вопросов относительно иска Арициа к «Платт энд Роклэнд», и Патрик в нескольких словах набросал общую картину:

— Мистер Арициа проявил незаурядную гибкость ума. Он разработал детальную схему ведения двойной отчетности, причем виновными в переплате оказывались другие фирмы. Он стал мозгом и движущей силой во всем, что касалось перерасходов сметы.

Маст подвинул Патрику кипу документов. Взглянув на лежавшие сверху, тот сразу сказал:

— Это счет за фиктивные работы, якобы выполненные судоверфью, за которые она получила деньги. А это компьютерный подсчет рабочего времени за одну неделю июня тысяча девятьсот восемьдесят восьмого года. Здесь значатся восемьдесят четыре исполнителя, все имена вымышленные. Приводится их недельная заработная плата. Она составила семьдесят одну тысячу долларов.

— Как выбирались имена? — спросил Маст.

— В то время на судоверфи работали восемь тысяч человек. Брались самые распространенные фамилии: Джоунз, Джонсон, Миллер, Грин, Янг, а вместо действительно существовавших инициалов ставились другие.

— Какой объем работ был приписан?

— В соответствии с бумагами Арициа за четыре года общая сумма выплаченных за эти работы денег составила девятнадцать миллионов.

— И мистеру Арициа было известно, что эта цифра дутая?

— Да. Как я сказал, схему разработал и внедрил именно он.

— А вы каким образом узнали об этом?

— Где пленки?

Маст протянул ему список кассет, на которых было зафиксировано более шестидесяти разговоров, и Патрик пробежал его глазами.

— Думаю, это номер семнадцать.

Один из помощников федерального прокурора достал из коробки кассету и вставил в магнитофон.

— Сейчас вы услышите разговор двух партнеров, Дуга Витрано и Джимми Хаварека, состоявшийся в кабинете Витрано третьего мая девяносто первого года.

В зале установилась напряженная тишина.

ПЕРВЫЙ СОБЕСЕДНИК. Как ты поставил в счета лишних девятнадцать миллионов?

— Это Джимми Хаварек, — быстро пояснил Патрик.

ВТОРОЙ СОБЕСЕДНИК. Это было нетрудно.

— Дуг Витрано, — вновь подсказал Лэниган.

ВИТРАНО. На зарплату предусматривалось пятьдесят миллионов в год. За четыре года набегает более двухсот миллионов, так? В результате мы имеем лишь десятипроцентный рост, который потерялся где-то в бухгалтерии.

ХАВАРЕК. И Арициа знал об этом?

ВИТРАНО. Знал? Черт побери, да он же сам все это выстроил.

ХАВАРЕК. Брось, Дуг.

ВИТРАНО. Все это липа, Джимми. Каждый пункт его иска — сплошная липа. Расходы на оплату труда, завышенные счета на оборудование, двойные, если не тройные расценки на материалы. Арициа планировал это с самого начала. Он долгое время проработал в компании, которая не раз обводила вокруг пальца правительство и знает методику. Ему известно, как ведут себя люди из Пентагона. У него хватило ума вставить собственные пункты в планы компании.

ХАВАРЕК. Кто тебе сказал?

ВИТРАНО. Боген. Арициа сообщил ему обо всем, а затем Боген поделился с сенатором. Если держать язык за зубами и чуть-чуть подыграть им, то в один прекрасный день мы тоже станем миллионерами.

Голоса смолкли: записанная Патриком пленка кончилась. Члены большого жюри уставились на магнитофон.

— А можно еще что-нибудь услышать? — спросил кто-то. Маст пожал плечами и повернулся к Патрику.

— Прекрасная идея, по-моему, — заметил тот.

Вместе с комментариями Патрика и несколькими попытками проанализировать информацию прослушивание пленок заняло часа три. Запись разговора в кладовке была последней, и воспроизводили ее четырежды. В шесть вечера члены большого жюри проголодались и послали в ближайший ресторанчик за ужином.

В семь Патрику было разрешено покинуть зал.

За едой Маст высказался о некоторых наиболее ярких эпизодах беседы, упомянув о нарушении сразу нескольких федеральных законов. Записанные на пленку отчетливые голоса предельно откровенно обнажали механику заговора.

В половине девятого большое жюри единогласно проголосовало за то, чтобы предъявить Бенни Арициа, Чарлзу Богену, Дугу Витрано, Джимми Хавареку и Итэну Рэпли обвинение в сговоре с целью совершить мошенничество, то есть в преступлении, предусмотренном Актом о неправомочных требованиях. Если суд согласится с обвинением, всем им будет грозить до десяти лет тюрьмы и штраф пятьсот тысяч долларов.

Сенатор Гэррис Ней был признан неназванным участником сговора — этот сомнительный статус имел все шансы превратиться во что-то куда более конкретное, а значит, и более серьезное. Спролинг, Джейнс и Маст решили придерживаться оправдавшей себя тактики вылавливания мелкой рыбешки, которая даст им возможность поймать в сети настоящую рыбу, — первыми нажиму подвергнутся Рэпли и Хаварек: они сильнее других ненавидят Чарлза Богена.

В девять вечера заседание закончилось. Маст встретился с начальником полиции и отдал распоряжение об арестах, которые необходимо осуществить утром. Джейнс со Спролингом успели на вечерний авиарейс до Вашингтона.

ГЛАВА 37

— У меня однажды было дело, связанное с автокатастрофой, я тогда только пришел в фирму. Произошла она на сорок девятом шоссе в округе Стоун, неподалеку от Уиггинса. Машина наших клиентов двигалась на север, когда на дорогу прямо перед ними с проселка выехал тягач с огромной платформой. Столкновение было ужасным. В машине находились три человека. Водитель погиб, его жена получила тяжелые ранения, а сидевший сзади ребенок сломал ногу. Тягач с платформой принадлежал компании по выпуску бумаги и был, естественно, застрахован. Дело оказалось непростым. Его дали мне, и я, как новичок, даже обрадовался. Вина лежала, безусловно, на водителе тягача, однако он настаивал на том, что наш клиент превысил скорость. Сразу возник вопрос: насколько быстро двигалась его машина? Мой следователь оценил скорость примерно в семьдесят километров, это было не так мало. Разрешалось на дороге шестьдесят, но никто не ездил меньше шестидесяти пяти. Наши клиенты направлялись в Джексон проведать родственников и особенно не торопились.

Следователь, нанятый компанией, застраховавшей тягач, считал, что скорость машины составляла не менее восьмидесяти пяти, а это здорово ослабляло мою позицию. Любое жюри присяжных косо посмотрит на превышение скорости в двадцать пять километров. Я нашел свидетеля, пожилого человека, прибывшего к месту происшествия вторым или третьим. Звали его Кловис Гудмэн, восьмидесяти одного года, слеп на один глаз и почти ничего не видит другим.

— Серьезно? — спросил Сэнди.

— Шучу. Но со зрением у него действительно не все было в порядке. Тем не менее старик продолжал ездить и в тот день сидел за рулем древнего пикапа, «шевроле» шестьдесят восьмого года. Мой клиент обогнал его, а преодолев подъем, на вершине холма Кловис увидел две столкнувшиеся машины. Одинокий, заброшенный и никому не нужный старик оказался очень чутким человеком, зрелище ужаснуло его. Он пытался помочь жертвам и какое-то время оставался рядом с разбитой машиной, после чего все же уехал, ни с кем не обменявшись ни словом. Был слишком расстроен и сказал мне потом, что неделю после этого случая не спал по ночам.

Потом стало известно, что кто-то из проезжавших заснял на видеокамеру сцену, когда подъехали «скорая» и пожарные с полицией. Движение было перекрыто, делать людям нечего, вот они и снимали все, что только можно. Мы попросили у них кассету. Мой помощник просмотрел ее, переписал номера всех машин, затем отыскал их водителей. Так мы вышли на Кловиса Гудмэна. Он сказал, что практически видел катастрофу, но слишком потрясен, чтобы говорить о ней. Я спросил, нельзя ли приехать и побеседовать с ним позже. Он согласился. Жил Кловис в окрестностях Уиггинса, в маленьком белом домике, который построил с женой еще до войны. Жена умерла много лет назад, как и их единственный ребенок, сбившийся с дороги сын. Оставались двое внуков: один в Калифорнии, другая, внучка, в Геттисберге. Ни первого, ни вторую Кловис не видел уже несколько лет. Все это он рассказал мне сразу, как только я приехал. Казалось, старик совсем одичал. Он вел себя так, будто терпеть не мог юристов и не хотел терять время. Но очень скоро Кловис оттаял, поставил воду для кофе и начал делиться со мной семейными тайнами. Мы сидели на крыльце в креслах-качалках, окруженные дюжиной мурлыкающих кошек, и говорили о чем угодно, только не об аварии. К счастью, была суббота, и я мог не переживать по поводу работы. Рассказчик из него великолепный, особенно на темы Великой депрессии и войны. Через пару часов я все же решился напомнить о катастрофе, на что он, мигом сникнув, сказал, что пока не готов к этому разговору, правда, заметил, будто знает нечто важное, для чего еще не пришло время. Тогда я спросил, с какой скоростью он ехал, когда мой клиент обогнал его. Старик ответил, что никогда не позволяет себе больше пятидесяти пяти. На мой вопрос, как быстро двигалась вторая машина, он только покачал головой.

Двумя днями позже, ближе к вечеру, я заехал к нему во второй раз. Мы вновь устроились на крыльце, и опять начались бесконечные воспоминания о войне. Ровно в шесть Кловис сказал, что хочет есть, и предложил поужинать жареной зубаткой, которую обожает. В то время я был еще не женат, и мы отправились в ближайшую забегаловку. За рулем был, конечно, я. За шесть долларов нам навалили столько жирной рыбы, что съесть ее всю было невозможно. Ел Кловис медленно, опустив голову к самой тарелке. Официантка положила на стол чек, и я тут же, чтобы старик не заметил, прикрыл его ладонью. Набив рот рыбой и жареной картошкой, он ни на минуту не умолкал. Я подумал еще, что если Кловис хоть словом обмолвится об увиденном на дороге, то деньги будут потрачены не зря. Наконец он насытился, и мы вышли. Усевшись в машину, старик заявил, что не прочь выпить пива, всего бутылочку. Магазинчик находился рядом, а поскольку Кловис не попытался выйти из машины, я купил ему и пиво. Мы тронулись, старик откупорил бутылку и предложил показать мне места, где он вырос, совсем рядом. Один проселок сменялся другим, и через двадцать минут я понятия не имел о том, где мы оказались, а сам Кловис плохо видел. Тут ему понадобилась вторая бутылка. У продавщицы какой-то придорожной закусочной я узнал название ближайшего населенного пункта, и мы вновь отправились в путь. Кловис командовал, где свернуть, и нам наконец посчастливилось оказаться в городке Никейс-Кроссинг, это округ Хэнкок. Кловис тут же решил, что пора возвращаться, напрочь забыв о своем желании осмотреть дом, в котором бегал мальчишкой. Я купил третью бутылку пива и подробно расспросил продавщицу о местных дорогах.

Когда мы подъехали к его дому, я еще раз попробовал спросить о катастрофе, но старик ответил, что не хочет говорить на эту тему. Я помог ему войти, он тут же упал на диван и захрапел. Была полночь.

Так продолжалось примерно месяц. Мы раскачивались в креслах на крыльце, а по вторникам ели жареную зубатку и отправлялись за пивом. Максимальная сумма, выплачиваемая по страховому полису, составляет два миллиона, и мое дело стоило каждого цента этих денег. Хотя Кловис не подозревал об этом, почти все зависело от его показаний. Он уверил, что, кроме меня, никто не подходил к нему с вопросами о происшествии, и мне требовалось во что бы то ни стало вытрясти из него информацию, прежде чем это сделает страховая компания.

— А сколько времени прошло после автокатастрофы? — поинтересовался Сэнди.

— Четыре или пять месяцев. Однажды я загнал его в угол, сказав, что следствие подошло к тому моменту, когда он просто должен ответить на некоторые вопросы. Кловис кивнул. Я спросил, с какой скоростью обогнала его тогда машина. Старик вспомнил, как жутко ему было видеть пострадавших, особенно мальчишку со сломанной ногой. В глазах его стояли слезы. Через пару минут я вновь спросил, не может ли он предположить, как быстро двигалась обогнавшая его машина. Он сказал, что ему ужасно хочется хоть чем-то помочь бедным людям. Они будут чрезвычайно рады этому, заметил я. Тогда старик посмотрел мне прямо в глаза и спросил, а как я сам считаю. Я ответил, что около шестидесяти, и он согласно закивал. Именно так. Около шестидесяти. Кловис держал пятьдесят пять, а их машина очень медленно проползла мимо.

Мы отправились в суд, и Кловис Гудмэн оказался лучшим свидетелем из тех, кого я видел в жизни. Старый и робкий, но далеко не дурак, он говорил так, что его словам верили все. Жюри оставило без внимания хитроумные построения следователей и вынесло вердикт на основании показаний Кловиса. Мои клиенты получили два миллиона триста тысяч.

Наша связь со стариком не прервалась. Я подготовил его завещание. Имущества у него было немного: домик, шесть акров земли и семь тысяч долларов в банке. Он настоял, чтобы имущество после его смерти продали, а все деньги передали «Дочерям Конфедерации»*. Родственники в завещании не упоминались. От внука в Калифорнии вестей не было лет двадцать, а внучка, что жила в Геттисберге, ни разу не попыталась увидеться со стариком после того, как в шестьдесят восьмом году прислала ему приглашение в связи с окончанием школы. Сам Кловис не навещал их и не слал никаких подарков. Говорил о них редко, однако я знал, что родственной души рядом ему не хватало.

Чувствовал Гудмэн себя все хуже, и, после того как он стал совсем немощным, я отвез его в приют для стариков в Уиггинсе. Потом продал его дом и землю, уладил все финансовые дела. В то время я был его единственным другом. Время от времени посылал ему открытку и какой-нибудь гостинец, а когда отправлялся в Геттисберг или Джексон, всегда заезжал навестить. По крайней мере раз в месяц вытаскивал его в ту самую забегаловку поесть жареную зубатку, после чего мы неизменно отправлялись покататься. Выпив бутылку-другую пива, старик начинал свои бесконечные истории. Однажды мы даже решили порыбачить. Провели в лодке восемь часов, и никогда в жизни я еще так не смеялся.

В ноябре девяносто первого Кловис заболел воспалением легких и, оказавшись на грани жизни и смерти, решил внести кое-какие изменения в свое завещание. Часть денег он оставил местной церкви, остальное должны были получить конфедератки. Выбрал себе участок на кладбище, распорядился насчет похорон. Я подсказал ему идею завещания не на случай смерти, а на момент ухода из жизни — с тем, чтобы он не был обречен существовать как растение, с помощью капельницы и мудреных приборов. Идея пришлась старику по вкусу, и он пожелал, чтобы именно я отключил эти дурацкие машины, после консультации с врачами, конечно. Приют ему надоел, надоело и бесконечное одиноче-

---

* Женская общественная организация, объединяющая потомков участников Гражданской войны США (1861—1865 гг.).

ство. Он устал от жизни, говорил, что сердцем уже с Господом и готов отправиться в последний путь.

Рецидив пневмонии случился в январе девяносто второго. Я настоял, чтобы старика перевезли в Билокси, в больницу, — там мне было проще навещать его. Я ходил к нему каждый день, другие посетители у Кловиса не появлялись. Не приходили ни родственники, ни священник. Только я. Старик медленно угасал, смерть не хотела забирать его к себе. Он впал в кому. Доктора подключили искусственное легкое, а примерно неделей позже сообщили, что его мозг уже мертв. Я вместе с тремя врачами еще раз прочел его завещание, и мы отключили аппарат.

— Когда это произошло? — спросил Сэнди.

— Шестого февраля девяносто второго года.

Сэнди шумно выдохнул, крепко смежил веки и медленно покачал головой.

— Службы в церкви не было: Кловис знал, что на нее все равно никто не придет. Мы похоронили его на кладбище в Уиггинсе. Я присутствовал на похоронах, нес гроб. У могилы плакали три старушки из церкви, из тех, что плачут на каждых похоронах. Был и священник, притащивший с собой еще троих мужчин — помочь мне нести гроб. Всего набралось двенадцать человек. После краткой молитвы тело Кловиса опустили в землю.

— Гроб, наверное, был совсем легким?

— Да.

— Где же находился сам Кловис?

— Душа его вознеслась на небо.

— А тело?

— В моей охотничьей хижине, в морозильнике.

— Да ты просто рехнулся!

— Я никого не убивал, Сэнди. Старина Кловис уже распевал с ангелами, когда его кости горели в огне. Мне показалось, что он не будет против.

— У тебя на все есть объяснение, так, Патрик?

Лэниган молча сидел на кровати. Его ноги не доставали до пола.

Сэнди прошелся по палате, прислонился плечом к стене. Весть о том, что его друг никого не убивал, почти не принесла облегчения. Мысль о сожженном трупе внушала едва ли не такой же ужас.

— Я хотел бы дослушать до конца. Похоже, ты рассчитал абсолютно все.

— У меня было время обдумать свой план.

— Продолжай.

— Здесь, в Миссисипи, есть закон, карающий осквернителей могил, но ко мне он не применим. Я же не крал Кловиса из могилы — я забрал его тело из гроба. Есть и другой закон — для тех, кто глумится над трупами. Это единственное, что может повесить на меня Пэрриш. Безусловно, мне грозит год в тюрьме. Если в распоряжении обвинения не будет ничего другого, то Пэрриш приложит максимум усилий, чтобы упрятать меня за решетку на год.

— Он не имеет права оставить тебя безнаказанным.

— Не имеет. Загвоздка в том, что, пока я не расскажу о Кловисе, он ничего о нем не будет знать, а для того, чтобы он снял с меня обвинение в убийстве, я вынужден это сделать. Рассказать ему — это одно дело, а дать показания в суде — совсем другое. Он не сможет заставить меня дать показания в суде. Естественно, Пэрриш вынужден допрашивать, так просто он меня не отпустит. Пусть допрашивает. Представить мне обвинение он будет не в состоянии, поскольку я являюсь единственным свидетелем, а доказать, что сгоревшее тело было трупом Кловиса, невозможно.

— Как ни крути, Пэрриш остается ни с чем.

— Совершенно верно. Федеральные власти обвинения сняли, а когда мы взорвем еще и эту бомбу, Пэрриш места себе не найдет, пока не прищемит меня хоть чем-то — ведь я уйду налегке.

— И какой у тебя план?

— Очень простой. Не будем давить на Пэрриша, дадим ему возможность сохранить лицо. Ты отправишься к внукам Кловиса, расскажешь им правду и предложишь денег. Само собой, у них появится желание привлечь меня к суду, и ты подтвердишь, что они имеют на это право. Все равно ничего толкового у них не выйдет: большую часть жизни о старике они не вспоминали. Но будем исходить из того, что в суд они все же обратятся. Отнимем у них эту возможность. Договоримся с ними, и в обмен на деньги они согласятся нажать на Пэрриша, чтобы тот не лез со своими обвинениями.

— Ты — хитроумный мерзавец.

— Благодарю. По-твоему, это сработает?

— Пэрриш имеет право привлечь тебя к суду вне зависимости от желания родственников жертвы.

— Но он не станет этого делать, поскольку не имеет возможности сформулировать обвинение. Худший из возможных вариантов — он приведет меня в суд и проиграет дело. Куда разумнее отойти на задний план сейчас, воспользовавшись желанием родственников, и избежать опасности проиграть громкое дело.

— Вот о чем ты размышлял последние четыре года?

— Мне приходило в голову и это тоже.

В глубокой задумчивости Сэнди принялся расхаживать у спинки кровати.

— Мы должны все же что-нибудь дать Пэрришу, — негромко сказал он.

— Меня больше волнует собственная персона.

— Речь не о Пэррише, Патрик. Я имею в виду систему. Если тебе позволить просто уйти, это будет означать, что ты в высшей степени ловко избежал тюремного срока. В дураках оказываются все, кроме тебя.

— На это я и рассчитываю.

— Как и я. Однако не стоит ожидать, что, унизив систему, ты сможешь безнаказанно раствориться в лучах заходящего солнца.

— Никто не заставлял Пэрриша с такой поспешностью выдвигать обвинение в умышленном убийстве. Имело смысл подождать неделю-другую. Никто не приказывал ему делиться своими соображениями с прессой. Никакого сочувствия к Пэрришу у меня нет.

— У меня тоже. Но случай твой трудный, Патрик.

— Я упрощу его — признаю себя виновным по обвинению в глумлении над мертвым телом, но никогда не соглашусь с тюремным сроком. Ни дня за решеткой! Явлюсь в суд, признаю свою вину, заплачу штраф, и пусть Пэрриш добивается моего заключения. Но я буду на свободе.

— Ты будешь осужденным преступником.

— Нет, я буду свободным человеком. Кому в Бразилии есть дело до полученного мной здесь толчка в бок?

Прекратив мерить палату шагами, Сэнди сел на кровать.

— Значит, ты вернешься в Бразилию?

— Там мой дом, Сэнди.

— А девушка?

— У нас с ней будет либо десять детей, либо одиннадцать. Мы еще не решили.

— Сколько у тебя денег?

— Миллионы. Ты должен вытащить меня отсюда, Сэнди! Я создал себе новую жизнь, и ее нужно прожить.

Дверь палаты открылась. Вошедшая сестра щелкнула выключателем и сказала:

— Уже одиннадцать, Пэтти. Посетителям пора домой. — Она коснулась его плеча. — Как себя чувствуешь, мальчик?

— Отлично.

— Хочешь чего-нибудь?

— Нет, спасибо.

Сестра скрылась за дверью. Сэнди поднял свой кейс.

— Пэтти? — спросил он. — Мальчик?

Патрик пожал плечами.

Уже у двери Сэнди обернулся:

— Последний вопрос, Патрик. Где был Кловис, когда ты направил свою машину в кювет?

— Там же, где обычно. На сиденье пассажира. Он был пристегнут ремнем, а между его коленями я поставил бутылку с пивом. И знаешь, что? На его лице я заметил улыбку.

ГЛАВА 38

К десяти утра распоряжение по переводу денег в Лондон еще не прибыло. Выйдя из отеля, Ева отправилась в длительную прогулку по Пиккадилли. Не выбрав никакой определенной цели, она шла в толпе прохожих, внимательно рассматривая витрины магазинов и наслаждаясь оживленной жизнью улицы. Три дня, проведенные в одиночной камере, обострили ее восприятие звуков города и голосов суетливых прохожих. Пообедать Ева решила овечьим сыром и салатом в уголке переполненного старого паба. Сидела и впитывала мягкий свет и счастливые голоса людей, понятия не имевших о том, кто она такая. Им было на это наплевать.

Патрик говорил, что первый год в Сан-Паулу он провел очень жизнерадостно: там никто не знал даже его имени. В пабе она ощущала себя скорее Лиа Перес, нежели Евой Мирандой.

На Бонд-стрит начались покупки, прежде всего то, без чего обойтись было никак нельзя, — нижнее белье и духи. Армани, Версаче и Шанель, а на цены можно не обращать внимания. В конце концов, Ева могла считаться весьма состоятельной женщиной.

Было бы намного проще и значительно менее драматично дождаться девяти и арестовать их уже в офисе. Но оба славились непредсказуемостью, к тому же Рэпли вообще редко покидал дом.

В соответствии с принятым решением явиться за ними должны были еще до рассвета. Что из того, если столь ранний приход перепугает их и унизит перед членами семей? Какая разница, если прилипнут к окнам соседи? Лучшая тактика — застать их спящими или в ду́ше.

Чарлз Боген в пижаме открыл входную дверь и только негромко всхлипнул, увидев наручники в руках начальника полиции, человека, ему знакомого лично. Семью свою он уже потерял, так что особого позора и не было.

Возникшая на пороге супруга Дуга Витрано проявила характер. С треском захлопнув перед двумя молодыми сотрудниками ФБР дверь, она бросилась на второй этаж, чтобы вытащить мужа из ванной комнаты. Дети, к счастью, спали, когда их отца со скованными, как у обычного уголовника, руками посадили на заднее сиденье автомобиля. Плачущая женщина осталась на ступенях крыльца в одной ночной сорочке, она проклинала ФБР.

Джимми Хаварек, как обычно, улегся спать в стельку пьяным и на звонок в дверь не отозвался. Пришлось будить его, позвонив по телефону прямо из машины. Когда он все-таки поднялся, его тут же арестовали.

Итэн Рэпли сидел перед восходом солнца на чердаке, занятый составлением очередной служебной записки. Он не обращал никакого внимания на то, что происходило вокруг. Снизу до него не доносилось ни звука. Стук в дверь разбудил его жену, которая и принесла дурную весть на чердак, успев, правда, надежно спрятать хранившийся в шкафу с одеждой пистолет мужа. Разыскивая пару подходящих носков, Итэн дважды пытался нащупать оружие. Спрашивать жену он не стал: боялся, что та скажет, куда положила пистолет.

Основавший фирму Богена юрист тринадцать лет назад получил назначение на пост федерального судьи. На повышение его выдвинул сенатор Ней, а освободившееся после ухода кресло занял Боген. У фирмы были прочные и тесные связи со всеми пятью членами федерального суда, поэтому телефоны зазвонили еще до того, как партнеры встретились в тюрьме. К половине девятого утра их привезли в суд Билокси, чтобы в спешном порядке представить судье первой инстанции.

Легкость и скорость, с которыми Боген успел привести в действие нужные винтики, раздражали Каттера. Он не вынашивал планов заставить всех четверых дожидаться суда в тюремной камере, но никак не ожидал, что его вытащат из постели ради неожиданного слушания. Раздражение заставило его не только проговориться о сути дела местным газетчикам, но и бросить весьма прозрачный намек телерепортерам.

Бумаги были оформлены и подписаны очень быстро, после чего все четверо получили полную свободу передвижения и возможность пешком добраться до своего офиса, находившегося в трех кварталах от суда. По пятам следовали неуклюжий, огромного роста, парень с видеокамерой и молоденький журналист, не совсем представлявший, о чем будет писать. В редакции ему сказали, что шум из-за этой истории поднимется небывалый. Суровые и мрачные партнеры-юристы не проронили ни слова. По Вью-Марше они прошагали до фирмы и заперли за собой входную дверь на ключ.

Первым делом Чарлз Боген направился к телефону, чтобы срочно связаться с сенатором.

Рекомендованному Патриком частному детективу потребовалось менее двух часов, чтобы разыскать, пользуясь лишь телефоном, нужное лицо. Женщина проживала в Меридиене, около семидесяти километров к северо-востоку от Билокси. Звали ее Дина Постелл. Продавщица небольшого продовольственного магазина, она подрабатывала еще и кассиршей в баре только что выстроенного на окраине городка супермаркета.

Добравшись до супермаркета, Сэнди вошел туда и с восхищением стал рассматривать разложенные на витрине бара жареные куриные грудки и пакетики с картофелем фри, искоса поглядывая на сновавших за прилавком продавцов. Внимание его привлекла крупная дама с намертво схваченной лаком прической и звучным голосом. Подобно остальным, одета она была в блузку в красно-белую полоску. Дама приблизилась, и Сэнди прочитал на прикрепленной к блузке пластиковой карточке ее имя — Дина Постелл.

Решив завоевать доверие Дины, еще дома Сэнди облачился в джинсы и куртку, оставив галстук в шкафу.

— Я могу вам чем-то помочь? — спросила она приветливо.

Десять утра не самое подходящее время для жареного картофеля.

— Большую чашку кофе, пожалуйста, — улыбнулся Сэнди, и глаза Дины удовлетворенно блеснули.

Флирт приносил ей ни с чем не сравнимое наслаждение. Она вернулась к кассе, однако вместо денег Сэнди протянул ей свою визитку.

Со стороны могло показаться, что женщина взяла карточку только для того, чтобы тут же уронить ее на пол. Для матери трех преступников подобные неожиданности таили лишь очередную неприятность.

— Доллар двадцать, — проговорила Дина, нажимая кнопки кассового аппарата и украдкой оглядывая торговый зал.

— Я принес вам добрые вести. — Сэнди сунул руку за деньгами.

— Чего вы хотите? — едва слышно спросила она.

— Десять минут вашего времени. Подожду вас вон там, за столиком.

— Но что вам от меня нужно? — Взяв деньги, Дина отсчитала сдачу.

— Прошу вас. Это принесет вам радость.

Дина любила мужчин, а Сэнди был мужчиной интересным, причем одетым куда лучше, чем те, кого она видела каждый день. Повозившись у прилавка с куриными грудками, Дина налила вторую чашку кофе и сказала бармену, что ненадолго отойдет.

У небольшого столика, стоявшего за перегородкой между автоматом по продаже баночного пива и набитым брикетами мороженого холодильником, терпеливо дожидался Сэнди.

— Благодарю вас, — сказал он, как только Дина опустилась на стул.

Ей было лет сорок пять, на круглом лице — грубоватый макияж.

— Адвокат из Нового Орлеана, надо же, — проговорила она.

— Да. Вы, наверное, не читали, а может, и не слышали об истории на побережье, в которой фигурирует юрист, укравший в своей фирме огромные деньги?

Не дав ему закончить, Дина покачала головой:

— Я ничего не читаю, приятель. Работаю шестьдесят часов в неделю, поскольку со мной живут двое внуков. За ними следит муж, он у меня инвалид, что-то с позвоночником. Я ничего не читаю, не смотрю телевизор и работаю как лошадь, а возвратившись домой, едва успеваю менять грязные подгузники.

Сэнди мысленно выругал себя за вопрос. Какая досада!

Стараясь быть как можно более кратким, он рассказал Дине о Патрике Лэнигане. Слушала она с интересом, однако в конце заявила:

— Его приговорят к смертной казни.

— Но он никого не убивал.

— Так вы же только что говорили о чьем-то теле в его машине.

— Это был уже труп.

— Значит, он все-таки убил?

— Нет. Только украл мертвое тело.

— Гм... Послушайте, мое время закончилось. Я хотела узнать напоследок, какое это все имеет отношение ко мне?

— Тело, которое он украл, принадлежало Кловису Гудмэну, вашему дорогому почившему дедушке.

Голова Дины дернулась.

— Он сжег Кловиса!

Сэнди мрачно кивнул.

Глаза женщины сузились, она судорожно пыталась привести в порядок мысли.

— Зачем?

— Хотел инсценировать собственную смерть. Это вас устроит?

— Но почему Кловис?

— Патрик был его юристом и другом.

— Другом!

— Вот что, я не собираюсь говорить на темы морали. Все это произошло четыре года назад, и в то время ни вы, ни я ни о чем не подозревали.

Дина забарабанила пальцами по столу. Мужчина, сидевший напротив, производил впечатление человека, опытного в своем ремесле, так что попытка сыграть на любви к деду, похоже, ничего не даст. На кой черт краснеть? Пусть говорит, что ему надо.

— Я вас слушаю, — сказала Дина.

— В глазах закона глумление над трупом является преступлением.

— Так и должно быть.

— Подобные дела рассматриваются в гражданском суде. Другими словами, родственники Кловиса Гудмэна имеют право предъявить моему клиенту иск за уничтожение трупа их деда.

Ага, вот оно что! Дина сделала глубокий вдох, улыбнулась и кивнула:

— Теперь понятно.

Улыбнулся и Сэнди:

— Вот почему я здесь. Мой клиент хотел бы предложить семье решить проблему мирно.

— Что значит «семье»?

— То есть ныне здравствующим родственникам.

— В таком случае я — это семья.

— А как насчет вашего брата?

— Его уже нет. Лютер умер два года назад — наркотики и спиртное.

— В таком случае обратиться в суд сможете только вы.

— Сколько? — быстро спросила Дина и тут же смутилась.

Сэнди подался вперед:

— Меня уполномочили предложить вам двадцать пять тысяч долларов. Прямо сейчас. Чек лежит в моем кармане.

Женщина тоже начала наклоняться к столу, однако, услышав сумму, замерла. Глаза Дины повлажнели, нижняя губа задрожала.

— О Господи!

Сэнди оглянулся вокруг.

— Именно так. Двадцать пять тысяч.

Потянувшись за бумажной салфеткой, она опрокинула солонку, промокнула слезы и громко высморкалась.

— Всё мне одной? — Голос ее стал хриплым, дыхание участилось.

— Всё вам.

Она прикрыла глаза.

— Мне нужно выпить чего-нибудь холодного.

Трехсотграммовую банку кока-колы Дина осушила единым духом. Сэнди отхлебывал отвратительный кофе и посматривал на покупателей. Спешить ему было некуда.

— Насколько я понимаю, — проговорила наконец она, — если вы примчались сюда и сразу предложили двадцать пять тысяч, то, выходит, можете дать и больше.

— Вступать с вами в торг мне не поручали.

— Но если я пойду в суд, ваш клиент не обрадуется. Вы понимаете, что я имею в виду? Присяжные будут смотреть на меня и думать, будто Кловис сгорел для того, чтобы ваш клиент смог украсть девяносто миллионов.

Поднеся чашку кофе к губам, Сэнди кивнул. Он не мог не восхищаться сидевшей напротив женщиной.

— Будь у меня адвокат, я наверняка получила бы больше.

— Возможно, но на это ушло бы лет пять. К тому же есть и иные проблемы.

— Например?

— Вы не были особенно близки с Кловисом.

— А если была?

— Тогда что помешало вам приехать на его похороны? Это тоже потребуется объяснить присяжным. Вот что, Дина, я приехал к вам договориться. Не хотите — я сажусь в машину и возвращаюсь в Новый Орлеан.

— Ваше последнее слово?

— Пятьдесят тысяч.

— Согласна. — Огромной ладонью, мокрой от запотевшей банки кока-колы, Дина стиснула его руку.

Сэнди достал из бумажника бланк чека и заполнил его. Затем положил на стол два документа: текст их соглашения и письмо Дины на имя прокурора.

На то, чтобы подписать оба, потребовалось меньше десяти минут.

Кое-какие подвижки происходили и в Бока-Ратоне. Многие видели, как молоденькая шведка торопливо пошвыряла сумки в багажник принадлежавшего Арициа «БМВ» и укатила. Было установлено, что сожительница Бенни добралась до международного аэропорта в Майами и в ожидании рейса на Франкфурт просидела там около двух часов.

Во Франкфурте ее будут ждать. Станут терпеливо следить и ждать, когда она совершит ошибку. А потом найдут и самого мистера Арициа.

ГЛАВА 39

Последним официальным актом судьи, который вел дело, стало незапланированное слушание — в его личном кабинете и в отсутствие адвоката обвиняемого. Не было там и обвинителя. В архивы суда не поступило никаких записей об этом слушании. В сопровождении трех охранников Патрик поднялся по черной лестнице к двери Карла Хаски. Его честь сидел за рабочим столом без мантии. Заседаний суда не предвиделось, день мог бы считаться совершенно спокойным, если бы не одно обстоятельство: утренний арест четырех известных всему городу юристов. Толпившиеся в коридорах люди многозначительно перешептывались.

Раны Патрика скрывали повязки, а несколько мешковатый хирургический балахон напоминал окружающим о том, что мистер Лэниган все еще продолжает лечиться.

Оставшись наедине с Патриком, судья закрыл дверь на замок и протянул своему гостю бумагу:

— Прочти.

Состоявший всего из трех строк и подписанный Карлом Хаски рапорт констатировал его отказ от дальнейшего ведения дела «Штат против Патрика С. Лэнигана». Документ вступал в силу ровно в полдень, то есть через час.

— Все утро я проговорил с судьей Трасселом. Он вышел отсюда минут пять назад.

— Думаешь, он отнесется ко мне непредвзято?

— Трассел будет абсолютно беспристрастен. Я сказал ему, что, по моему мнению, это будет суд не над убийцей. Мои слова он воспринял с облегчением.

— Суда вообще не будет, Карл.

Патрик взглянул на прикрепленный к стене календарь — таким Карл пользовался всегда. Каждый день октября плотно забит слушаниями и заседаниями, работы хватило бы и на пятерых.

— Компьютера ты себе так и не купил? — спросил он.

— Хватает того, что стоит у секретарши.

В этом кабинете они познакомились много лет назад, когда Патрик пришел сюда как адвокат семьи, попавшей в трагическую автомобильную катастрофу. Ведение дела было поручено Карлу. Суд длился три дня, после которых они стали друзьями. Присяжные постановили, что виновник трагедии должен выплатить пострадавшим два миллиона триста тысяч долларов — самую большую сумму за всю историю судопроизводства на побережье. Фирма Богена согласилась уладить дело за два миллиона ровно, и треть, как полагается, юристы оставили себе. После уплаты каких-то долгов и некоторых покупок оставшаяся сумма была поделена на четверых. В то время Патрик еще не входил в число партнеров, и они неохотно поощрили его премией в двадцать пять тысяч.

Это было то самое заседание суда, которое стало звездным часом Кловиса Гудмэна.

Оглядев отставшие от стены обои в углу, Патрик поднял глаза к потолку, на коричневое пятно от протекшей с крыши воды.

— Неужели в округе нет денег на ремонт? За последние четыре года твой кабинет ничуть не изменился.

— Мне осталось просидеть в нем всего два месяца. Плевать.

— Помнишь процесс по делу Гувера? Мой первый под твоим руководством и самый блестящий?

— Конечно. — Карл положил ноги на стол и сцепил руки на затылке.

Патрик рассказал ему историю Кловиса Гудмэна. От начала и почти до конца.

Его неторопливое повествование было прервано громким стуком в дверь. Принесли обед. Стоявший на пороге служитель держал картонную коробку, от которой распространялся тонкий аромат. Патрик встал рядом со столом и наблюдал за тем, как из коробки появился салат из икры и огромные клешни краба.

— Это от Мэри Мэхони, — объяснил Карл. — Боб послал вместе с приветом тебе.

Заведение Мэри Мэхони представляло собой нечто большее, нежели просто оазис для измученных голодом и жаждой судей и адвокатов. Оно было старейшим на побережье ресторанчиком, славившимся деликатесами и салатом из икры.

— Передашь ему и мой, — ответил Патрик, протягивая руку к клешне. — В ближайшее время я думаю поужинать у него.

Ровно в полдень Карл включил втиснутый на книжную полку маленький телевизор, и оба, не проронив ни слова, просмотрели репортаж об утренних арестах. Событие никак не комментировалось. Сами юристы, казалось, потеряли дар речи. Ничего, к удивлению смотревших, не сказал и Морис Маст. Представители ФБР тоже молчали. Сколь-нибудь значимая информация отсутствовала. Журналистке, готовившей репортаж, оставалось только фильтровать слухи. Тут-то и всплыло имя Патрика. Из каких-то источников ей стало известно, что аресты стали частью детального расследования дела мистера Лэнигана. На экране замелькали кадры, запечатлевшие прибытие Патрика в суд Билокси на первое слушание. Затем появилось простое и честное лицо ее коллеги. Приглушенным голосом он оповестил зрителей о том, что в данный момент стоит у двери расположенного в Билокси офиса сенатора Гэрриса Нея, двоюродного брата

Чарлза Богена. В настоящее время сенатор находится в Куала-Лумпуре с торговой делегацией, визит которой, если окажется успешным, позволит создать в штате Миссисипи новые рабочие места, правда, заработная плата будет минимальной. В связи с этим сенатор не имеет возможности сообщить что-либо о факте ареста. Никто из восьми сотрудников его офиса вообще ни о чем не слышал и мнение свое высказать не пожелал.

Длился репортаж десять минут.

— Чему ты улыбаешься? — спросил Патрика Карл.

— Отличный сегодня день. Надеюсь, им хватит мужества добраться и до сенатора.

— Я слышал, ФБР сняло с тебя все обвинения.

— Да. Вчера мне пришлось дать показания большому жюри присяжных. С каким удовольствием, Карл, сбросил я с плеч свою тяжкую ношу! Я же годами носил в себе их тайны.

Глядя на экран, Патрик забыл о еде, а сейчас вообще потерял аппетит. Даже краб больше не казался вкусным.

— Ешь, — сказал Хаски. — Ты похож на скелет.

Взяв из пакетика подсоленное печенье, Патрик подошел к окну.

— Я все-таки хочу разобраться, Патрик, — продолжил Карл. — С разводом все улажено. ФБР забыло о своих претензиях к тебе, а ты согласился вернуть девяносто миллионов плюс небольшой процент. Так?

— В общей сложности сто тринадцать миллионов.

— Обвинение в умышленном убийстве вот-вот рухнет, потому что никакого убийства, оказывается, не было. Вменить тебе в вину кражу штат не может, потому что это уже сделали люди ФБР. Иски страховых компаний отозваны. Пеппер где-то, надо полагать, неплохо устроился. С Кловисом все ясно. Таким образом, на тебе остается лишь его потревоженная могила.

— Почти в точку. Это называется глумлением над трупом, если ты дашь себе труд заглянуть в кодекс. Судьям полагается знать подобные вещи.

— Да. Другими словами, речь идет о преступлении.

— О нетяжком преступлении.

Карл бросил восхищенный взгляд на друга — наверняка тот сейчас обдумывает следующий шаг.

— А можно мне с тобой? — спросил он.

— Куда?

— Просто с тобой. Выйдешь отсюда, встретишь свою девушку, заберешь деньги и поселишься на яхте. Я бы с удовольствием присоединился к тебе.

— Но пока я здесь.

— С каждым днем ты становишься все ближе к двери. — Выключив телевизор, Хаски направился к Патрику. — Одного я никак не пойму, — сказал он. — Кловис умер, но что произошло после его смерти?

— Хочешь знать подробности? — Патрик усмехнулся.

— Я все же судья. Факты всегда важны.

Патрик сел в кресло и положил босую ногу на стол.

— Я чуть не влип. Не так уж просто украсть чей-то труп.

— Верю.

— Я настоял на том, чтобы Кловис оставил распоряжения на случай смерти. Я даже добавил один пункт в его пожелания относительно похорон: гроб должен быть закрыт, никакого прощания с покойным, никаких ночных бдений. Обычный гроб из досок и самая простая процедура погребения.

— Из досок?

— Да. В том, что касалось обряда похорон, Кловис был весьма щепетилен. Дощатый гроб без всякого саркофага. Так, видишь ли, хоронили его деда. Словом, в момент его смерти я находился в больнице, дожидался приезда из Уиггинса похоронной команды с катафалком. Их старшего звали Ролланд, он же был и владельцем ритуального бюро. Черный костюм, галстук-бабочка. Я сообщил ему о воле Кловиса. В соответствии с завещанием все, что требовалось сделать, должен был делать я, Ролланд ни на что не обращал внимания. Часа в три дня он заявил, что скоро нужно будет заняться бальзамированием, и осведомился, есть ли у Кловиса костюм. Мы как-то не подумали об этом. Я ответил, что нет, костюма у Кловиса мне видеть не приходилось. Обнадежил Ролланд: у него имелось несколько старых, он обещал позаботиться о достойном виде усопшего.

Кловису хотелось быть похороненным на своей ферме, однако я несколько раз объяснил, что в штате Миссисипи это невозможно — только на официальном кладбище. Дед его участвовал в Гражданской войне и считался, если верить Кловису, настоящим героем. Умер дед, когда мальчишке было семь лет, и бдение у гроба, по тогдашним традициям, продолжалось три дня. Гроб установили на стол в гостиной, через которую проходили те, кто хотел попрощаться. Все это очень нравилось Кловису, он и для себя намеревался устроить нечто подобное. Взял с меня клятву, что бдение проведу я сам.

Я растолковал волю старика Ролланду, и тот сказал, что видывал всякое.

В наступившей темноте я сидел на крыльце домика Кловиса, когда к нему подкатил катафалк. Я помог Ролланду поднять гроб по ступеням и занести в комнату. Мы поставили его напротив телевизора. Помню свое удивление: гроб оказался совсем легким. Старик под конец усох так, что весил не более сорока килограммов. Ролланд спросил, один ли я в доме. Да, сказал я, это малое бдение, и попросил открыть гроб. Он заколебался, мне пришлось объяснить, что я забыл положить туда семейные реликвии времен Гражданской войны, с которыми покойный не захотел расстаться. Ролланд завозился с ключом над винтами и гайками, а я стоял и смотрел. Кловис выглядел как живой. Я положил ему на грудь пилотку его деда и полуистлевшее знамя семнадцатого полка. Затем Ролланд закрыл гроб и уехал.

Больше никто не появился. Около полуночи я выключил в домике свет и запер входную дверь. Набор гаечных ключей у меня был, и на то, чтобы вновь открыть гроб, ушло не более трех минут. Я вытащил легкое и сухое, как доска, тело Кловиса — мертвец оказался босым. На пару обуви трех тысяч долларов, по-видимому, не хватило. Бережно уложил его на старый диван, а в гроб поместил четыре маленьких бетонных блока и завинтил крышку.

Затем мы с Кловисом отправились в мою охотничью хижину. Он лежал на заднем сиденье, я осторожно вел машину. Объясниться в случае чего с дорожной полицией было бы довольно трудно.

За месяц до этого я купил старый морозильник и установил его на обитом с трех сторон фанерой крыльце хижины. Едва я засунул Кловиса в камеру, как послышались чьи-то шаги. Это был Пеппер. Прокрался из лесу к хижине в два часа ночи! Я сказал ему, что час назад у нас с женой произошла грандиозная ссора, настроение у меня отвратительное, и попросил его удалиться. Не думаю, чтобы он заметил мою возню с трупом на ступеньках. Морозильник я опутал цепями, которые используют при трелевке деревьев, сверху набросил какой-то коврик, наставил старых ящиков. Поскольку где-то рядом бродил Пеппер, пришлось дожидаться рассвета. Я выбрался из хижины, приехал домой, переоделся и в десять утра уже сидел в домике Кловиса. Вскоре появился бодрый Ролланд, ему не терпелось узнать, как прошло бдение. Очень спокойно, ответил я, не испытывая особой скорби. Мы вдвоем затолкали гроб в катафалк и поехали на кладбище.

Карл слушал с закрытыми глазами, губы его слегка изогнулись в улыбке.

— Какой же ты хитроумный негодяй! — пробормотал он.

— Спасибо, Карл. В пятницу, ближе к вечеру, я отправился в хижину на все выходные. Поработал немного с бумагами, пострелял с Пеппером дичь, проведал не испытывавшего, по-видимому, никаких неудобств старину Кловиса. В воскресенье утром поднялся еще до рассвета, чтобы спрятать, где предполагалось, мотоцикл и бензин. Потом отвез Пеппера в Джексон на автобусную станцию. Когда стемнело, вытащил Кловиса из морозильника, усадил перед очагом, чтобы он оттаял, и часов в десять вечера устроил его в багажнике машины. А еще через час я погиб, умер.

— И никаких угрызений совести?

— А как же! Это было ужасно. Но я принял решение исчезнуть, Карл, мне пришлось найти какой-то выход. Убить кого-то я не мог, однако требовался чей-то труп. То, что я делал, имело смысл.

— Логично.

— Когда умер Кловис, надо было трогаться в путь и мне. В общем, повезло. Сколько раз все могло пойти прахом!

— Твое везение еще не закончилось.

— Пока.

Карл взглянул на часы и взял очередную клешню.

— Что из этого я могу рассказать Трасселу?

— Все, кроме имени Кловиса. Прибережем его до поры.

ГЛАВА 40

Патрик расположился в самом конце стола, поверхность которого перед ним была пуста. Зато адвокат, сидевший справа, вооружился для предстоявшей битвы двумя папками с документами и стопкой блокнотов. Слева устроился Т.Л. Пэрриш с тонкой записной книжкой и громоздким магнитофоном, который Патрик снисходительно позволил использовать для записи. Никаких помощников или секретарш, однако, поскольку каждому уважающему себя юристу требуется документальное подтверждение показаний, все сошлись на том, что магнитофонная лента их устроит.

После того как обвинения федеральных властей рассеялись в воздухе, задача рассчитаться с Патриком за содеянное легла на плечи штата. Пэрриш ощущал всю полноту переложенной на него ответственности. Феды спихнули с себя ответчика для того, чтобы расправиться с сенатором. Однако у Патрика еще имелись в запасе неожиданные ходы, и уж тут Пэрриш был полностью в его власти.

— Умышленное убийство можете выбросить из головы, Терри, — сказал Патрик. Пэрриша так звал почти каждый, однако подобная фамильярность ответчика, едва знакомого с прокурором, пожалуй, несколько резала слух. — Я никого не убивал.

— Кто сгорел в машине?

— Человек, умерший за четыре дня до этого.

— Мы его знаем?

— Нет. Никому не известный старик.

— От чего он умер?

— От бремени прожитых лет.

— Где?

— Здесь, в Миссисипи.

Пэрриш задумчиво чертил в записной книжке квадратики. С поражением фэбээровцев дверь осталась распахнутой настежь. Патрик вот-вот выйдет через нее без всяких оков или наручников. Казалось, теперь ничто уже его не остановит.

— Значит, вы сожгли труп?

— Истинная правда.

— Что говорит по этому поводу закон?

Сэнди подтолкнул Пэрришу лист бумаги. Тот быстро пробежал глазами написанное.

— Извините. Не могу сказать, что сталкиваюсь с такими вещами ежедневно.

— Тем не менее это все, что у вас есть, Терри, — бросил Патрик с уверенностью человека, спланировавшего свои действия годы назад.

Прокурор был убежден в его правоте, но где на свете найдется юрист, которого легко сломать одной фразой?

— Это пахнет годом тюрьмы, — сказал он. — Год в Парчмэне пойдет вам на пользу.

— Очень может быть, но в Парчмэн я не поеду.

— А куда вы намереваетесь отправиться?

— Куда-нибудь еще. С билетом первого класса в кармане.

— Не торопитесь. У нас есть мертвое тело.

— Нет, Терри, у вас нет мертвого тела. Вы не имеете ни малейшего представления о том, кто был кремирован, а я не скажу вам этого до тех пор, пока мы не заключим сделку.

— Что за сделка?

— Откажитесь от обвинений. Выбросьте их из головы. Мы просто разойдемся по домам.

— Великолепно! Ловят грабителя банка, он возвращает деньги, мы снимаем с него обвинения и машем на прощание ручкой. Неплохой козырь для четырех сотен ответчиков, с которыми на сегодняшний день я имею дело! Уверен, их адвокаты всё поймут правильно.

— Меня абсолютно не интересуют эти четыре сотни ответчиков, как, собственно, и я их. Мы говорим о конкретном судебном процессе, Терри, а в нем каждый за себя.

— Но далеко не о каждом кричат все газеты.

— Ага, понял. Вас беспокоит пресса. Когда у вас перевыборы? В следующем году?

— Я лишен какой бы то ни было предвзятости. Пресса меня нисколько не волнует.

— Как бы не так. Вы — официальное лицо, и беспокоиться о прессе — ваша обязанность. Именно поэтому вы должны снять с меня обвинения. Выиграть вам не дано. Переживаете по поводу первых страниц? Тогда представьте на них собственную фотографию — после того как проиграете.

— Член семьи жертвы не выдвигает никаких обвинений, — заметил Сэнди. — Кроме того, эта дама готова обратиться к публике. — Адвокат помахал в воздухе листком бумаги.

Сказать яснее было невозможно: за нас факты и представительница семьи, мы ее знаем, а вы — нет.

— В газете это будет смотреться неплохо, — добавил Патрик. — Родственница жертвы, умоляющая прокурора снять обвинения.

«Сколько вы им заплатили?» — чуть не спросил Пэрриш, но сдержался. Господь с ними, это не важно. Он вновь начал писать что-то в записной книжке. Пока мысли прокурора метались в поисках выхода, слышно было лишь шуршание пленки — магнитофон продолжал записывать.

Пользуясь тем, что противник почти повержен, Патрик нанес решающий удар.

— Вот что, Терри, — с максимальной искренностью сказал он, — вы не можете повесить на меня обвинение в убийстве. Это совершенно ясно. Вы не можете предъявить обвинение в глумлении над трупом, поскольку не знаете, о чьем трупе идет речь. У вас ничего нет. Проглотить столь горькую пилюлю трудно, согласен, но факты — упрямая вещь. Приятного здесь мало, однако, черт побери, ваша работа и не предполагает сплошных наслаждений!

— Благодарю вас. И все-таки глумление над трупом — серьезное преступление. Мы поднимем архивы и найдем каждого, кто умер в феврале девяносто второго года. Пойдем по семьям, чтобы узнать, не говорил ли кто-нибудь с вами. Получим постановление суда и раскопаем несколько могил. Торопиться не будем. Вас тем временем переведут в окружную тюрьму, а шериф Суини, я уверен, с удовольствием подыщет вам достойных сокамерников. Зная о вашей склонности пускаться в бега, ни один судья не согласиться выпустить вас под залог. Потянутся месяцы, придет лето, а кондиционеров в тюрьме нет. Вам придется еще похудеть. Мы же продолжим раскопки и при небольшом везении найдем-таки пустую могилу, а через девять месяцев, или через двести семьдесят дней, после предъявления обвинения начнем судебный процесс.

— Как вы собираетесь доказать, что это сделал я? Свидетелей нет, нет вообще ничего, кроме весьма сомнительных умозаключений.

— Посмотрим. Но вы упускаете мою мысль. Если я выдвину обвинение, то смогу, по закону, на два месяца продлить ваше пребывание в тюрьме. Таким образом, ожидая суда, вы почти год проведете в камере. Немалый срок для человека с кучей денег.

— Переживу как-нибудь, — сказал Патрик, глядя Пэрришу прямо в глаза и надеясь, что тот отведет взгляд первым.

— Может быть, однако вряд ли вы захотите испытывать судьбу: а вдруг присяжные согласятся с обвинением и вас осудят?

— Ваше последнее слово? — спросил Сэнди.

— Попробуем подойти к проблеме иначе. — Пэрриш усмехнулся. — Вам не удастся сделать нас всех дураками, Патрик. Феды отступились, ладно. Но у штата нет иного выбора, кроме как продолжить начатое. Вы должны дать нам хоть что-то, чтобы разрешить ситуацию.

— Я даю вам возможность предъявить мне обвинение. Отправлюсь в суд, предстану перед его честью, выслушаю все ваши речи и признаю себя виновным в глумлении над трупом. Но никакого заключения. Можете объяснить судье, что семья не имеет ничего против. Предложите вынести условный приговор, наложить штраф, выплатить компенсацию морального ущерба, зачесть срок, прошедший с момента моего задержания. Напомните ему о пытках и всем прочем, что мне пришлось перенести. Сделайте это,

Пэрриш, и вы сохраните свое достоинство. Но повторяю вам: никакой тюрьмы.

Т.Л. Пэрриш задумался.

— И вы назовете имя жертвы?

— Да. После того как мы заключим с вами сделку.

— У нас есть согласие семьи на вскрытие гроба. — Сэнди помахал еще одной бумагой. — Я спешу, Терри. Мне нужно посетить очень много мест.

— Нужно поговорить с Трасселом. Необходимо заручиться его согласием, вы же понимаете это.

— Он его даст, — сказал Патрик.

— Так договорились? — спросил Сэнди.

— В том, что касается меня, — да, — ответил Пэрриш и, выключив магнитофон, начал собирать со стола свои вещи.

Патрик подмигнул Сэнди.

— Кстати, — Пэрриш уже поднялся, — чуть не забыл. А что вы можете сказать о Пеппере Скарборо?

— Я назову вам его новое имя и дам номер карточки социального страхования.

— Значит, он жив?

— Да. Вы получите возможность найти его, но не более. Парень не сделал ничего плохого.

Окружной прокурор молча вышел из комнаты.

На два часа дня у Евы была назначена встреча с вице-президентом лондонского отделения «Дойчебанка». Немец превосходно говорил по-английски, одет был в темно-синий двубортный костюм от дорогого портного, манеры его отличались благородной сдержанностью. Он тут же приступил к делу. Предстояло перевести сто тринадцать миллионов долларов из банка в Цюрихе в Вашингтон. Ева назвала номера счетов и определила порядок движения денег. Секретарша внесла чай с пирожными; немец, вежливо извинившись, на минуту вышел, чтобы переговорить по телефону с Цюрихом.

— Все в порядке, мисс Перес, — мягко улыбнулся он, вернувшись.

Ева и не предполагала никаких неожиданностей.

Едва слышно заработал принтер, выдавая распечатку. Немец вручил бумагу Еве. На счете в «Дойчебанке» после перевода осталось миллион девятьсот тысяч долларов и еще какая-то мелочь. Сложив листок, Ева сунула его в изящную сумочку.

Три миллиона лежали в швейцарском банке, шесть с половиной хранились на счете в Банке Канады на Большом Каймане. По сообщению управляющего банком на Бермудах, ему удалось весьма удачно разместить более четырех миллионов долларов, кроме того, семь миллионов двести тысяч находились сейчас в Люксембурге. Пусть лежат.

Покончив с делами, Ева вышла из здания и направилась к машине, чтобы позвонить Сэнди.

В статусе беглеца Бенни пробыл недолго. Его подружка, проведя ночь во Франкфурте, вылетела в Лондон, и около полудня ее самолет приземлился в Хитроу. Предупрежденный чиновник иммиграционной службы дважды проверил паспорт дамы и, извинившись, попросил немного подождать. Видеокамера бесстрастно зафиксировала ее солнечные очки и дрожащие руки.

На стоянке такси к ней приблизился полисмен и попросил встать в очередь за двумя пожилыми леди, а сам стал подавать знаки свободным машинам. Доставшийся подружке Арициа водитель действительно был таксистом, но буквально несколькими минутами раньше с ним кратко переговорил прилично одетый мужчина и вручил ему небольшой передатчик.

— Отель «Атенеум» на Пиккадилли, — бросила она, усаживаясь.

Такси влилось в плотный поток машин, и водитель небрежно повторил адрес в микрофон. Через полтора часа он высадил пассажирку у входа в отель. Около стойки портье вновь пришлось ждать — завис компьютер. После того как в телефон в предназначавшемся даме номере установили крошечный «жучок», ей вручили ключи и провели к лифту. На пороге номера она дала бою чаевые, затем вошла, закрыла дверь на ключ, набросила цепочку и кинулась к телефону.

— Бенни, это я. Приехала.

— Слава Богу! С тобой все в порядке?

— Да. Только немного напугана.

— За тобой кто-нибудь следовал?

— Нет. Не думаю. Я была очень осторожна.

— Отлично. Слушай, на Брик-стрит, в двух кварталах от тебя, есть небольшое кафе. Встретимся там через час.

— Хорошо. Мне почему-то страшно, Бенни.

— Не беспокойся, дорогая, все будет хорошо. Я очень соскучился по тебе.

Когда она пришла в кафе, Бенни там не оказалось. Прождав целый час, дама в панике бросилась назад. Он даже не позвонил. Ночь прошла без сна.

Утром, спустившись в вестибюль, дама взяла со стойки несколько газет и стала внимательно просматривать их за чашкой кофе. Очень скоро она наткнулась на два маленьких столбца в «Дейли мэйл», где сообщалось о задержании спасавшегося от правосудия США некоего Бенджамена Арициа.

Собрав свои вещи, дама заказала билет на ближайший рейс в Швецию.

ГЛАВА 41

Перекинувшись парой фраз со своим коллегой, Генри Трасселом, судья Карл Хаски договорился с ним, что дело Патрика Лэнигана будет рассматриваться в первую очередь.

Среди юристов Билокси ходили упорные слухи о состоявшейся сделке, но еще больше говорили о злом роке, упорно преследующем фирму Богена. Никаких других тем для обсуждения в здании городского суда не было.

Рабочий день Трассел начал с того, что пригласил в свой кабинет Т.Л. Пэрриша и Сэнди Макдермотта — они должны были ввести его в курс дела. Разговор затянулся на два часа. По трем вопросам пришлось консультироваться и с самим Патриком по телефону доктора Хайани. Оба они, врач и его пациент, играли в шахматы в кафетерии госпиталя.

— Непохоже, что он собирается в тюрьму, — пробормотал Трассел после второго звонка Лэнигану.

Судье явно не хотелось выпускать из рук свою жертву, однако добиться обвинительного приговора было немыслимо трудно. Заваленный делами наркодельцов и сексуальных маньяков, Трассел не собирался тратить время на какого-то осквернителя чужих могил. Улики против Лэнигана весьма спорные, причем только косвенные, а зная о склонности Патрика методично продумывать каждый шаг, он может не сомневаться: добиться осуждения в этом случае вряд ли удастся.

Предстояло выработать условия соглашения. Работа началась с решения сократить список выдвинутых против Патрика обвинений. Трассел по телефону переговорил с Суини, Мастом, Джошуа Каттером и Гамильтоном Джейнсом. На всякий случай дважды побеседовал с сидевшим в соседнем кабинете Карлом Хаски.

Оба судьи, как и Т.Л. Пэрриш, раз в четыре года должны были проходить процедуру переизбрания на должность. Соперников у Трассела никогда не находилось, он считал себя неуязвимым. Хаски уходил. Пэрриш, тонкий политик, мастерски поддерживал свою репутацию человека, абсолютно беспристрастного и способного принимать трудные решения без оглядки на общественное мнение. Все трое работали довольно долгое время и успели сделать главный вывод: когда возникает острая необходимость принятия непопулярных мер, делать это следует быстро. Переживать можно будет потом. Любые колебания лишь приведут к осложнениям. Что-нибудь пронюхают журналисты, разожгут в обществе споры, а под конец еще и масла плеснут в огонь.

Проблема с покойником, после того как Патрик объяснил ее всем, представлялась довольно простой. Он назовет имя человека, чей труп был сожжен, и предъявит бумагу, где засвидетельствовано разрешение семьи вскрыть могилу. Они достанут гроб и поднимут крышку. Если там окажется пусто, соглашение вступит в силу. В случае же обнаружения там чьего-либо тела соглашение будет расторгнуто и Патрику предъявят обвинение в умышленном убийстве. Говоря о Кловисе, Лэниган продемонстрировал такую уверенность, что ни у кого не возникло сомнений: могила пуста.

Приехавший в госпиталь Сэнди увидел своего клиента в постели, вокруг которой стояли медсестры, а доктор Хайани был занят обработкой ожогов. Узнав от адвоката, что вопрос не терпит отлагательства, Патрик попросил медперсонал оставить их вдвоем. Они вместе прочли все подготовленные бумаги, после чего Патрик подписал их.

У стола Сэнди заметил картонную коробку — в ней лежали книги, которые он приносил в госпиталь по просьбе Патрика. Значит, клиент уже начал паковать вещи.

Пообедал Сэнди в номере отеля наскоро — сандвичем, поглядывая, как секретарша перепечатывает документ. Обоих помощников и вторую секретаршу он отослал в Новый Орлеан.

Зазвонил телефон, и он мгновенно снял трубку. Его собеседник представился как Джек Стефано, из Вашингтона.

— Вы, видимо, уже слышали обо мне?

— Да, слышал.

— Я сейчас внизу, в вестибюле. У вас найдется несколько минут для разговора?

— Безусловно.

Трассел просил юристов вернуться около двух.

Они расположились в гостиной за небольшим столиком друг против друга.

— Меня любопытство привело, — объяснил причину своего появления Стефано, но Сэнди не поверил ему.

— Вам, наверное, стоило начать с извинений, — заметил он.

— Вы правы. В Бразилии мои люди несколько увлеклись, им, конечно, не следовало быть такими грубыми с вашим мальчиком.

— Я должен принять сказанное в качестве извинения?

— Мне очень жаль. Это было ошибкой. — Голосу Стефано явно не хватало искренности.

— Передам ваши слова своему клиенту. Уверен, они много значат для него.

— Я больше не участвую в драке. Мы с женой сейчас во Флориде отдыхали, вот я и позволил себе заглянуть сюда. Обещаю, что не отниму у вас много времени.

— Арициа арестовали? — спросил Сэнди.

— Да. Несколько часов назад, в Лондоне.

— Хорошо.

— Он больше не имеет ко мне никакого отношения, равно как и компания «Платт энд Роклэнд». Меня наняли уже после того, как деньги исчезли, для того чтобы найти их. Я и пытался сделать это. За работу мне заплатили, а теперь я выбросил это дело из головы.

— Для чего же вы приехали сюда?

— Я в высшей степени любознателен. Лэнигана мы нашли в Бразилии только после того, как кто-то стукнул на него. Кто-то очень хорошо его знавший. Два года с нами контактировала фирма из Атланты «Плутон». У них был клиент в Европе, а у того имелась определенная информация о Лэнигане. Клиент, естественно, хотел за нее денег. В то время у нас они водились, так что у нас возникли определенные отношения. Клиент «Плутона» бросал нам наживку, мы соглашались выплатить вознаграждение, и деньги переходили из рук в руки. Его данные всегда оказывались совершенно точными. Этот клиент поразительно много знал о Лэнигане: о его перемещениях, привычках, вымышленных именах. Тут работал кто-то поразительно умный. Мы чувствовали это, он нас пугал. В конце концов нам предложили действительно стоящую вещь: за миллион долларов клиент обещал сообщить адрес Лэнигана. Мы получили отличные снимки — на одном Лэниган мыл машину «фольксваген-жук», — заплатили миллион и нашли его.

— Так кем же был клиент?

— В этом-то и вопрос. По всей видимости, это женщина, так?

Сэнди фыркнул, словно собираясь расхохотаться, однако ничего смешного в ситуации не было. Из глубин памяти медленно поднимался рассказ Евы о том, как агенты «Плутона» следили за Стефано.

— Где она сейчас? — спросил Стефано.

— Понятия не имею.

Ева была в Лондоне, но гостю знать об этом не следовало.

— Всего мы заплатили загадочному клиенту один миллион сто пятьдесят тысяч долларов, и он — или она — без обмана доставил нам товар. Как Иуда.

— Все это уже принадлежит прошлому. Чего вы хотите от меня?

— Как я сказал, мной движет исключительно любопытство. Если вдруг в обозримом будущем вы докопаетесь до правды, буду признателен за телефонный звонок. Я ничего не выигрываю, ничего не теряю. Просто хочу знать, кому достались наши деньги.

Сэнди ответил неопределенным обещанием поставить при случае Стефано в известность, и тот вышел.

О сделке шериф Рэймонд Суини узнал во время обеда, и новость пришлась ему не по вкусу. Он тут же принялся звонить Пэрришу и Трасселу, однако для разговора и тот и другой оказались слишком занятыми. Телефон Каттера не отвечал.

Суини явился в суд и устроился в коридоре между кабинетами обоих судей: если действительно решат ударить по рукам, он попробует помешать. Шериф пошептался со знакомыми чиновниками — в атмосфере явно витало напряжение.

Юристы появились около двух часов и с суровыми лицами проследовали в кабинет Трассела. Минут через десять постучал в дверь и Суини: должен же он знать, что делать с заключенным? Судья спокойно объяснил, что, по всей видимости, по делу удастся достичь соглашения, которое, как считают и его коллеги, послужит интересам правосудия и справедливости. У Суини имелась собственная точка зрения, и он без колебаний изложил ее:

— Мы будем выглядеть дураками. Люди всё прекрасно понимают. Стоит поймать богатенького ловчилу, как он просто откупается от тюрьмы. Да что мы, клоуны, что ли?

— Твои предложения, Рэймонд? — спросил Пэрриш.

— Спасибо и на этом. Во-первых, я перевез бы его в окружную тюрьму — пусть посидит там, как все. А потом вкатил бы ему на полную катушку.

— За какое преступление?

— Но ведь он украл эти чертовы деньги! Сжег труп! Пусть лет десять поторчит в Парчмэне. Вот в чем состоит справедливость.

— Здесь он не крал никаких денег, — терпеливо возразил Трассел. — Это вне нашей юрисдикции. Дело рассматривалось федеральными властями, а они отказались от обвинений.

Сидевший в углу Сэнди не поднимал глаз от листа бумаги.

— Значит, кто-то сел в лужу? — не сдавался шериф.

— Во всяком случае, не мы, — быстро проговорил Пэрриш.

— Замечательно. Пойди и объясни это тем, кто тебя выбрал. Вали все на федов, им-то выборы не грозят. А сгоревший труп? Лэниган признается и выходит чистеньким на свободу?

— Ты считаешь, он должен понести наказание?

— Да, черт возьми!

— Хорошо. Как, по-твоему, нам доказать его вину? — спросил Пэрриш.

— Прокурор — ты. Это твоя работа.

— Да, зато ты у нас один такой умный. Как собираешься доказать свою правоту?

— Он же признался в этом, не правда ли?

— Значит, по-твоему, Патрик Лэниган встанет на суде и заявит присяжным, что сжег труп? Отличная стратегия.

— Он не сделает этого, — тут же вставил Сэнди.

Щеки и шея Суини стали багровыми, взгляд метался от Пэрриша к Сэнди. Осознав, что у сидевших в кабинете готовы ответы на любые вопросы, шериф с трудом взял себя в руки.

— Когда? — спросил он.

— Сегодня, ближе к вечеру, — ответил Трассел.

Суини не понравилось и это. Сунув сжатые кулаки в карманы, он направился к двери.

— Действительно, зачем вам обижать своего? Все вы, юристы, одинаковы, — четко произнес он.

— Одна большая и счастливая семья, — с сарказмом бросил ему в спину Пэрриш.

Суини гулко хлопнул дверью и зашагал по коридору. Уже из машины связался по телефону со своим личным информатором — репортером ежедневной газеты «Кост».

Поскольку разрешение семьи имелось, с раскапыванием могилы тянуть не пришлось. Трассел, Пэрриш и Сэнди оценили юмор ситуации: документ, дававший им право вскрыть гроб, был подписан единственным другом Кловиса — Патриком Лэниганом, тем самым, с кого в результате этого действа должны были снять выдвинутые обвинения.

Процедура вскрытия могилы весьма отличалась от эксгумации, для которой требовался специальный ордер, а в некоторых случаях — и отдельное слушание в суде. Раскопать захоронение, чтобы всего лишь посмотреть? Такого в своде законов не значилось, и Трассел испытывал по данному поводу огромное облегчение. Кто от этого пострадает? Уж никак не семья и не покойник.

Ролланд по-прежнему был владельцем ритуального бюро в Уиггинсе. Он хорошо помнил мистера Кловиса Гудмэна и его юриста, проведшего странное бдение, на которое никто и не думал явиться. Ролланд так и сказал судье Трасселу по телефону. Да, про мистера Лэнигана что-то писали в газетах, но сам он больше не появлялся и не звонил.

Трассел кратко объяснил Ролланду суть дела. Выяснилось, что гроб после бдения владелец ритуального бюро не открывал: не было необходимости, да и прежде он ничего подобного не делал. Пока судья разговаривал, Пэрриш по факсу переслал в Уиггинс копии разрешений, подписанных Диной Постелл и Патриком Лэниганом.

Ролланд внезапно загорелся желанием помочь следствию. Слышать об украденных трупах ему еще не доводилось, жители Уиггинса пока обходились без этого. Да, могилу он раскопает запросто, не сомневайтесь. Кладбище, между прочим, тоже принадлежит ему.

На кладбище Трассел отправил клерка и двух охранников. Надпись на красивой надгробной плите гласила:

КЛОВИС Ф. ГУДМЭН
23 января 1907 г. — 6 февраля 1992 г.
ОН УШЕЛ ЗА СЛАВОЙ

Лопата осторожно вошла в жирную землю. Минут через пятнадцать послышался негромкий удар о крышку гроба. Ролланд с помощником аккуратно выбрасывали на траву последние комья земли. Доски гроба кое-где подгнили. Грязными от земли руками Ролланд начал орудовать гаечным ключом и вскоре со скрипом приподнял крышку.

Как и предполагалось, гроб был пуст. Если не считать четырех бетонных блоков.

Заседание суда планировалось открытым — так требовал закон, но начать его решили около пяти дня, когда большинство сотрудников уже собирались домой. Это время устраивало всех, особенно судью и окружного прокурора, которые, будучи уверены в том, что вершат справедливое и правое дело, тем не менее нервничали. На протяжении всего дня Сэнди торопил их: зачем ждать теперь, когда гроб проверен и соглашение достигнуто? Клиент его сидел под охраной, хотя это, конечно, не вызывало у законников трепетного сочувствия. Время выбрано великолепно — какие могут быть задержки?

Никаких, решил его честь. Пэрриш не возражал. В ближайшие три недели его ждало восемь процессов, и освобождение от бремени ответственности за дело Лэнигана означало хоть какое-то облегчение.

Пять часов дня устраивали и защиту. При удачном раскладе все можно закончить через десять минут, а если повезет и еще немного, то на покидающих здание суда людей никто не обратит внимания. Время заседания не вызвало никаких возражений и у Патрика — чем другим мог бы он еще заняться?

Лэниган переоделся в просторные брюки цвета хаки, легкую белую рубашку из хлопка и кроссовки без носков: ожог на щиколотке давал о себе знать. Обняв Хайани, Патрик поблагодарил его за заботу и участие, попрощался с медсестрами и пообещал им вскоре вернуться. Все понимали, что этого он не сделает.

Наконец он покинул палату, где провел две недели. Рядом с ним шел его адвокат. Вооруженная охрана почтительно держалась сзади.

ГЛАВА 42

Пять часов дня, бесспорно, устраивали всех. Услышав о предстоящем заседании, ни один из судейских чиновников не ушел домой раньше.

Секретарша отдела недвижимости крупной юридической фирмы листала земельный кадастр, когда краем уха услышала, что Патрик Лэниган вот-вот будет в суде. Бросившись к телефону, она тут же сообщила новость в свой офис. Через несколько минут юристы едва ли не всего побережья знали, что Лэниган в соответствии с заключенной между ним и судейскими чиновниками сделкой готов признать себя виновным и намеревается объявить об этом в пять часов дня в главном зале в обстановке чуть ли не полной секретности.

Весть о готовящейся закулисной сделке мгновенно распространилась по городу. Не прошло и получаса, как половина жителей уже была в курсе того, что Патрик явится на заседание суда и скорее всего выйдет сухим из воды.

Событие наверняка привлекло бы меньше внимания, если бы о нем сообщили местные газеты и расклеенные по городу объявления. Суд обещал быть быстрым и почти тайным. Его окружала атмосфера секретности. Система законопорядка не собиралась топить одного из своих юристов.

Стоявшие группами в нишах зала суда люди многозначительно перешептывались. Толпа прибывала.

— Он уже здесь, — негромко сказал кто-то у судейской скамьи, и прибывшие торопливо двинулись по рядам, занимая места.

Патрик спокойно улыбнулся двум фоторепортерам, бросившимся к боковой двери здания. Его провели в ту же комнату на втором этаже и сняли наручники. Брюки оказались длинноваты, поэтому он склонился, чтобы подвернуть их. Появившийся на пороге Карл Хаски попросил охранников выйти.

— Тихого и маленького заседания не получилось, — заметил Патрик.

— Секреты у нас хранят плохо. Ты отлично выглядишь.

— Спасибо.

— Знакомый репортер из Джексона хотел, чтобы я спросил у тебя...

— Никогда. Не скажу ни слова.

— Я так и предполагал. Когда думаешь уехать?

— Пока не знаю. Скоро.

— Где твоя девушка?

— В Европе.

— Могу я поехать с тобой?

— Зачем?

— Просто хочу посмотреть.

— Я пришлю тебе видеокассету.

— Премного благодарен.

— А ты бы уехал? Если бы имел возможность исчезнуть в эту самую минуту, ты бы сделал это?

— С девяноста миллионами или без них?

— В любом случае.

— Конечно, нет. Мы в разном положении. Я люблю свою жену, а ты — нет. У меня трое замечательных детей. Нет, я не стал бы пускаться в бега. Но я не виню тебя.

— Бежать хотят все, Карл. В какой-то момент жизни каждый мечтает удрать куда-нибудь подальше. Когда сидишь в горах или на морском берегу, мир выглядит более привлекательным. Забываешь о проблемах. Это у нас в крови. Мы же потомки иммигрантов, оставивших родные места и приехавших сюда в поисках лучшей доли. Вот что гнало их на запад, заставляло паковать вещи и рыскать по свету в надежде отыскать горшок, набитый золотом. А теперь им некуда податься.

— Уф! Исторический аспект от меня ускользнул.

— Я смотрю на это как на прогулку.

— Жаль, что мои прапрадеды не прихватили с собой из Польши девяноста миллионов долларов.

— Я же вернул их.

— Думаю, что-то у тебя все же осталось.

— Если верить неподтвержденным слухам.

— Значит, по-твоему, нас теперь накроет волна краж, появятся десятки сожженных трупов и люди бросятся в Южную Америку, где томные красавицы сбились с ног в поисках тех, кто приласкал бы их?

— Пока такая линия поведения себя оправдывает.

— Бедные бразильцы! Как они устоят перед наплывом юристов-мошенников!

С очередным требующим подписи документом вошел Сэнди.

— Трассел начинает дергаться, — сказал он Карлу. — На него давят, телефон раскалился от звонков.

— А Пэрриш?

— Места себе не находит, точно проститутка в церкви.

— Нам нужно закончить как можно раньше, пока они не передумали, — бросил Патрик, ставя на бумаге свою подпись.

Появившийся в зале судебный пристав известил публику о том, что заседание вот-вот начнется, и попросил всех занять места. Опоздавшие ринулись к немногочисленным пустым скамьям. Служитель закрыл тяжелые створки двойных дверей. Люди стояли даже вдоль стен. Была почти половина шестого.

С присущим ему достоинством в зал ступил судья Трассел, и все поднялись. Он поздоровался с публикой, поблагодарил ее за неравнодушие к вопросам законности и справедливости. Затем было сказано, что судья вместе с окружным прокурором пришли к мнению: проведенное в спешке заседание может только нанести вред делу, поэтому слушание будет идти обычным порядком. Обсуждалась даже возможность отложить его, однако любая задержка способна вызвать сомнения в беспристрастности суда.

Через дверь у барьера присяжных ввели Патрика, который остался стоять рядом с Сэнди напротив судейской скамьи. В сторону зала подсудимый не взглянул. Сидевшему чуть в стороне Пэрришу не терпелось начать. Трассел неторопливо просмотрел папку с бумагами, вчитываясь в каждое слово.

— Мистер Лэниган, — медленно проговорил он звучным голосом (в течение последующего получаса так будут говорить все), — вы подали суду несколько заявлений.

— Да, ваша честь, — ответил за своего клиента Сэнди. — Первое касается снятия обвинения в умышленном убийстве и замены его обвинением в глумлении над трупом.

Слова эхом отдались в притихшем зале. Глумление над трупом?

— Мистер Пэрриш, — повернулся Трассел к прокурору.

Участники процесса согласились, что бо́льшую часть заседания говорить будет Пэрриш. На нем лежала задача обратиться к суду, его секретарям, к прессе и собравшимся в зале жителям Билокси.

Убедительно и ярко Пэрриш рассказал о ходе расследования. Убийства действительно не было — имело место нечто менее серьезное. Штат не возражал против замены одного обвинения другим, поскольку рассеялись всякие сомнения в том, что мистер Лэниган кого-то убил. Будто забыв об этикете и процедурных тонкостях, прокурор в лучшей манере Перри Мейсона* расхаживал по залу. Он чувствовал себя спасителем человечества.

— У суда имеется также заявление подсудимого с признанием своей вины в глумлении над трупом. Прошу вас, мистер Пэрриш.

Придерживаясь избранной линии, прокурор поведал залу историю бедного Кловиса. Пока прокурор с видимым удовольствием излагал все ставшие ему известными от Сэнди подробности, Патрик чувствовал на себе горящие взоры сограждан. «По крайней мере я никого не убивал!» — хотелось закричать ему.

— Что скажете вы, мистер Лэниган? — спросил его честь.

— Виновен, — твердо, но сдержанно ответил Патрик.

— У штата есть какие-либо предложения? — обратился судья к прокурору.

Пэрриш подошел к своему столу, просмотрел записи и приблизился к судейской скамье.

— Да, ваша честь. Вот письмо миссис Дины Постелл из Меридиена, штат Миссисипи, являющейся в настоящее время единственной внучкой Кловиса Гудмэна. — Он протянул Трасселу копию. — В нем миссис Постелл обращается к суду с просьбой не наказывать мистера Лэнигана за то, что он сжег тело ее деда, умершего четыре с лишним года назад. Семья не переживет больше никаких страданий, связанных с разбирательством. Совершенно ясно, что миссис Постелл была очень близка со своим родственником, чья смерть стала для нее тяжким ударом.

Патрик бросил взгляд на Сэнди — тот не смотрел в его сторону.

— Вы беседовали с ней? — спросил Трассел.

— Да, около часа назад. Голос ее в телефонной трубке звучал очень грустно, она попросила меня не открывать это

---

* Известный литературный персонаж, адвокат из детективных романов американского писателя Эрла Стенли Гарднера.

печальное дело вновь. Умоляла не вызывать ее в суд для дачи показаний и сказала, что вообще не поддержит попытку выдвинуть против мистера Лэнигана обвинение. — Пэрриш вернулся к столу и вновь покопался в бумагах. Заговорив, он повернулся к судье, но обращался ко всему залу: — Принимая во внимание настроения семьи, штат рекомендует приговорить подсудимого условно к двенадцати месяцам тюремного заключения. Срок может быть сокращен ввиду образцового поведения, выплаты штрафа в пять тысяч долларов и погашения всех судебных издержек.

— Мистер Лэниган, вы согласны с приговором? — спросил Трассел.

— Да, ваша честь, — тихо отозвался Патрик.

— Приговор утверждается. Замечания? — Подняв молоток, Трассел ждал.

Сэнди и Пэрриш утвердительно кивнули.

— Заседание окончено. — Молоток с резким стуком опустился на стол.

Патрик быстрым шагом вышел из зала. Скрылся мгновенно, на глазах у всех исчезнув вновь.

В кабинете Хаски он вместе с Сэнди просидел целый час, дожидаясь, когда на город опустится темнота и здание суда опустеет.

В семь вечера Патрик тепло попрощался с Карлом, от души поблагодарив друга за присутствие на заседании и поддержку и дав слово, что будет время от времени слать весточки. У самой двери остановился, чтобы сказать спасибо за помощь в тех «похоронах».

— Всегда к твоим услугам, — ответил Карл. — Можешь рассчитывать на меня.

Билокси они покинули в «лексусе» Сэнди — владелец машины за рулем, Патрик справа от него. Успокоенный, он последний раз внимательно смотрел на цепочку огней вдоль побережья. Позади остались казино Билокси и Галфпорта, длинный пирс. Наконец огни растворились во тьме: машина пересекала залив.

Сэнди протянул Патрику бумажку с телефонным номером, и тот принялся нажимать кнопки телефона. В Лондоне было три часа ночи, однако трубку сняли мгновенно.

— Ева, это я, — с напряжением проговорил Патрик.

Сэнди чуть не остановил машину, чтобы выйти и дать двоим поговорить без помех. Он старался не слушать.

— Мы выехали в Новый Орлеан. Никогда еще я не чувствовал себя так хорошо. А ты?

Патрик прикрыл глаза и долго слушал ее ответ.

— Какой сегодня день? — спросил он.

— Пятница, шестое ноября, — подал голос Сэнди.

— В воскресенье я буду ждать тебя в Эксе, на вилле. Да. Да. У меня все отлично, дорогая. Я люблю тебя. Засыпай, через несколько часов я перезвоню.

В полном молчании они въехали в Луизиану, и только где-то у озера Пончатрейн Сэнди сказал:

— Днем у меня побывал очень интересный гость.

— Вот как? Кто же?

— Джек Стефано.

— Он здесь, в Билокси?

— Да. Разыскал меня в отеле, сообщил, что развязался с Арициа и направляется во Флориду на отдых.

— И ты не убил его?

— Он сказал, что сожалеет о случившемся. Заявил, будто его парней в Бразилии занесло, просил передать тебе извинения.

— Какое благородство! Уверен, что заехал к тебе он вовсе не для этого.

— Естественно. Поведал о каком-то стукаче в Бразилии, о фирме «Плутон» и вознаграждениях за информацию. Стефано прямо спросил, не Ева ли была твоим Иудой. Я ответил, что понятия не имею.

— А ему-то какая разница?

— Хороший вопрос. Стефано объяснил, что его замучило любопытство. Еще бы: заплатить больше миллиона, найти тебя, но так и не получить денег! Он сказал, что спать не сможет спокойно до тех пор, пока не узнает. Прозвучало это довольно искренне.

— Могу представить.

— В драке он больше не участвует, по его собственным словам.

Приподняв левую щиколотку, Патрик осторожно коснулся обожженной кожи.

— Как он выглядит?

— Лет пятидесяти пяти, типичный итальянец, грива волос с сильной проседью и черные глаза. Красивый мужчина. А что?

— Я думал о нем постоянно. На протяжении последних трех лет в половине незнакомцев в Бразилии я видел Джека Стефано. Во снах за мной охотилось не менее сотни мужчин, и каждый оказывался Джеком Стефано. Он прятался в переулках, скрывался за стволами деревьев, ночами крался за мной по Сан-Паулу, мчался по волнам на скутере или преследовал в автомобиле. О Стефано я думал больше, чем о родной матери.

— Охота закончилась.

— Я устал от нее, Сэнди. Я сдался. Жить в бегах очень романтично, это и в самом деле настоящее приключение до тех пор, пока не поймешь, что кто-то сидит у тебя на хвосте. Ты спишь, а тебя ищут. В десятимиллионном городе сидишь вечером в ресторане с прекрасной женщиной, а этот кто-то стучит в чужие двери, показывает твои фотографии, сует банкноты за информацию. Видимо, я украл слишком много, Сэнди. За мной должны были прийти, и когда узнал, что они уже в Бразилии, я понял: конец близок.

— Ты говоришь — сдался. Что это значит?

Тяжело вздохнув, Патрик поменял позу. Глядя вниз на подернутую рябью поверхность воды, собрался с мыслями.

— Я сдался, Сэнди. Устал и сдался.

— Да, это я уже слышал.

— Я понял, что меня найдут, и решил: пусть уж лучше все произойдет по моему сценарию, а не по их.

— Продолжай.

— Идея с вознаграждениями принадлежит мне, Сэнди. Ева должна была отправиться в Мадрид, а оттуда в Атланту, где ее ждала встреча с сотрудниками «Плутона». Наняли их для того, чтобы иметь возможность связаться со Стефано и управлять потоками информации и платежами за нее. Мы доили Стефано, неторопливо подводя его ко мне, к маленькому домику в Понта-Пору.

Сэнди медленно повернул голову: ничего не выражавшее лицо, приоткрытый рот и пустой взгляд.

— Смотри, куда едешь! — Патрик ткнул в ветровое стекло пальцем.

Дернув руль, Сэнди выправил машину.

— Врешь, — сказал он, едва пошевелив при этом губами. — Я знаю, что ты врешь.

— Нет. Мы получили от Стефано миллион сто пятьдесят тысяч, и деньги эти спрятаны сейчас, наверное, в Швейцарии, там же, где и все остальные.

— Ты не знаешь, где они?

— О деньгах должна была позаботиться она. Уточню, когда мы встретимся.

Сэнди был слишком поражен, чтобы что-то сказать. Патрик решил помочь другу:

— Я знал, что меня схватят и попытаются заставить говорить. Не думал только, что дойдет и до этого. — Он показал ожог на щиколотке. — Я предполагал, что не получу от нашей беседы никакого удовольствия, но ведь они едва не убили меня. В общем, я сломался, Сэнди, и рассказал им о Еве. Но к тому времени она уже пропала, как и деньги.

— Ты мог погибнуть, Патрик, — проговорил Сэнди. Его правая рука лежала на руле, левой он почесал затылок.

— Это так. Здесь ты прав. Но через два часа после того, как они меня захватили, агенты ФБР в Вашингтоне уже знали, что это сделал Стефано. Вот что спасло мне жизнь, Сэнди. Стефано не мог меня убить: ФБР все было известно.

— Но как...

— Ева позвонила Каттеру в Билокси, а тот связался с Вашингтоном.

Сэнди захотелось остановить машину, выйти из нее и закричать. Облокотиться о поручни моста и подумать об услышанном. Надо же, а ведь казалось, что его успели посвятить во все тайны! Хороший удар!

— Ты был полным идиотом, если отдался им в руки.

— Неужели? Но ведь я только что вышел из зала суда свободным человеком. Я только что разговаривал с любимой женщиной, той самой, которая сохранила для меня целое состояние. С прошлым покончено, Сэнди. Как ты не видишь? За мной больше никто не охотится!

— Но все могло пойти прахом!

— Да, однако не пошло. У меня были деньги, пленки и алиби на случай с Кловисом. Плюс четыре года, чтобы спланировать каждую мелочь.

— Пытки ты не предусмотрел.

— Нет, но шрамы исчезнут. Не порти момент, Сэнди. Я наверху блаженства.

Сэнди высадил Патрика у дома его матери, там, где с детства в духовке всегда ждал прихода гостей румяный пирог. Миссис Лэниган пригласила адвоката зайти, однако он понимал, что матери хочется побыть с сыном наедине. Да и сам он не виделся с женой и детьми уже четыре дня.

Сэнди сел в машину. Голова шла кругом.

ГЛАВА 43

Патрик проснулся до рассвета в постели, пустовавшей уже лет двадцать, в комнате, где не бывал половину этого отрезка времени. Позади осталась совсем другая жизнь. В новой — стены спальни стали ближе друг к другу, потолок опустился. Изменилось и кое-что еще: куда-то пропали его старые, привычные вещи, исчезли со стен яркие плакаты с блондинками в тесных купальниках.

Родители почти не разговаривали друг с другом, и сын превратил свою спальню в подобие святилища. Задолго до того момента, когда Патрику исполнилось десять лет, он стал закрывать дверь на ключ. Отец и мать появлялись в комнате лишь с его разрешения.

Миссис Лэниган возилась в кухне, по дому плавал аромат поджаренного бекона. Несмотря на то что мать и сын легли поздно, движимая желанием поговорить, поднялась она рано. Кто стал бы винить ее за это?

Патрик медленно и со вкусом потянулся. Покрывавшая ожоги тонкая корочка местами потрескалась — еще одно небольшое движение, и из-под нее засочилась кровь. Патрик осторожно прикоснулся к ранам на груди, ему жутко хотелось содрать струпья. Скрестив ноги, он забросил руки за голову и улыбнулся: с жизнью в бегах покончено навсегда. Денило и Патрик сгинули, мрачные тени за спиной ушли в безвозвратное прошлое. Стефано, Арициа, Боген и прочие остались где-то далеко позади. Напрасными оказались все усилия ФБР и Пэрриша спрятать его за решетку. Он свободен!

Сквозь шторы пробивался солнечный свет. Быстро приняв душ, Патрик обработал ожоги мазью и приклеил пластырем свежие марлевые салфетки.

Он уже успел пообещать матери внуков, которые займут в ее сердце место Эшли Николь. Миссис Лэниган все еще мечтала увидеть девочку. Про Еву Патрик рассказал множество удивительных вещей и добавил, что в самом ближайшем будущем привезет ее в Новый Орлеан. О бракосочетании он промолчал, однако не сомневался, что оно неизбежно.

Сидя во дворике, они ели хрустящие вафли с жареным беконом и запивали их кофе. Старые улочки неторопливо пробуждались. Оба решили проехаться на машине еще до того, как начнут подходить с поздравлениями соседи. Патрику не терпелось вновь увидеть родной город, пусть даже и в краткой прогулке за рулем.

В девять утра вместе с матерью он вошел в большой универсальный магазин на канале, чтобы купить новые брюки, несколько рубашек и кожаную сумку. В кафе «Дю Монд» они немного перекусили, а затем, чуть позже, зашли в небольшой ресторан пообедать.

Около часа миссис Лэниган с сыном провели у стойки в аэропорту, держась за руки и обмениваясь редкими фразами. Когда объявили посадку, Патрик крепко обнял мать и пообещал каждый день звонить ей. Она с грустной улыбкой ответила, что хочет как можно быстрее увидеть внуков.

Приземлившись в Атланте по своему законному паспорту на имя Патрика Лэнигана, который Ева передала Сэнди, он поднялся на борт самолета, вылетавшего в Ниццу.

Последний раз Патрик видел Еву месяц назад, в Рио. Тогда они не разлучались ни на минуту. Охота уже вступила в решающую фазу, и Патрик знал об этом. Близилась развязка.

Обнявшись, они шагали по переполненным пляжам Ипанемы и Леблона, не обращая внимания на беспечные и веселые голоса. Ужинали в тихой и спокойной атмосфере любимых ресторанов «Антиквар» и «Антонио», хотя аппетита не было у обоих. Сидели за столиком, тихо беседуя. Долгие разговоры нередко заканчивались слезами Евы.

В какой-то момент ей удалось убедить его скрыться вновь, бежать куда-нибудь с ней, спрятаться в старом шотландском замке или крошечной квартирке в Риме, там, куда не дотянутся ничьи руки. Но момент этот быстро прошел: Патрик слишком устал спасаться бегством.

Ближе к вечеру они поднялись в вагончике фуникулера на вершину горы Сахарная Голова — полюбоваться закатом. От панорамы ночного Рио захватывало дух, но в те минуты они были слишком полны переживаний, чтобы любоваться сказочно красивым городом. Патрик крепко прижимал Еву к себе, стараясь защитить от прохладного ветра, и говорил, что, когда все закончится, они обязательно вернутся сюда, чтобы в последних лучах заходящего солнца строить планы на будущее. Ева пыталась верить.

Попрощались они на углу, неподалеку от ее дома. Поцеловав Еву в лоб, Патрик слился с толпой прохожих. Лучше оставить ее плачущей здесь, чем устраивать рвущее душу прощание в аэропорту. Из города он двинулся на запад, пересаживаясь с одного маленького самолетика на другой, и прибыл в Понта-Пору, когда смеркалось. Отыскал на стоянке аэропорта свой «фольксваген» и по тихим улочкам отправился на улицу Тирадентис в скромный, незаметный домик, где, приведя в порядок вещи, принялся терпеливо ждать.

Еве он звонил каждый день между четырьмя и шестью часами дня, каждый раз называя новое имя.

Потом звонки прекратились.

· Они нашли его.

Воскресный поезд из Ниццы прибывал в Экс точно по расписанию, через несколько минут после полудня. Патрик ступил на платформу, окинул взглядом толпу встречавших. Собственно говоря, он не рассчитывал увидеть Еву, была лишь смутная надежда на это. С новой сумкой в руке, Патрик отыскал таксиста, согласившегося на короткую поездку до расположенной в пригороде виллы.

Номера она заказала на обоих: для Евы Миранды и Патрика Лэнигана. Как приятно зайти с холода в теплое помещение, как замечательно ощутить себя обыкновенным туристом, привыкшим обходиться без плаща и кинжала, без чужих имен и фальшивых паспортов! Дама еще не приехала, известил его служитель. Настроение упало. Он мечтал найти Еву в ее номере, в кружевном белье, нетерпеливо ожидающей минуты их близости. Он уже чувствовал ее нежную кожу.

— Когда был заказан номер? — со сдерживаемым раздражением спросил Патрик.

— Вчера. Дама позвонила из Лондона и сказала, что будет здесь утром. Пока мы не видели ее.

Он прошел к себе, принял душ, распаковал сумку и по телефону попросил принести чай с пирожными. Представляя, как она постучит в дверь и он затащит ее в номер, Патрик заснул.

Проснувшись, он оставил внизу у администратора записку для Евы и отправился в долгую прогулку по старым улочкам подышать чистым и прохладным воздухом города эпохи Возрождения. Прованс в ноябре был великолепен. Может, им здесь и поселиться? Он смотрел на выстроившиеся по обеим сторонам улицы восхитительные дома и думал: да, тут совсем неплохо жить. В этом городе привыкли ценить прекрасное. Французский для Евы был почти родным — лишний повод заняться им самому. Решено: следующим шагом станет освоение языка. Они останутся здесь на неделю, может, чуть дольше, потом вернутся в Рио, хотя к тому времени Рио, наверное, уже не будет для них столь привлекательным. Ощутив наконец вкус свободы, Патрик готов был жить везде, вбирать в себя чужие обычаи и нравы, чужую культуру, говорить на всех языках.

Его остановила с вопросами группа молодых миссионеров-мормонов, однако он сумел избежать длительных объяснений и зашагал дальше по Кер-Мирабо. В уличном кафе, том самом, где годом раньше они сидели, держась за руки и глядя на спешивших куда-то студентов, он выпил чашку кофе.

Для паники не было никаких оснований. Просто ее рейс отложили. Патрик решил дождаться темноты и, когда опустились сумерки, медленно побрел в отель.

Евы там не было, как не было и никакого сообщения от нее. Пустота. Он позвонил в Лондон, и ему сказали, что мисс Лиа Перес покинула отель еще вчера, в субботу, в первой половине дня.

Патрик вышел в разбитый на террасе сад, отделенный от зала ресторана огромной стеклянной стеной, нашел там стул и уселся так, чтобы видеть часы над стойкой администратора. Желая согреться, он попросил принести две двойных порции коньяка.

Если Ева пропустила утренний рейс, то сейчас должна была бы позвонить ему.

Ее никто больше не преследовал. От злодеев удалось откупиться, а некоторые даже попали в руки правосудия.

Еще одна порция коньяка на пустой желудок, и закружилась голова. Чтобы не заснуть, пришлось перейти на крепкий кофе.

Когда бар закрылся, Патрик поднялся в номер. В Рио сейчас около восьми утра. Он неохотно снял трубку и позвонил ее отцу, которого видел всего два раза. Ева представила его как своего друга и клиента из Канады. Старику хватало проблем и без этого звонка, но выбора у Патрика не оставалось. Он сказал, что находится во Франции и ему необходимо срочно посоветоваться со своим бразильским юристом. Принес извинения за столь ранний звонок — дело в том, что он не смог найти мисс Миранду. Речь идет о деле чрезвычайной важности, не терпящем ни малейшего промедления. Разговаривать Паоло не хотелось, однако мужчина на том конце провода, по-видимому, немало знал о его дочери.

Ева в Лондоне, ответил он, в субботу звонила оттуда. Другой информации у него не было.

Прождав еще два мучительных часа, Патрик связался с Сэнди.

— Она пропала. — В голосе звучало отчаяние.

Сэнди тоже не получал от Евы Миранды никаких известий.

Два дня Патрик бродил по улицам Экса, изнуряя себя бесцельными прогулками, и лишь на недолгие часы забывался в номере тревожным сном. Он почти ничего не ел и поддерживал силы кофе и коньяком. То и дело он звонил Сэнди и пугал своими звонками Паоло. Прекрасный город потерял для него всякую привлекательность. Сидя в одиночестве, Патрик был готов лить слезы горечи и унижения, а на улицах бормотал проклятия в адрес женщины, которую по-прежнему безумно любил.

Служащие отеля наблюдали за ним с тревогой. Сначала постоялец волновался и то и дело подходил узнать, нет ли для него сообщений, однако проходили часы, а потом и дни, и теперь он едва удостаивал их кивком. Перестал бриться, выглядел изможденным и слишком много пил.

На четвертый день Патрик выехал из отеля, сказав, что возвращается в Америку. Портье он вручил запечатанный конверт и попросил передать его мадемуазель Миранде, если она здесь появится.

Вылетел Патрик, сам не зная почему, в Рио. При всей любви к этому городу Ева вряд ли окажется там — для подобного шага она слишком умна. Она имела четкое представление о том, где можно спрятаться и как жить под чужим именем, как беспрестанно перебрасывать деньги из одного банка в другой и тратить их, не привлекая ненужного внимания.

Научилась она этому у мастера. Искусство заметать следы Патрик преподал ей слишком хорошо. Найти Еву будет невозможно, если, конечно, она сама не захочет этого.

* * *

В Рио состоялся трудный разговор с Паоло. Патрик рассказал старику все, до мельчайших подробностей. Паоло расплакался, призывая проклятия на голову того, кто совратил сумасшедшими деньгами его драгоценную дочь. Продиктованная отчаянием встреча не принесла никакого результата.

Останавливался Патрик в небольших отелях, разбросанных вблизи ее квартиры, и целыми днями ходил по улицам, заглядывая в лица прохожих. Из преследуемой дичи он сам превратился в охотника, хотя почти не верил в удачу.

Вряд ли он когда-либо увидит ее лицо, ведь привычку прятать его привил Еве именно он.

Деньги подходили к концу, и вскоре пришлось позвонить Сэнди и обратиться к нему с просьбой выслать пять тысяч долларов взаймы. Тот моментально согласился, предложив даже бóльшую сумму.

Через месяц Патрик отбросил всякие надежды и сел в отправлявшийся в Понта-Пору автобус.

Можно было продать принадлежавший ему там дом и, наверное, машину. Это принесло бы тысяч тридцать долларов. А может, ничего не продавать и подыскать работу? Жить в прекрасной стране, в любимом городе? Преподавать английский, тихо обитая на улице Тирадентис, откуда уже скрылись ненавистные тени и где остались только босоногие мальчишки, гоняющие по раскаленной улице футбольный мяч.

Куда еще мог он направить свои стопы? Путешествие подошло к завершению. Прошлое осталось позади.

Когда-нибудь она наверняка отыщет его.

РЕГИОНЫ:

- Архангельск, 103-й квартал, ул. Садовая, 18, т. (8182) 65-44-26
- Белгород, пр. Хмельницкого, 132а, т. (0722) 31-48-39
- Волгоград, ул. Мира, 11, т. (8442) 33-13-19
- Екатеринбург, ул. Малышева, 42, т. (3433) 76-68-39
- Калининград, пл. Калинина, 17/21, т. (0112) 65-60-95
- Киев, ул. Льва Толстого, 11/61, т. (8-10-38-044) 230-25-74
- Красноярск, «ТК», ул. Телевизорная, 1, стр. 4, т. (3912) 45-87-22
- Курган, ул. Гоголя, 55, т. (3522) 43-39-29
- Курск, ул. Ленина, 11, т. (07122) 2-42-34
- Курск, ул. Радищева, 86, т. (07122) 56-70-74
- Липецк, ул. Первомайская, 57, т. (0742) 22-27-16
- Н. Новгород, ТЦ «Шоколад», ул. Белинского, 124, т. (8312) 78-77-93
- Ростов-на-Дону, пр. Космонавтов, 15, т. (8632) 35-95-99
- Рязань, ул. Почтовая, 62, т. (0912) 20-55-81
- Самара, пр. Ленина, 2, т. (8462) 37-06-79
- Санкт-Петербург, Невский пр., 140
- Санкт-Петербург, ул. Савушкина, 141, ТЦ «Меркурий», т. (812) 333-32-64
- Тверь, ул. Советская, 7, т. (0822) 34-53-11
- Тула, пр. Ленина, 18, т. (0872) 36-29-22
- Тула, ул. Первомайская, 12, т. (0872) 31-09-55
- Челябинск, пр. Ленина, 52, т. (3512) 63-46-43, 63-00-82
- Челябинск, ул. Кирова, 7, т. (3512) 91-84-86
- Череповец, Советский пр., 88а, т. (8202) 53-61-22
- Новороссийск, сквер им. Чайковского, т. (8617) 67-61-52
- Краснодар, ул. Красная, 29, т. (8612) 62-75-38
- Пенза, ул. Б. Московская, 64
- Ярославль, ул. Свободы, 12, т. (0862) 72-86-61

Заказывайте книги почтой в любом уголке России
107140, Москва, а/я 140, тел. (495) 744-29-17

ВЫСЫЛАЕТСЯ БЕСПЛАТНЫЙ КАТАЛОГ

Звонок для всех регионов бесплатный
тел. 8-800-200-30-20

Приобретайте в Интернете на сайте www.ozon.ru
Издательская группа АСТ
129085, Москва, Звездный бульвар, д. 21, 7-й этаж

Справки по телефону:
(495) 615-01-01, факс 615-51-10
E-mail: astpub@aha.ru http://www.ast.ru

Литературно-художественное издание

Гришэм Джон
Партнер

Ответственная за выпуск Л.А. Кузнецова
Художественный редактор О.Н. Адаскина
Технический редактор Н.К. Белова
Младший редактор Е.В. Демидова

Общероссийский классификатор продукции
ОК-005-93, том 2; 953000 — книги, брошюры

Санитарно-эпидемиологическое заключение
№ 77.99.60.953.Д.007027.06.07 от 20.06.07 г.

ООО «Издательство АСТ»
170002, Россия, г. Тверь, пр. Чайковского, 27/32
Наши электронные адреса:
WWW.AST.RU E-mail: astpub@aha.ru

ООО Издательство «АСТ МОСКВА»
129085, г. Москва, Звездный б-р, д. 21, стр. 1

ООО «ХРАНИТЕЛЬ»
129085, г. Москва, пр. Ольминского, д. 3а, стр. 3

ОАО «Владимирская книжная типография»
600000, г. Владимир, Октябрьский проспект, д. 7.
Качество печати соответствует качеству предоставленных диапозитивов